Norman G. Finkelstein

Przedsiębiorstwo Holokaust

Norman G. Finkelstein

PRZEDSIĘBIORSTWO HOLOKAUST

PRZEMYŚLENIA
O CZERPANIU KORZYŚCI
Z CIERPIEŃ ŻYDÓW

Wydawnictwo ANTYK Marcin Dybowski

Projekt okładki: Marcin Dybowski

Tytuł oryginału w języku angielskim:
The Holocaust Industry: Reflections on the Exploitation of Jewish Suffering

Wydanie pierwsze w języku polskim: Volumen 2001

Wydanie drugie w języku polskim: Fundacja Niepodległościowa

ISBN 978-83-945643-5-3

Tłumaczenie na podstawie: Second paperback edition, Londyn – Nowy Jork, Verso 2003

© Norman G. Finkelstein & Fundacja Niepodległościowa

Fundacja Niepodległościowa
ul. Klonowa 10a
05–806 Komorów
+48227580359, +48509458438
antyk@wolfnet.pl
www.sklep.antyk.org.pl

ISBN-13: 978-1-78.168-561-7 (PB)
eISBN-13: 978-1-78.168-440-5 (UK)
eISBN-13: 978-1-84.467-487-9 (US)

British Library Katalog Danych Publikacji
Numer katalogowy niniejszej książki jest dostępny w Brytyjskiej Bibliotece Narodowej

Biblioteka Kongresu Katalog Danych Publikacji
Numer katalogowy niniejszej książki jest dostępny w Bibliotece Kongresu USA

Wydaje mi się, że Holokaust jest przedmiotem sprzedaży
— a nie nauczania.

Rabin Arnold Jacob Wolf,
Dyrektor Hillel, Uniwersytet Yale[*]

---

[*] Michael Berenbaum, *After Tragedy and Triumph*, Cambridge 1990, 45

POZYTYWNE RECENZJE KSIĄŻKI

Przemysł Holokaustu

Zawarte w książce odważne ataki na wymuszenia finansowe przez grupy takie, jak W[orld] J[ewish]C[ongress] mają ogromne znaczenie i — miejmy nadzieję — będą wywierać wpływ. Książka została napisana w ostrym tonie, atakowana przez w większości wrogich krytyków; uderza mnie jako wysoce właściwa, szczególnie mając na uwadze precyzyjny dobór przez autora źródeł większości głoszonych przez niego tez.

Profesor William Rubenstein, Uniwersytet Walii

Tych oszustów trzeba zdemaskować i Finkelstein uważa, że to on powinien to zrobić. Na 150 krótkich stronach ujawnia ich machinacje. Jeżeli ten akt oskarżenia jest zgodny z prawdą, to powinien skutkować ściganiem, zwalnianiem z pracy, protestami. Ta książka krzyczy o skandalu. Jest też polemiką, przekazywaną najgłośniej jak jest to możliwe.

The Times

Finkelstein poruszył pewne istotne i niezbyt wygodne problemy.

Jewish Quarterly

Na to pole minowe, przez które wielu stąpało być może zbyt ostrożnie, wdarł się Norman Finkelstein, Żyd i samozwańczy obrazoburca, heretyk i wróg amerykańsko-żydowskiego establishmentu — i lobbuje granatami.

Spectator

Krótka, ostra i obficie udokumentowana polemika.

Times Higher Educational Supplement

Finkelstein mistrzowsko demaskuje tych, którzy chcieliby uświęcić Holokaust.

Los Angeles Times Book Review

Jego podstawowy argument, że pamięć o Holokauście została zbezczeszczona, jest argumentem poważnym, który należy zaakceptować.

Economist

Książka inteligentna, wybuchowa, czasem nawet lekko drwiąca.

Salon

Krótko mówiąc, jest to książka napisana w sposób przejrzysty, prowokujący i z pasją. Każdy, kto ma otwarty umysł i interesuje się tym tematem, powinien ignorować krytyczne przytyki i przeczytać, co Finkelstein ma do powiedzenia.

Statesman

Jego zarzuty, że niektórzy ludzie bogacą się na tym biznesie, wydają się uzasadnione, i jeżeli autor jest gotów je uzasadnić — warte postawienia.

Jewish Chronicle

Autor zasługuje na to, by go wysłuchano... Przedstawia kilka wnikliwych argumentów, które wielu młodszych i bardziej rozważnych Żydów starało się po cichu przedyskutować, ale których głosy zostały wyciszone przez establishment, szczególnie w Stanach Zjednoczonych.

Evening Standard

Książka Finkelsteina to prawdziwy nokaut — głównie ze względu na fakt, że niewielu autorów miało odwagę czy czelność oświadczyć, tak jak on to zrobił, że nazistowskie ludobójstwo zostało wykrzywione i pozbawione wynikających z niego moralnych nauk, po czym wykorzystano je jako «niezastąpiona broń ideologiczną». Jest to teza prowokacyjna, która powoduje, że chcemy ją odrzucić, nawet jeżeli nie możemy oderwać się od lektury tej książki, ponieważ autor przedstawił silne dowody i brawurowe uzasadnienia swoich twierdzeń.

LA Weekly

Finkelsteinowi należy przypisać zasługę za napisanie dobrze udokumentowanej książki, która może pomóc w likwidacji przemysłu Holokaustu, gdy ludzie dowiedzą się, że jest nieuczciwy i że wulgarnie żeruje na cierpieniach Żydów.

Z Magazine

Przedstawił ciętą krytykę instytucji i osób, które zebrały się wokół sprawy odszkodowań w ciągu ostatnich kilku lat.

New York Press

Rzeczywistość nazistowskiego holokaustu trwa. Pamięć może wciąż umożliwiać nam rozpoznawanie nowych ofiar, okazywanie wrażliwości i śledzenie objawów zbliżającego się ludobójstwa. Książki takie jak *Przemysł Holokaustu* mogą być w tym pomocne, jeżeli tylko im na to pozwolimy.

Red Pepper

Norman G. Finkelstein przez wiele lat wykładał politologię i nauczał o konflikcie izraelsko-palestyńskim. Jest autorem ośmiu książek, które zostały przetłumaczone na więcej niż czterdzieści wydań zagranicznych, w tym *What Gandhi Says*; *Gaza: o jedną masakrę za daleko* (tyt. oryg. *This Time We Went Too Far*); *Wielka hucpa. O pozorowaniu antysemityzmu i fałszowaniu historii* (tyt. oryg. *Beyond Chutzpah*) oraz *Image and Reality of the Israel-Palestine Conflict*.

PODZIĘKOWANIA

Colin Robinson z wydawnictwa Verso wymyślił koncepcję tej książki. Roane Carey przekształcił moje przemyślenia w spójną narrację. Noam Chomsky i Shifra Stern pomagali na każdym etapie pracy nad tą książką. Jennifer Loewenstein i Eva Schweitzer krytykowały kolejne wersje. Rudolph Baldeo zapewnił osobiste wsparcie i zachętę. Jestem dłużnikiem ich wszystkich. Na stronach tej książki próbowałem przedstawić dziedzictwo moich rodziców. Dedykuję tę książkę mojemu rodzeństwu, Richardowi i Henry'emu oraz mojemu bratankowi Davidowi.

Przedsłowie

DO DRUGIEGO WYDANIA W MIĘKKIEJ OPRAWIE

Będzie to niemal na pewno moje ostatnie słowo na temat przemysłu Holokaustu. W poprzednich wydaniach tej książki wyraziłem właściwie wszystko, co przez wiele lat miałem do powiedzenia: ostatecznie udało mi się — przepraszam za kolokwializm — zrzucić ten ciężar z piersi. Z drugiej jednak strony zwróciłem się do moich wydawców z prośbą, na którą z właściwą sobie hojnością przystali, o wydanie drugiej wersji w miękkiej oprawie, koncentrującej sie na sprawie banków szwajcarskich. Moim głównym celem jest przedstawienie czytelnikom, a w szczególności przyszłym badaczom, przejrzystego obrazu tych wydarzeń, oraz wskazanie im, czego szukać w gąszczu dezinformacji. Niestety, akta procesowe nie są całkowicie godne zaufania. Przewodniczący składu sędziowskiego w tej sprawie postanowił, z przyczyn, których nie ujawnił, ale których łatwo się domyślić, nie dopuścić do rozpatrzenia w procesie dokumentów o krytycznym znaczeniu. Ponadto Trybunał ds. Rozstrzygania Sporów (Claims Resolution Tribunal, CRT), który mógł przyjąć obiektywną ocenę zarzutów przeciwko bankom szwajcarskim, także nie zasługuje już na zaufanie. W połowie prac, które zmierzały do wyegzekwowania należności od banków szwajcarskich, CRT został radykalnie przeorganizowany przez kluczowe postaci przemysłu Holokaustu. Obecnie jego jedyną funkcją jest ochrona reputacji szantażystów. Zmiany te zostały obszernie udokumentowane w nowym posłowiu do niniejszego wydania. W oparciu o autorytatywną relację z kampanii o odszkodowania za Holokaust, opracowałem nowy aneks, zawierający kompleksowy przegląd „podwójnego wymuszenia", w jakim znalazły się państwa europejskie i osoby ocalałe z nazistowskiego holokaustu. Mimo że chętnie i z najwyższym zainteresowaniem zapoznałbym się z opracowaniem autorstwa kogoś reprezentującego przemysł Holokaustu, obalającym moje wnioski, podejrzewam — ponownie z przyczyn, których nietrudno się domyślić — że takiego opracowania raczej się nie doczekam. Cisza to jednak także odpowiedź, jak mawiała moja zmarła Matka.

Poza obfitością oszczerstw *ad hominem*, krytyczne opinie o mojej książce można podzielić na dwie grupy. Krytycy mainstreamowi zarzucają mi, że stworzyłem „teorię spiskową", zaś przedstawiciele lewicy ośmieszają książkę jako napisaną „w obronie banków". Żaden z tych krytyków jednak do tej pory nie zakwestionował moich faktycznych ustaleń. Chociaż wartość objaśniająca teorii spiskowych ma marginalne znaczenie, nie oznacza to, że w świecie rzeczywistym osoby indywidualne i instytucje nie spiskują, ani nie opracowują strategii. Wiara, że jest inaczej, jest równie naiwna, jak wiara, że jakaś ogromna konspiracja manipuluje całym światem. W *Bogactwie narodów* Adam Smith zaobserwował, że kapitaliści „rzadko spotykają się ze sobą, nawet dla rozrywki czy urozmaicenia, ale rozmowa kończy się na spisku przeciwko społeczeństwu czy jakimś podstępie w celu podwyższenia cen"[1]. Czy to czyni z Adama Smitha klasyka „teorii spiskowej"? W rzeczywistości „teoria spiskowa" oznacza niewiele więcej niż zwykłe nadużycie w celu zdyskredytowania politycznie niepoprawnego postrzegania kolejności faktów: twierdzenie, że potężne organizacje i instytucje amerykańskich Żydów, a także osoby indywidualne z tych kręgów, działając w zmowie z administracją Clintona, koordynują swój atak na banki szwajcarskie, z miejsca zostaje uznane za teorię spiskową (nie mówiąc już o antysemityzmie); natomiast twierdzenia, że banki szwajcarskie koordynowały atak na żydowskie ofiary nazistowskiego holokaustu i ich spadkobierców, teorią spiskową już nie można nazwać.

Wiele osób zastanawia się, dlaczego ja, człowiek związany z lewicą, bronię szwajcarskich bankierów. W rzeczywistości wyznaję credo Bertolta Brechta: „Czym się różni obrabowanie banku od posiadania banku?" Celem mojej książki nie było jednak zajmowanie się bankierami szwajcarskimi, czy nawet niemieckimi przemysłowcami. Moim celem było raczej przywrócenie prawdy historycznej oraz uświęcenie męczeństwa narodu żydowskiego. Potępiam popełniane przez przedsiębiorstwo Holokaust fałszowanie historii oraz wykorzystywanie pamięci historycznej w służbie przestępczego wyłudzenia.

---

[1] Adam Smith, *The Wealth of Nations*, Nowy Jork 2000, wstęp Roberta Reicha, str. 148

Lewicowi krytycy zarzucają, że moje cele są zbieżne z celami prawicy. Wydaje się jednak, że nie zwracają oni uwagi, w jakim obracają się towarzystwie — odrażającego gangu dobrze sytuowanych bandziorów i przekupniów oraz wierutnych apologetów amerykańskiej i izraelskiej przemocy. Zamiast mi pomóc w ich ujawnianiu, lewicowi krytycy gardłują o „bankach" niezależnie od faktów. Jest to smutny (ale wiele mówiący) komentarz do tego, jak niewiele w ich moralności liczy się prawda i pamięć o zmarłych.

Poza osobami, którym podziękowałem w poprzednich wydaniach niniejszej książki, pragnę wyrazić wdzięczność Michaelowi Alvarezowi, Camille Goodison, Maren Hackmann i Jasonowi Coronelowi za ich pomoc.

Norman G. Finkelstein
kwiecień 2000 roku
Nowy Jork

Przedsłowie

DO PIERWSZEGO WYDANIA W MIĘKKIEJ OPRAWIE

Od czasu publikacji w czerwcu 2000 roku książka *Przedsiębiorstwo Holokaust* wywołała silną reakcję w skali międzynarodowej. Rozbudziła krajową debatę i znalazła się na pierwszych miejscach list bestsellerów w wielu krajach, jak Brazylia, Belgia, Holandia, Austria, Republika Federalna Niemiec i Szwajcaria. Wszystkie ważniejsze gazety brytyjskie poświęciły książce co najmniej jedną pełną kolumnę, a francuski „Le Monde" nawet dwie i artykuł wstępny. *Przedsiębiorstwo Holokaust* stało się przedmiotem licznym programów radiowych i telewizyjnych oraz kilku pełnometrażowych filmów dokumentalnych. Najsilniejsza reakcja miała miejsce w Niemczech. Blisko 200 dziennikarzy stawiło się na konferencji prasowej o niemieckiej wersji książki, a w burzliwej publicznej dyskusji w Berlinie wzięło udział aż tysiąc osób (pięćset osób nie dostało się do środka z powodu braku miejsc). Wydanie niemieckie rozeszło się w 130.000 egzemplarzy w ciągu zaledwie kilku tygodni, a już kilka miesięcy później na rynku pokazały się trzy publikacje na temat tej książki[1]. Obecnie *Przedsiębiorstwo Holokaust* jest dostępne w szesnastu językach.

W przeciwieństwie do ogłuszającego wrzasku, jaki podniósł się jak świat długi i szeroki, początkową reakcją w Stanach Zjednoczonych była jedynie głucha cisza. Żadne z mainstreamowych mediów nie zainteresowały się tą książką[2]. Stany Zjednoczone są korporacyjną siedzibą przemysłu Holokaustu. Podobną reakcję mogłoby wywołać jedynie ogłoszenie w Szwajcarii wyników badań wykazujących, że czekolada powoduje raka. Kiedy jednak trudno było dłużej ignorować uwagę, jaką książka wywołała za granicą, histeryczne

---

[1] Ernst Piper (red.), *Gibt es wirklich eine Holocaust-Industrie?*, Monachium 2001.

[2] Zob. Christopher Hitchens, *Dead Souls* [w:] „The Nation", 18–25 września 2000 r.

komentarze wygłaszane na wybranych łamach skutecznie książkę zdyskredytowały. Dwa z nich zasługują na szczególną uwagę. „New York Times" jest głównym nośnikiem działań promocyjnych przemysłu Holokaustu. Dziennik ten ponosi główną odpowiedzialność za przyspieszenie kariery Jerzego Kosińskiego, Daniela Goldhagena czy Elie Wiesela. Pod względem częstotliwości artykułów Holokaust zajmuje bardzo bliskie drugie miejsce za codzienną prognozą pogody. W indeksie „New York Timesa" z 1999 roku znajdują się 273 wpisy na temat Holokaustu. Dla porównania: Afryce poświęcono zaledwie 32 wpisy[3]. W wydaniu „The New York Times Book Review" (recenzje książek) z 6 sierpnia 2000 roku zamieszczono dużą recenzję *Przedsiębiorstwa Holokaust* (pod tytułem *A Tale of Two Holocausts* (Opowieść o dwóch Holokaustach) autorstwa Omera Bartova, izraelskiego historyka wojskowości, który przekwalifikował się na eksperta od Holokaustu. Ośmieszając koncepcję czerpania zysków z Holokaustu jako „nową wersję «Protokołów mędrców Syjonu»", Bartov posłużył się całą serią inwektyw: „dziwaczne", „szokujące", „paranoidalne", „przeraźliwe", „ostre", „nieprzyzwoite", „niedojrzałe", „zadufane", „aroganckie", „głupie", „pełne samozadowolenia", „fanatyczne" i tak dalej[4]. W bezcennym ciągu dalszym,

---

[3] Według badań Lexis-Nexis za 1999 rok ponad połowa artykułów Rogera Cohena, korespondenta „Timesa" z RFN, dotyczyła Holokaustu. Raul Hilberg zaobserwował cierpko, że „słuchając Deutsche Welle [niemiecki program radiowy], doświadczam całkowicie innych Niemiec, niż kiedy czytam «New York Timesa»". („Berliner Zeitung", 4 września 2000 r.). Tak się składa, że na początku nazistowskiej eksterminacji „Times" raczej ignorował przebieg wydarzeń (zob. Deborah Lipstadt, *Beyond Belief*, Nowy Jork 1993).

[4] Co gorsza, nawet autor *Mein Kampf* zbierał lepsze recenzje w przeglądzie książek „Timesa". Mimo silnego krytycyzmu wobec antysemityzmu Hitlera, oryginalna recenzja opublikowana w „Timesie" przyznała „temu nadzwyczajnemu człowiekowi" wysoką ocenę za „jego zjednoczenie Niemiec, zniszczenie komunizmu, szkolenie młodzieży, utworzenie przez niego państwa spartańskiego, napędzanego patriotyzmem, ograniczenie rządu parlamentarnego, tak nieprzystosowanego do niemieckiego charakteru, ochronę prawa do własności prywatnej". (James W. Gerard, *Hitler As He Explains Himself* [w:] „The New York Times Book Review" [15 października 1933 r.])

opublikowanym kilka miesięcy później, Bartov nagle zmienił front. Teraz wzywał do solidarności wobec „rosnącej listy czerpiących zyski z Holokaustu", przywołując w pierwszej kolejności *„Przedsiębiorstwo Holokaust* Normana Finkelsteina"[5].

We wrześniu 2000 roku starszy redaktor „Commentary" Gabriel Schoenfeld opublikował zjadliwy atak zatytułowany „Holocaust Reparations — A Growing Scandal" (Reparacje za Holokaust — narastający skandal). Odwracając sens spraw poruszonych w trzecim rozdziale niniejszej książki, Schoenfeld ostro skrytykował czerpiących korzyści z Holokaustu, między innymi za „stosowanie bez ograniczeń wszelkich metod, niezależnie od tego, jak niestosownych czy nawet haniebnych", „chroniąc się za retoryką świętej sprawy" i „rozniecających pożar antysemityzmu". Mimo że jego oskarżenia precyzyjnie naśladowały *Przedsiębiorstwo Holokaust*, Schoenfeld uwłaczał tym książce i jej autorowi, używając w artykule opublikowanym jednocześnie w „Commentary"[6] inwektyw, takich jak „ekstremista", „wariat", „ekstremista", „szaleniec", „świr" i „cudak". W kolejnym artykule, opublikowanym 11 kwietnia 2001 r. na odwrocie strony redakcyjnej „Wall Street Journal", Schoenfeld przypuścił zmasowany atak na „The New Holocaust Profiteers" (Nowi spekulanci czerpiący zyski z Holokaustu), stwierdzając, że „jeden z najpoważniejszych zamachów na pamięć tamtych dni pochodzi nie ze strony zaprzeczających Holokaustowi [...], lecz od literackich i prawnych łowców nieszczęść". Oskarżenie to także stanowiło zniekształcone odbicie *Przedsiębiorstwa Holokaust*. Schoenfeld łaskawie zaliczył mnie do grona zaprzeczających Holokaustowi jako „oczywistego wariata".

Zarówno dla zajadłych przeciwników, jak zwolenników zawarte w książce ustalenia nie są bez znaczenia. Działania Bartova i Schoenfelda przypominają mi pewną mądrość, którą przekazała mi moja zmarła Matka: „Nie jest przypadkiem, że to Żydzi wynaleźli słowo *hucpa*". Patrząc na to z zupełnie innego punktu widzenia, miałem niebywałe szczęście, że niekwestionowany lider badaczy nazistowskiego holokaustu Raul Hilberg publicznie wspierał kontrowersyjną

---

[5] Omer Bartov, *Did Punch Cards Fuel the Holocaust?* w „Newsday", 25 marca 2001 r.

[6] „Holocaust Reparations: Gabriel Schoenfeld and Critics", styczeń 2001 r.

argumentację w *Przedsiębiorstwie Holokaust*[7]. Uczciwość Hilberga była równie wzniosła, jak jego wiedza naukowa. Być może nie przez przypadek Żydzi wynaleźli także słowo *mensch*.

Norman G. Finkelstein
kwiecień 2000 roku
Nowy Jork

---

[7] Zob. wywiady Hilberga opublikowane w *www.NormanFinkelstein.com* w zakładce „The Holocaust Industry".

WSTĘP

W niniejszej książce przedstawiono zarówno anatomię, jak oskarżenie przemysłu Holokaustu. Na dalszych stronach wykażę, że „Holokaust" jest ideologiczną reprezentacją nazistowskiego holokaustu[1]. Podobnie jak większość ideologii, zawiera on subtelne nawiązanie do rzeczywistości. Holokaust, pisany z dużej litery, jest nie tyle arbitralnym, co wewnętrznie spójnym konstruktem. Jego główne dogmaty leżą u podstaw istotnych interesów politycznych i klasowych. Faktycznie Holokaust stał się niezbędną bronią ideologiczną. Dzięki jej wykorzystaniu jedna z największych potęg militarnych świata, mająca na sumieniu potworne dokonania w dziedzinie praw człowieka, postawiła się w roli państwa „ofiary", a grupa etniczna odnosząca największe sukcesy w Stanach Zjednoczonych, także zyskała podobny status. Postawa „ofiary" daje znaczne dywidendy, w tym w szczególności immunitet na krytykę, niezależnie od tego, jak uzasadnioną. Powinienem tutaj dodać, że osoby korzystające z tego immunitetu nie uniknęły moralnego zepsucia, jakie mu z reguły towarzyszą. Z tego punktu widzenia działania Elie Wiesela, jako oficjalnego interpretatora Holokaustu, nie są przypadkowe. Najwyraźniej nie doszedł on do tego wniosku z powodu swoich zainteresowań humanitarnych czy talentu literackiego[2]. Wiodąca rola

---

[1] W niniejszym tekście *nazistowski holokaust* oznacza fakt historyczny, natomiast *Holokaust* jest jego reprezentacją ideologiczną.

[2] Haniebny wykaz apologii Wiesela w imieniu Izraela — zob. Norman G. Finkelstein i Ruth Bettina Birn, *A Nation on Trial: The Goldhagen Thesis and Historical Truth*, Nowy Jork 1998, str. 91 prz. 83, 96 prz. 90. Jego inne dokonania są niewiele lepsze. W nowych wspomnieniach, zatytułowanych *And the Sea Is Never Full* (Nowy Jork 1999), Wiesel oferuje następujące, nieprawdopodobne wytłumaczenie jego milczenia w sprawie cierpień Palestyńczyków: „Mimo znacznych nacisków, odmawiałem publicznego przyjęcia stanowiska w sprawie konfliktu izraelsko-arabskiego" (125). W swoim szczegółowym przeglądzie literatury na temat Holokaustu krytyk literacki Irving Howe podsumował ogrom osiągnięć Wiesela w jednym tylko

Wiesela raczej wynika raczej z bezbłędnego artykułowania dogmatów, a przez to służenia interesom, leżącym u podstaw Holokaustu.

Pierwszym bodźcem do napisania tej książki była nowatorska praca Petera Novicka pt. *The Holocaust in American Life* (Holokaust w amerykańskim życiu), którą recenzowałem dla brytyjskiego czasopisma literackiego[3]. Na stronach tej książki rozszerzyłem krytyczny dialog, który nawiązałem z Novickiem, stąd duża liczba odniesień do jego pracy. *The Holocaust in American Life* stanowi raczej zbiór prowokacyjnych przypuszczeń niż uzasadnionej krytyki, i jako taki należy do szacownej amerykańskiej tradycji demaskowania. Podobnie jak większość demaskatorów, także Novick koncentruje się na najbardziej rażących nadużyciach. Mimo świeżego i uszczypliwego podejścia do tematu, *The Holocaust in American Life* nie stanowi radykalnej krytyki. Nie kwestionuje podstawowych założeń. Książka ta, ani banalna, ani heretycka, koncentruje się na kontrowersyjnych skrajnościach mainstreamu. Nic dziwnego więc, że amerykańskie środki masowego przekazu poświęciły jej sporo uwagi, chociaż raczej o zróżnicowanym charakterze.

Główną kategorią analityczną Novicka jest „pamięć". Mimo ogromnego powodzenia w wieży z kości słoniowej, „pamięć" jest z pewnością najuboższą z koncepcji wysuwanych od dawna przez świat akademicki. Obok obowiązkowego ukłonu w kierunku Maurice'a Halbwachsa, celem Novicka było zademonstrowanie, w jaki sposób „bieżące problemy" kształtują „pamięć o Holokauście". Dawno, dawno temu intelektualni dysydenci posługiwali się ostrymi kategoriami politycznymi, jak „władza" czy „interesy" z jednej strony i „ideologia" z drugiej. Jedyne, co pozostało nam z tego dzisiaj, to płytki, odpolityczniony język „spraw" i „pamięci". A jednak na podstawie dowodów Novick przypuszcza, że pamięć o Holokauście

---

akapicie, zawierającym nikłą pochwałę pierwszej książki Elie Wiesela, *Noc*, jako napisaną „w sposób prosty i bez retorycznej wyrozumiałości". „Od *Nocy* nie wyszło już nic wartego przeczytania", zgodził się z nim krytyk literacki Alfred Kazin. „Elie stał się teraz aktorem. Przedstawił mi się jako «wykładowca cierpienia»." (Irving Howe, *Writing and the Holocaust* [w:] „New Republic" [27 października 1986 r.]; Alfred Kazin, *A Lifetime Burning in Every Moment*, Nowy Jork 1996, str. 179.)

[3] Norman Finkelstein, *Uses of the Holocaust*, Nowy Jork 1999, [w:] „London Review of Books", 6 stycznia 2000 r.

jest ideologicznym konstruktem odzwierciedlającym rzeczywiste interesy. Według Novicka pamięć o Holcauście, chociaż szczególna, jest „najczęściej" arbitralna. Jego zdaniem wyboru dokonano nie na podstawie „kalkulacji kosztów i korzyści", lecz raczej „bez brania pod uwagę [...] konsekwencji"[4]. Dowody sugerują jednak, że było dokładnie odwrotnie.

Początkowo moje zainteresowanie nazistowskim holokaustem wynikało z osobistych pobudek. Zarówno mój ojciec, jak matka przeżyli warszawskie getto i nazistowskie obozy koncentracyjne. Poza moimi rodzicami, wszyscy pozostali członkowie rodziny zostali zamordowani przez nazistów. Moim najwcześniejszym wspomnieniem związanym z nazistowskim holokaustem był widok matki wpatrzonej w ekran telewizora, oglądającej z zapartym tchem proces Adolfa Eichmanna (1961 r.), gdy pewnego dnia wróciłem do domu ze szkoły. Mimo że zaledwie szesnaście lat przed tym procesem oboje zostali uwolnieni z obozów, wydaje mi się, że moich rodziców zawsze od *tego* oddzielała niewidzialna przepaść. Fotografie rodziny mojej matki wisiały na ścianie naszego salonu. (Nikt z rodziny mojego ojca nie przeżył wojny.) Nigdy nie udało mi się sensownie wytłumaczyć mojego związku z tymi osobami, nie mówiąc o zrozumieniu tego, co się stało. To były siostry mojej matki, jej brat i rodzice, a nie moje ciotki, wujek czy dziadkowie. Pamiętam, jak będąc jeszcze dzieckiem czytałem „Mur" Johna Herseya oraz „Miła 18" Leona Urisa; obie książki są zbeletryzowanymi wspomnieniami z warszawskiego getta. (Nadal pamiętam narzekania mojej matki, gdy zaczytana w „Murze" przegapiła swój przystanek metra w drodze do pracy.) Mimo usilnych starań nigdy nawet przez chwilę nie udało mi się dokonać w wyobraźni skoku, łączącego moich rodziców, w całej ich zwyczajności, z tą przeszłością. Mówiąc szczerze, nadal tego nie potrafię.

Coś innego ma jednak większe znaczenie. Poza obecnością duchów przeszłości, nie przypominam sobie, by nazistowski holokaust kiedykolwiek wkroczył do mojego dzieciństwa. Główną przyczyną był fakt, że nikt spoza mojej rodziny nie interesował się tym, co naprawdę się stało. Moi przyjaciele z dzieciństwa dużo czytali i z pasją oddawali się dyskusjom o codziennych wydarzeniach. A jednak naprawdę nie przypominam sobie, by którykolwiek z moich przyjaciół

---

[4] Novick, *The Holocaust*, str. 3–6.

(lub ich rodziców) zadał chociaż jedno pytanie na temat tego, co przeszli moi rodzice. Nie była to pełna szacunku cisza. To była zwykła obojętność. Mając to na uwadze, trudno zachować sceptycyzm wobec wybuchów gniewu w późniejszych latach, gdy przemysł Holokaustu stał się już rzeczywistością.

Czasem myślę, że „odkrycie" nazistowskiego holokaustu przez amerykańskich Żydów było gorsze niż niepamięć o tej tragedii. To prawda, moi rodzice rozpaczali w samotności, a cierpienie, które przeszli, nigdy nie zostało publicznie potwierdzone. Czy jednak nie było to lepsze niż obecne bezwzględne wykorzystywanie żydowskiego męczeństwa? Zanim nazistowski holokaust stał się Holokaustem, opublikowano na ten temat tylko kilka prac naukowych, jak *The Destruction of the European Jews* (Zagłada Żydów europejskich) Raula Hilberga, czy wspomnienia *Man's Search for Meaning* (Poszukiwanie znaczenia przez człowieka) Viktora Frankla i *Prisoners of Fear* (Więźniowie strachu) Elli Linegns[5]. Jednak nawet tak mały zbiór klejnotów jest lepszy od całych półek, zapełniających biblioteki i księgarnie badziewiem.

Oboje moi rodzice, chociaż codziennie do śmierci przeżywali od nowa przeszłość, pod koniec życia stracili zainteresowanie Holokaustem jako spektaklem publicznym. Mój ojciec miał przez wiele lat przyjaciela, jeszcze z czasów, gdy byli więzieni w Auschwitz, pozornie nieprzekupnego, lewicowego idealistę, który po wojnie z zasady odmówił przyjęcia niemieckiego odszkodowania. Po pewnym czasie człowiek ten został dyrektorem izraelskiego Muzeum Holokaustu — Yad Vashem. Mój ojciec z ociąganiem i prawdziwym rozczarowaniem ostatecznie przyznał, że nawet ten człowiek został skorumpowany przez przemysł Holokaustu i dostosował swoje poglądy do pragnienia władzy i korzyści. W miarę jak wykorzystywanie Holokaustu przybierało coraz bardziej absurdalne formy, moja matka lubiła cytować (z zamierzoną ironią) powiedzenie Henry'ego Forda: „historia to bzdura". Opowieści o „ocalałych z Holokaustu" — wszystkich więźniach obozów koncentracyjnych, wszystkich bohaterach ruchu oporu — stały się w moim domu szczególnym źródłem pełnego goryczy rozbawienia. Przed laty John Stuart Mill stwierdził, że prawdy nie

---

[5] Raul Hilberg, *The Destruction of the European Jews*, Nowy Jork 1961; Viktor Frankl, *Man's Search for Meaning*, Nowy Jork 1959; Ella Lingens-Reiner, *Prisoners of Fear*, Londyn 1948.

poddane ciągłemu kwestionowaniu, z czasem przestają być prawdami i na skutek przesady przekształcają się w fałsz.

Moi rodzice często zastanawiali się, dlaczego tak oburzało mnie fałszowanie i czerpanie korzyści z nazistowskiego ludobójstwa. Najbardziej oczywistą odpowiedzią było to, że wykorzystywano je do uzasadnienia przestępczej polityki państwa izraelskiego i amerykańskiego poparcia dla tej polityki. Miałem jednak bardziej osobisty motyw. Naprawdę zależy mi na pamięci o prześladowaniach, których ofiarą padła moja rodzina. Prowadzona obecnie przez przemysł Holokaustu kampania, mająca na celu wymuszanie pieniędzy od Europy w imię „ofiar Holokaustu w trudnej sytuacji", sprowadziła wymiar moralny ich męczeństwa do poziomu kasyna w Monte Carlo. Jeśli nawet pominiemy powyższe rozważania, to nadal jestem przekonany, że istotne znaczenie ma zachowanie historycznej prawdy i walka o nią. Na ostatnich stronach niniejszej książki sugeruję, że badając nazistowski holokaust możemy wiele się nauczyć nie tylko o „Niemcach" lub „nie-Żydach", ale także o nas wszystkich. Uważam jednak, że aby tego dokonać, aby nauczyć się prawdy o nazistowskim holokauście, jego fizyczny wymiar należy ograniczyć, przy jednoczesnym rozszerzeniu jego wymiaru moralnego. Zbyt wiele zasobów publicznych i prywatnych zainwestowano w upamiętnienie nazistowskiego ludobójstwa. Wyniki tych prac są w większości bezwartościowe i stanowią hołd nie dla żydowskiego cierpienia, lecz dla żydowskiego wywyższania się ponad innych. Najwyższy czas, byśmy otworzyli nasze serca na cierpienia reszty ludzkości. Jest to główna nauka, którą wpoiła mi moja matka. Nigdy nie słyszałem, by powiedziała: „nie porównuj". Moja matka zawsze porównywała. Oczywiście należy brać pod uwagę uwarunkowania historyczne. Jednak odróżnianie „naszego" cierpienia od „ich" cierpienia jest samo w sobie moralną trawestacją. Platon humanitarnie zaobserwował, że „nie można porównywać ze sobą jakichkolwiek dwóch nieszczęśliwych ludzi i mówić, że jeden z nich jest szczęśliwszy od drugiego". W obliczu cierpień Afroamerykanów, Wietnamczyków i Palestyńczyków, credo mojej matki było zawsze takie samo: wszyscy jesteśmy ofiarami holokaustu.

Norman G. Finkelstein
kwiecień 2000 roku
Nowy Jork

Rozdział 1

Kapitalizacja Holocaustu

W pamiętnej wymianie zdań sprzed paru lat Gore Vidal zarzucił Normanowi Podhoretzowi, ówczesnemu redaktorowi naczelnemu czasopisma „Commentary", wydawanego przez American Jewish Committee, że jest „nieamerykański"[1]. Gore Vidal dowodził, że Podhoretz przywiązywał mniej uwagi do Wojny Domowej — „największego tragicznego wydarzenia, które nadal jest odczuwalne w naszej Republice" — niż do spraw żydowskich. Być może jednak Podhoretz był bardziej amerykański od jego oskarżyciela. W tamtym czasie bowiem w amerykańskim życiu kulturalnym bardziej centralną rolę odgrywała „wojna przeciwko Żydom" niż „wojna między stanami". Większość profesorów wyższych uczelni może potwierdzić, że liczba studentów, którzy potrafią prawidłowo podać stulecie, w którym miał miejsce nazistowski holokaust, oraz przybliżoną liczbę jego ofiar, jest o wiele większa niż liczba studentów potrafiących podać te same informacje o wojnie domowej. W rzeczywistości nazistowski holokaust jest chyba jedynym historycznym wydarzeniem szeroko komentowanym w salach wykładowych współczesnych uniwersytetów. Sondaże wykazały, że wśród Amerykanów o wiele powszechniejsza jest wiedza o tym, czym był Holokaust, niż o Pearl Harbour czy zrzuceniu bomb atomowych na Japonię.

Jednak nie tak dawno temu nazistowski holokaust niewiele znaczył dla Amerykanów. W okresie od zakończenia drugiej wojny światowej do końca lat sześćdziesiątych ubiegłego wieku temat ten poruszono w kilku zaledwie książkach i filmach. W całych Stanach Zjednoczonych tylko jeden uniwersystet oferował kurs na ten temat[2]. Kiedy Hannah Arendt w 1963 roku opublikowała swoje dzieło *Eich-*

---

[1] Gore Vidal, *The Empire Lovers Strike Back*, „Nation", 22 marca 1986.

[2] Rochelle G. Saidel, *Never Too Late to Remember*, Nowy Jork, 1996, str. 32.

mann w Jerozolimie, mogła korzystać tylko z dwóch prac naukowych opublikowanych w języku angielskim — *The Final Solution* Geralda Reitlingera oraz *The Destruction of European Jews* Raula Hilberga[3]. Arcydzieło Hilberga zostało wydane krótko przed pracą Hanny Arendt. Jego promotor na Uniwersytecie Columbia — niemiecko-żydowski teoretyk nauk społecznych Franz Neumann — zdecydowanie zniechęcał go do pisania na ten temat („to będzie twój pogrzeb"), a żaden uniwersytet ani znane wydawnictwo nie chciało mieć nic wspólnego z gotowym manuskryptem. Po publikacji praca *The Destruction of the European Jews* otrzymała tylko kilka recenzji, w tym większość krytycznych[4].

Nie tylko Amerykanie w ogóle, ale także amerykańscy Żydzi, w tym żydowscy intelektualiści, nie przywiązywali większej wagi do nazistowskiego holokaustu. W autorytatywnym sondażu przeprowadzonym w 1957 roku socjolog Nathan Glazer stwierdził, że nazistowskie Ostateczne Rozwiązanie (a także Izrael) „wywarło wyjątkowo niewielki wpływ na życie wewnętrzne amerykańskiego żydostwa". W komentarzu do sympozjum o „Żydostwie i młodszych intelektualistach" z 1961 roku stwierdzono, że „jedynie dwóch z trzydziestu jeden autorów zwróciło uwagę na ten wpływ". Także w czasie okrągłostołowej debaty, zorganizowanej w 1961 roku przez pismo

---

[3] Hannah Arendt, *Eichmann in Jerusalem: A Report on the Banality of Evil*, wydanie zmienione i rozszerzone, Nowy Jork 1965, str. 282. Sytuacja w Niemczech niewiele się różniła. W słusznie podziwianej biografii Hitlera, opublikowanej w RFN w 1973 roku, Joachim Fest poświęca eksterminacji Żydów jedynie cztery z 750 stron i tylko jeden akapit Auschwitz i innym obozom koncentracyjnym. (Joachim C. Fest, *Hitler* [Nowy Jork 1975], 679–682.)

[4] Raul Hilberg, *The Politics of Memory*, Chicago 1996, str. 66, 105–137. Podobnie jak w wypadku prac naukowych, jakość nielicznych filmów na temat nazistowskiego holokaustu robiła jednak silne wrażenie. *Wyrok w Norymberdze* (1961 r.) Stanleya Kramera zawiera wyraźne odniesienia do decyzji Sędziego Sądu Najwyższego Olivera Wendella Holmesa z 1927 roku, sankcjonującej sterylizację „umysłowo niepełnosprawnych" jako zapowiedzi nazistowskich programów eugenicznych, zachwyty Winstona Churchilla nad Hitlerem jeszcze w 1938 roku, zaopatrywanie Hitlera w broń przez żądnych zysków amerykańskich przemysłowców oraz oportunistyczne uniewinnienie po wojnie niemieckich przemysłowców przez amerykański trybunał wojskowy.

„Judaism" z udziałem dwudziestu jeden praktykujących Żydów amerykańskich na temat „mojej żydowskiej afirmacji", uczestnicy niemal całkowicie zignorowali ten temat[5]. W Stanach Zjednoczonych nie było żadnych pomników czy tablic upamiętniających nazistowski holokaust. Wręcz przeciwnie, większość największych organizacji żydowskich sprzeciwiało się upamiętnianiu Zagłady. Pytanie brzmi: dlaczego?

Zgodnie ze standardowym wyjaśnieniem trauma nazistowskiego holokaustu była dla Żydów tak wielka, że woleli tłumić w sobie wszelkie bolesne wspomnienia. W rzeczywistości nie istnieją jakiekolwiek dowody potwierdzające to stwierdzenie. Bez wątpienia niektórzy z ocalałych faktycznie, ani wtedy, ani w latach późniejszych, nie chcieli mówić o tym, co się wtedy działo. Jednakże wielu innych bardzo chciało o tym mówić, a gdy nadarzyła się okazja, nie chcieli przestać[6]. Problem polegał jednak na tym, że Amerykanie nie chcieli tego słuchać.

Prawdziwą przyczyną publicznego milczenia na temat nazistowskiej eksterminacji była konformistyczna polityka przywódców Żydów amerykańskich oraz polityczny klimat panujący w powojennej Ameryce. Pod względem spraw zarówno krajowych, jak zagranicznych amerykańskie elity żydowskie[7] dostosowywały się do oficjalnej polityki USA. Postawa taka sprzyjała realizacji tradycyjnych celów związanych z asymilacją i dostępem do władzy. Wraz z rozpoczęciem zimnej wojny główne organizacje żydowskie przyłączyły się do walki. Amerykańskie elity żydowskie „zapomniały" o nazistowskim holokauście, ponieważ Niemcy — od 1949 roku Niemcy Zachodnie — stały się kluczowym sojusznikiem powojennej Ameryki w konfrontacji między Stanami Zjednoczonymi a Związkiem Radzieckim.

---

[5] Nathan Glazer, *American Judaism*, Chicago 1957, str. 114; Stephen J. Whitfield, *The Holocaust and the American Jewish Intellectual* [w:] „Judaism" (jesień 1979).

[6] Emocjonalny komentarz na temat tych dwóch sprzecznych typów ocalałych przedstawiono w książce Primo Levi, *The Reawakening*, z nowym posłowiem (Nowy Jork 1986), 207.

[7] W niniejszej książce termin „żydowskie elity" oznacza osoby odgrywające istotną rolę w życiu organizacyjnym i kulturze mainstreamowej społeczności żydowskiej.

Wywoływanie demonów przeszłości nie tylko nie służyło żadnemu celowi, ale wręcz komplikowało sprawy.

Poza nielicznymi zastrzeżeniami (które szybko zarzucono), większość amerykańskich organizacji żydowskich szybko zaakceptowała wsparcie USA dla ponownie uzbrojonych i tylko nieznacznie zdenazyfikowanych Niemiec. W obawie przed „jakąkolwiek zorganizowaną opozycją Żydów amerykańskich wobec nowej polityki zagranicznej i strategicznego podejścia, która mogłaby ich izolować w oczach nieżydowskiej większości i zagrozić ich powojennym osiągnięciom na scenie krajowej", Amerykański Komitet Żydowski (Amercian Jewish Committee, AJC) jako pierwszy głosił zalety nowej polityki. Prosyjonistyczny Światowy Kongres Żydów (World Jewish Congress, WJC) oraz jego amerykański odpowiednik zaprzestali opozycji po podpisaniu na początku lat pięćdziesiątych umów reparacyjnych z Niemcami, natomiast Liga Przeciwko Zniesławieniu (Anti-Defamation League, ADL) jako pierwsza z głównych organizacji żydowskich wysłała w 1954 roku oficjalną delegację do Niemiec. Organizacje te współpracowały z rządem w Bonn nad ograniczeniem „antyniemieckiej fali" żydowskich wspomnień[8].

Ostateczne Rozwiązanie stało się tematem tabu wśród amerykańskich elit żydowskich z jeszcze jednej przyczyny. Lewicowi Żydzi, sprzeciwiający się zimnowojennemu pogodzeniu z Niemcami przeciwko Związkowi Radzieckiemu, nieustannie krytykowali tę politykę. Wypominanie Niemcom nazistowskiego holokaustu zostało więc napiętnowane jako komunistyczny wymysł. W połączeniu ze stereotypowym kojarzeniem Żydów z lewicą — w rzeczywistości Żydzi oddali jedną trzecią głosów na postępową kandydaturę Henry'ego Wallace'a w wyborach prezydenckich w 1948 roku — amerykańskie elity żydowskie bez wahania poświęciły swoich żydowskich pobratymców na ołtarzu antykomunizmu. Poprzez udostępnienie agencjom rządowym swoich archiwów na temat rzekomej dywersyjnej działalności Żydów AJC i ADL wzięły aktywny udział w polowaniu na czarownice senatora McCarthy'ego. AJC poparł karę śmierci dla Rosenbergów, a wydawany przez Kongres miesięcznik

---

8 Shlomo Shafir, *Ambiguous Relations: The American Jewish Community and Germany Since 1945*, Detroit 1999, str. 88, 98, 100–101, 111, 113, 114, 177, 192, 215, 231, 251.

„Commentary" opublikował artykuł wstępny, w którym napisano, że Rosenbergowie tak naprawdę nie byli Żydami.

W obawie przed kojarzeniem ich z polityczną lewicą w kraju i za granicą mainstreamowe organizacje żydowskie sprzeciwiały się współpracy z antynazistowskimi organizacjami niemieckich socjaldemokratów oraz bojkotowi niemieckich producentów i publicznych demonstracji przeciwko oficjalnym wizytom byłych nazistów w Stanach Zjednoczonych. Z drugiej strony prominentni niemieccy dysydenci, jak protestancki pastor Martin Niemöller, który spędził osiem lat w nazistowskich obozach koncentracyjnych i teraz sprzeciwiał się krucjacie antykomunistycznej, padali ofiarą oszczerstw rozpowszechnianych przez przywódców amerykańskich Żydów. W swoich działaniach podejmowanych w celu podkreślenia swojej antykomunistycznej postawy żydowskie elity nawet zaangażowały — i wspierały finansowo — prawicowe organizacje ekstremistyczne, jak Wszechamerykańska Konferencja Walki z Komunizmem (All-American Conference to Combat Communism), i przymykały oczy na przyjazdy do USA weteranów nazistowskiego SS[9].

W swoich niekończących się działaniach mających na celu przypochlebianie się amerykańskim elitom rządzącym i odseparowanie od żydowskiej lewicy, amerykańskie organizacje żydowskie odwoływały się do nazistowskiego holokaustu w jednym tylko, szczególnym kontekście: w celu potępienia ZSRR. W wewnętrznym memorandum AJC, przywołanym triumfalnie przez Novicka, stwierdzono, że „sowiecka [antyżydowska] polityka otwiera możliwości, których nie wolno przeoczyć" w celu „wzmocnienia określonych aspektów krajowego programu AJC". Zgodnie z przyjętym kierunkiem oznaczało to powiązanie nazistowskiego Ostatecznego Rozwiązania z rosyj-

---

[9] Ibid., str. 98, 106, 123–137, 205, 215–216, 249. Robert Warszaw, *The 'Idealism' of Julius and Ethel Rosenberg*, w „Commentary" (listopad 1953 roku). Być może to tylko zbieg okoliczności, że jednocześnie mainstreamowe organizacje żydowskie „ukrzyżowały" Hannah Arendt za oskarżenie wywyższających się elit żydowskich o kolaborację w czasach nazizmu? Wspominając perfidną rolę policji podległej Radzie Żydowskiej, Yitzak Zuckerman, przywódca powstania w getcie warszawskim, zaobserwował, że „nie było żadnych «porządnych» policjantów, ponieważ porządni ludzie zdjęli mundury i stali się po prostu Żydami" (*A Surplus of Memory* [Oksford 1993], 244).

skim antysemityzmem. „Stalin zwycięży tam, gdzie Hitler przegrał"
ponuro wieszczyło pismo „Commentary". „On ostatecznie wypędzi
Żydów z Europy Środkowej i Wschodniej. [...] Paralela z nazistowską
polityką eksterminacji jest niemal pełna". Główne amerykańskie
organizacje żydowskie potępiły nawet sowieckie represje w Węgrzech
jako „jedynie pierwszy etap na drodze ku rosyjskiemu Auschwitz"[10].

*

* *

Wszystko jednak zmieniło się wraz z wybuchem w czerwcu 1967 roku wojny arabsko-izraelskiej. Niemal wszyscy świadkowie tamtych
czasów stwierdzili, że Holokaust stał się stałym elementem życia
amerykańskich Żydów[11] dopiero po wybuchu tego konfliktu. Z reguły
przemianę tę tłumaczy się głęboką izolacją i osłabieniem Izraela
w czasie wojny czerwcowej, która wywołała wspomnienia nazistowskiej eksterminacji. W rzeczywistości jednak analiza ta nie stanowi
wiernego odzwierciedlenia ówczesnych stosunków między bliskow-
schodnimi potęgami ani charakteru zmieniających się stosunków
pomiędzy amerykańskimi elitami żydowskimi a Izraelem.

W pierwszych latach po drugiej wojnie światowej mainstreamowe amerykańskie organizacje żydowskie nie tylko pomniejszały
znaczenie nazistowskiego holokaustu, by dostosować się do zimno-
wojennych priorytetów kolejnych rządów USA, ale także starały się
dostosować do polityki Stanów Zjednoczonych swoją pozycję w stosunku do rządu Izraela. Od samego początku istnienia Izraela
amerykańskie elity żydowskie żywiły poważne obawy co do państwa żydowskiego. Obawy te dotyczyły przede wszystkim możliwości
oskarżenia Żydów o „podwójną lojalność". W miarę nasilania się
zimnej wojny obaw tych było coraz więcej. Jeszcze przed powsta-

---

10 Novick, *The Holocaust*, str. 98–100. Poza Zimną Wojną, pomocniczą rolę
w powojennym umniejszaniu nazistowskiego holokaustu przez amerykańskich Żydów odegrały także inne czynniki, jak na przykład obawa przed
antysemityzmem oraz optymistyczny, pro-asymilistyczny etos amerykański
z lat pięćdziesiątych ubiegłego wieku. Novick omawia te kwestie w rozdzia-
łach 4–7 swojej książki *The Holocaust*.

11 Wydaje się, że jedynie Elie Wiesel zaprzeczał tym związkom, twierdząc,
iż pojawienie się Zagłady w życiu Amerykanów było głównie jego dziełem.
(Saidel, *Never Too Late*, str. 33–34)

niem Izraela przywódcy amerykańskich Żydów wyrażali obawę, że lewicowe i w większości wschodnioeuropejskie przywództwo tego kraju będzie chciało przyłączyć się do obozu sowieckiego. Chociaż amerykańskie organizacje żydowskie ostatecznie przyłączyły się do kierowanej przez syjonistów kampanii o własne państwo, przez cały czas przyglądały się one i dostosowywały do płynących z Waszyngtonu sygnałów. AJC udzielił wsparcia dla procesu tworzenia państwa Izrael jedynie z obawy przed możliwością wybuchu w USA antyżydowskich protestów, gdyby proces osiedlania żydowskich uchodźców w Europie zbyt się przedłużał[12]. Mimo przyłączenia się przez Izrael do państw zachodnich wkrótce po utworzeniu państwa żydowskiego, wielu Izraelczyków wchodzących w skład rządu zachowało silne związki ze Związkiem Radzieckim; stąd, zgodnie z przewidywaniami, żydowscy przywódcy z USA starali się utrzymać Izrael na odległość wyciągniętej ręki.

Od utworzenia państwa w 1948 roku do wojny w czerwcu 1967 roku Izrael znajdował się centrum zainteresowania twórców amerykańskiej polityki strategicznej. W czasie, gdy przywódcy Żydów palestyńskich przygotowywali się do ogłoszenia niepodległości, prezydent Truman nie mógł zdecydować się, czy uwarunkowania krajowe (a raczej żydowskie głosy wyborcze) są ważniejsze od obaw Departamentu Stanu (wsparcie dla państwa żydowskiego mogłoby zrazić do USA cały świat arabski). W celu zabezpieczenia interesów USA na Bliskim Wschodzie administracja prezydenta Eisenhowera starała się równoważyć wsparcie dla Izraela i narodów arabskich, z lekką przewagą jednak na korzyść Arabów.

Okresowe spory pomiędzy Izraelem a Stanami Zjednoczonymi o kwestie związane z polityką osiągnęły swój szczyt w czasie kryzysu sueskiego w 1956 roku, gdy Izrael w porozumieniu z Wielką Brytanią i Francją zaatakował nacjonalistycznego przywódcę Egiptu Gamala Abdela Nassera. Mimo że błyskawiczne zwycięstwo Izraela i zajęcie Półwyspu Synaj zwróciło uwagę świata na jego strategiczny potencjał, Stany Zjednoczone nadal uznawały Izrael jedynie za jednego ze swoich kilku regionalnych sojuszników. Zgodnie z tą polityką prezydent Eisenhower zmusił Izrael do pełnego i zasadniczo bezwarunkowego wycofania się z Półwyspu Synaj. Podczas kryzysu

---

[12] Menahem Kaufman, *An Ambiguous Partnership*, Jerozolima 1991, str. 218, 276–277.

amerykańscy przywódcy żydowscy przez krótki czas popierali podejmowane przez Izrael działania ukierunkowane na zmuszenie Ameryki do ustępstw, ale ostatecznie, jak wspomina Arthur Hertzberg, „preferowali doradzanie Izraelowi, by raczej popierał [Eisenhowera], niż sprzeciwiał się życzeniom przywódcy Stanów Zjednoczonych"[13].

Już wkrótce po powstaniu Izraela państwo to praktycznie przestało funkcjonować w świadomości amerykańskich Żydów, z wyjątkiem okazjonalnych akcji charytatywnych. W rzeczywistości Izrael nie miał większego znaczenia dla Żydów amerykańskich. W swoim badaniu z 1957 roku Nathan Glazer stwierdził, że Izrael „wywierał zdumiewająco słaby wpływ na życie wewnętrzne amerykańskiego żydostwa"[14]. Liczba członków Syjonistycznej Organizacji Ameryki (Zionist Organization of America, ZOA) spadła z setek tysięcy w 1948 roku do dziesiątek tysięcy w latach sześćdziesiątych ubiegłego wieku. Jedynie jeden na dwudziestu amerykańskich Żydów decydował się na wizytę w Izraelu przed czerwcem 1967 roku. Po reelekcji Eisenhowera w 1956 roku, która miała miejsce bezpośrednio po tym, jak wymusił on na Izraelu poniżające wycofanie się z Półwyspu Synaj, już wcześniej znaczące poparcie Izraela dla prezydenta jeszcze bardziej wzrosło. Na początku lat sześćdziesiątych Izrael zebrał za porwanie Eichmanna solidne cięgi od niektórych żydowskich elitarnych kół opiniotwórczych, reprezentowanych np. przez byłego przewodniczącego AJC Josepha Proskauera, historyka z Uniwersytetu Harvarda Oscara Handlina, czy znajdującego się w rękach żydowskich dziennika „Washington Post". Erich Fromm stwierdził, że „porwanie Eichmanna jest aktem bezprawia dokładnie tego samego rodzaju, jaki popełniali sami naziści"[15].

---

13 Arthur Hertzberg, *Jewish Polemics*, Nowy Jork 1992, str. 33; w pozornie przepraszającym tonie, cyt. Isaac Alteras, *Eisenhower, American Jewry, and Israel*, w „American Jewish Archives", listopad 1985, oraz Michael Reiner, *The Reaction of US Jewish Organizations to the Sinai Campaign and Its Aftermath*, w „Forum" (zima 1980–1981).

14 Nathan Glazer, „American Judaism", Chicago 1957. Glazer kontynuował: „Izrael prawie nic nie znaczył dla amerykańskiego judaizmu. [...] [K]oncepcja, by Izrael [...] mógł w jakikolwiek istotny sposób wpływać na judaizm w Ameryce, [...] została uznana za iluzoryczną" (115).

15 Shafir, *Ambiguous Relations*, str. 222.

Niezależnie od poglądów politycznych, żydowscy intelektualiści z USA okazywali szczególną obojętność wobec losu Izraela. W szczegółowych badaniach, przeprowadzonych w latach sześćdziesiątych ubiegłego wieku wśród lewicowo-liberalnych żydowskich kręgów intelektualnych w Nowym Jorku, bardzo rzadko wspominano Izrael[16]. Krótko przed wybuchem czerwcowej wojny AJC sponsorował sympozjum na temat „Żydowskiej tożsamości tu i teraz". Jedynie trzech z trzydziestu jeden „najtęższych umysłów społeczności żydowskiej" w ogóle wspomniało o Izraelu, w tym dwóch jedynie po to, by zaprzeczyć jego znaczeniu[17]. Ironią losu był fakt, że jedynymi dwoma przedstawicielami intelektualistów żydowskich, którym udało się nawiązać więź z Izraelem przed czerwcem 1967 roku, byli Hannah Arendt i Noam Chomsky[18].

Wtedy wybuchła wojna sześciodniowa. Pod wrażeniem miażdżącej przewagi Izraela Stany Zjednoczone podjęły decyzję o uznaniu tego państwa za sojusznika strategicznego. (Jeszcze przed wybuchem wojny sześciodniowej Stany Zjednoczone ostrożnie przychylały się ku Izraelowi, w miarę jak od połowy lat sześćdziesiątych reżimy rządzące Egiptem i Syrią przyjmowały coraz bardziej niezależny kurs.) W miarę napływu pomocy wojskowej i gospodarczej Izrael stawał się zastępczym ośrodkiem wpływów USA na Bliskim Wschodzie.

Dla amerykańskich elit żydowskich podporządkowanie Izraela wpływom USA okazało się darem losu. Syjonizm rozwijał się na

---

16 Zob. np. Alexander Bloom, *Prodigal Sons*, Nowy Jork 1986.

17 Lucy Dawidowicz i Milton Himmelfarb (red.), *Conference on Jewish Identity Here and Now* (American Jewish Committee 1967).

18 Po emigracji z Niemiec w 1933 roku, Arendt aktywnie włączyła się w działalność francuskiego ruchu syjonistycznego; od II wojny światowej do utworzenia Izraela pisała obszernie o syjonizmie. Jako syn prominentnego amerykańskiego hebraisty, Chomsky wychowywał się w syjonistycznej rodzinie, i krótko po ogłoszeniu niepodległości Izraela przebywał jakiś czas w kibucu. ADL stał na czele obu publicznych kampanii oszczerczych, jednej przeciwko Arendt w latach sześćdziesiątych i drugiej przeciwko Chomskiemu w latach siedemdziesiątych ubiegłego wieku. (Elisabeth Young-Bruehl, *Hannah Arendt* [New Haven 1982], str. 105–108, 138–139, 143–144, 182–184, 223–233, 348; Robert F. Barsky, *Noam Chomsky* [Cambridge 1997], str. 9–93; David Barsamian (red.), *Chronicles of Dissent* [Monroe, ME 1992], 38.)

gruncie przekonania, że asymilacja była marzeniem ściętej głowy, a Żydzi zawsze będą postrzegani jako potencjalnie nielojalni sojusznicy. W celu rozwiązania tego dylematu syjoniści pragnęli stworzyć Żydom ojczyznę. W rzeczywistości powstanie Izraela jedynie pogłębiło ten problem, przynajmniej dla diaspory żydowskiej, nadając oskarżeniom o podwójną lojalność wymiar instytucjonalny. Paradoksalnie, po czerwcu 1967 roku Izrael ułatwił asymilację w Stanach Zjednoczonych, bowiem Żydzi znaleźli się w forpoczcie obrońców Ameryki — a nawet „cywilizacji zachodniej" — przed prymitywnymi arabskimi hordami. O ile przed 1967 rokiem Izrael wywoływał obawy przed podwójną lojalnością, to obecnie kojarzył się z super lojalnością. Ostatecznie przecież to nie Amerykanie, lecz Izraelczycy walczyli i umierali w obronie interesów USA. No i w przeciwieństwie do amerykańskich żołnierzy walczących w Wietnamie, bojownicy izraelscy nie zostali poniżeni przez parweniuszy z jakiegoś państwa trzeciego świata[19].

Zmiany te spowodowały, że amerykańskie elity żydowskie nagle odkryły Izrael. Po wojnie w 1967 roku wojenny sukces Izraela mógł być celebrowany, ponieważ armaty zostały skierowane we właściwym kierunku — na wrogów Ameryki. Sprawność militarna Izraela mogła mu nawet ułatwić dostęp do „świętego świętych" amerykańskiej potęgi. W przeszłości elity żydowskie mogły zaoferować jedynie listy żydowskich dywersantów; teraz mogły przedstawiać się jako naturalni przedstawiciele najnowszego strategicznego sojusznika Ameryki. Z roli halabardnika Izrael nagle awansował do nagradzanych najwyższymi gażami ról w zimnowojennym dramacie. Stąd zarówno dla amerykańskiego żydostwa, jak Stanów Zjednoczonych Izrael nagle nabrał ogromnego znaczenia strategicznego.

We pamiętnikach opublikowanych tuż przed wybuchem wojny sześciodniowej Norman Podhoretz żartobliwie wspominał oficjalną kolację w Białym Domu, w której „nie uczestniczyła ani jedna osoba, która by w sposób ostentacyjny i radosny nie wyrażała swojego zachwytu z udziału w tym wydarzeniu"[20]. Chociaż Podhoretz był już

---

[19] Zwiastunem mojej argumentacji jest stwierdzenie Hannah Arendt w „Zionism Reconsidered" (1944), w Ron Feldman (red.), *The Jew as Pariah*, Nowy Jork 1978, str. 159.

[20] *Making It*, Nowy Jork 1967, str. 336.

wtedy wydawcą „Commentary", wiodącego czasopisma amerykań-skich Żydów, w swoich wspomnieniach zawarł tylko jedną, zdawkową wzmiankę o Izraelu. Co w końcu Izrael miał do zaoferowania am-bitnemu amerykańskiemu Żydowi? W późniejszych wspomnieniach Podhoretz pisał, że po czerwcu 1967 roku Izrael stał się „religią amerykańskich Żydów"[21]. W owym czasie Podhoretz był już promi-nentnym poplecznikiem Izraela, który mógł nie tylko pochwalić się zaproszeniem na kolację w Białym Domu, lecz także spotkaniem w cztery oczy z Prezydentem USA w celu porozmawiania o intere-sach narodowych.

Po wojnie sześciodniowej mainstreamowe amerykańskie organi-zacje żydowskie poświęcały całą swoją uwagę pracy nad sojuszem amerykańsko-izraelskim. W wypadku ADL działania te obejmowały daleko idący nadzór nad związkami ze służbami wywiadowczymi Izraela i Republiki Południowej Afryki[22]. Po czerwcu 1967 roku w dzienniku „The New York Times" drastycznie wzrosła liczba ar-tykułów poświęconych Izraelowi. W latach 1955 i 1965 artykuły o Izraelu zajmowały w indeksie „The New York Times" 152 cm szpalty. W 1975 roku było to już 660,4 cm. „Kiedy chcę lepiej się poczuć", wspominał Wiesel w 1973 roku, „to czytam artykuły o Izra-elu w «The New York Times»"[23]. Podobnie do Podhoretza, wielu mainstreamowych intelektualistów żydowskich w USA także na-gle odkryło „religię" po wojnie sześciodniowej. Novick wspomina, że Lucy Dawidowicz, nestorka literatury o Holokauście, niegdyś była „ostrym krytykiem Izraela". W 1953 roku stwierdziła na przykład, że Izrael nie może domagać się reparacji wojennych od Niemiec przy jednoczesnym uchylaniu się od odpowiedzialności za wypędzo-nych Palestyńczyków: „moralność nie może być elastyczna". Jednak niemal natychmiast po wojnie sześciodniowej Dawidowicz stała się „żarliwą zwolenniczką Izraela", wychwalającą to państwo jako „kor-

---

[21] *Breaking Ranks*, Nowy Jork 1979, str. 335.

[22] Robert I. Friedman, *The Anti-Defamation League Is Spying on You*, „Village Voice", 11 maja 1993. Abdeen Jabara, *The Anti-Defamation League: Civil Rights and Wrongs*, „Covert Action", lato 1993. Matt Isaacs, *Spy vs Spite*, „SF Weekly", 2–8 lutego 2000.

[23] Elie Wiesel, *Against Silence*, wybór i edycja Irving Abrahamson, Nowy Jork 1984, v. i, 283.

poracyjny paradygmat idealnego wizerunku Żyda w świecie współczesnym"[24].

Ulubioną postawą syjonistów nawróconych po 1967 roku było milczące zestawienie ich własnego, szczerego poparcia dla rzekomo otoczonego wrogami Izraela, z tchórzliwością amerykańskich Żydów w czasie Holokaustu. W rzeczywistości jednak postępowali oni dokładnie tak samo, jak amerykańskie elity żydowskie zawsze postępowały, czyli maszerowali krok w krok z amerykańską potęgą. Szczególne osiągnięcia w przyjmowaniu heroicznych postaw miały klasy wykształcone. Przyjrzyjmy się na przykład prominentnemu lewicowo-liberalnemu krytykowi społecznemu, Irvingowi Howe. W 1956 roku Howe był redaktorem naczelnym pisma „Dissent", w którym potępił „połączony atak na Egipt" jako „niemoralny". Mimo faktycznego osamotnienia, Izrael oskarżono także o „kulturalny szowinizm", „quasi-mesjanistyczne poczucie oczywistego przeznaczenia" oraz „ukryty nurt ekspansjonizmu"[25]. Po wojnie Jom Kippur w październiku 1973 roku, gdy amerykańskie wsparcie dla Izraela osiągnęło szczyt, Howe opublikował osobisty manifest „wypełniony jakże ogromnym niepokojem" w obronie izolowanego Izraela. Świat nie-Żydów, lamentował Howe w stylu parodii Woody Allena, był przepełniony antysemityzmem. Jego zdaniem nawet na Górnym Manhattanie Izrael „wypadł już z mody" i wszyscy, nie wyłączając jego samego, zostali zniewoleni przez Mao, Fanona i Guevarę[26].

Jako strategiczny sojusznik Ameryki, Izrael miał jednak swoich krytyków. Poza narastającym potępieniem przez społeczność międzynarodową odmowy podjęcia negocjacji z Arabami zgodnie z rezolucjami Organizacji Narodów Zjednoczonych oraz zaczepnego wsparcia globalnych ambicji USA[27], Izrael musiał sobie radzić także z niezadowoleniem w samych Stanach Zjednoczonych. Wśród amerykańskich kręgów rządowych tak zwani Arabiści utrzymywali, że

24 Novick, *The Holocaust*, str. 147; Lucy S. Dawidowicz, *The Jewish Presence*, Nowy Jork 1977, str. 26.

25 *Eruption in the Middle East*, „Dissent", zima 1957.

26 *Israel: Thinking the Unthinkable* [w:] „New York magazine", 24 grudnia 1973.

27 Norman G. Finkelstein, *Image and Reality of the Israel-Palestine Conflict*, Nowy Jork 1995, rozdz. 5–6.

postawienie wszystkiego na jedną, izraelską kartę, przy jednoczesnym ignorowaniu elit arabskich, szkodziło narodowemu interesowi USA.

Inni uważali, że podporządkowanie Izraela wpływom USA oraz okupacja sąsiadujących z Izraelem państw arabskich było nie tylko niesłuszne co do zasady, ale także szkodliwe dla własnych interesów USA. Izrael mógłby ulegać rosnącej militaryzacji i alienacji od świata arabskiego. Zdaniem nowych „zwolenników" Izraela z kręgów Żydów amerykańskich argumentacja taka graniczyła z herezją, bowiem niepodległy Izrael utrzymujący pokojowe stosunki z sąsiednimi państwami był bezużyteczny, a Izrael sprzymierzony ze światem arabskim i starający się o uzyskanie niezależności od Stanów Zjednoczonych był już katastrofą. Do przyjęcia jest jedynie podporządkowana amerykańskiej potędze izraelska Sparta, ponieważ wyłącznie w takim wypadku żydowscy przywódcy w USA mogliby działać w charakterze rzeczników amerykańskich ambicji imperialnych. Noam Chomsky sugerował, że takich „popleczników Izraela" należy raczej nazywać „poplecznikami degeneracji moralnej i ostatecznego zniszczenia Izraela"[28].

Dla ochrony swoich korzyści strategicznych amerykańskie elity żydowskie „przypomniały sobie" Holokaust[29]. Zgodnie z powszechną opinią w czasie wojny sześciodniowej elity żydowskie uznały, że Izrael znalazł się w ogromnym niebezpieczeństwie i dlatego ogarnął je strach przed „drugim Holokaustem". Opinia ta nie wytrzymuje jednak krytyki.

Zastanówmy się nad pierwszą wojną arabsko-izraelską. W przededniu ogłoszenia niepodległości w 1948 roku Żydzi palestyńscy stanęli wobec, jak się wydawało, znacznie poważniejszego zagrożenia. David Ben-Gurion ogłosił, że „700 tysięcy Żydów" „stanęło naprzeciw 27 milionów Arabów — jeden na czterdziestu". Stany Zjednoczone przystąpiły do ogłoszonego przez ONZ embarga na dostawy broni do regionu, utrwalając tym samym wyraźną przewagę armii arabskich w uzbrojeniu. Amerykańskich Żydów ogarnął lęk przed ponownym

---

[28] Noam Chomsky, *The Fateful Triangle*, Boston 1983, str. 4.

[29] Kariera Elie Wiesela ilustruje związek pomiędzy Holokaustem a wojną sześciodniową. Chociaż Elie Wiesel opublikował wcześniej swoje wspomnienia z Auschwitz, największe uznanie zdobył po napisaniu dwutomowego dzieła uświetniającego zwycięstwo Izraela. (Wiesel, *And the Sea*, str. 16)

nazistowskim Ostatecznym Rozwiązaniem. Potępiając „zbrojenie pa-chołka Hitlera — Muftiego" przez państwa arabskie, podczas gdy Stany Zjednoczone wprowadzały w życie embargo na dostawy broni, AJC wieszczył „masowe samobójstwo i całkowitą zagładę Palestyny". Nawet Sekretarz Stanu George Marshall i CIA otwarcie przewidy-wali całkowitą porażkę Żydów w wypadku wybuchu wojny[30]. Mimo że „w rzeczywistości wygrali silniejsi" (historyk Benny Morris), dla Izraela to nie był walkower. Podczas pierwszych miesięcy wojny na początku 1948 roku i szczególnie po ogłoszeniu niepodległości w ma-ju tego samego roku, szef ds. operacyjnych Haganah, Yigael Yadin, oceniał szanse Izraela na przetrwanie jako „pół na pół". Bez tajnej umowy na dostawy czeskiej broni Izrael najprawdopodobniej by nie przetrwał[31]. Po trwających rok walkach Izrael stracił 6 tysięcy ofiar, czyli jeden procent całej ludności kraju. Dlaczego więc Holokaust nie znalazł się w centrum życia amerykańskich Żydów już po wojnie z 1948 roku?

Szybko okazało się, że w 1967 roku Izrael nie był już tak bezbron-ny jak podczas wojny o niepodległość. Przywódcy izraelscy i amery-kańscy wiedzieli z góry, że Izrael bez trudu wygra wojnę z państwami arabskimi. Rzeczywistość ta stała się uderzająco oczywista po tym, jak Izrael poradził sobie z arabskimi sąsiadami w ciągu zaled-wie kilku dni. Novick pisał, że „przed wojną istniało zaskakująco niewiele wyraźnych odniesień do Holokaustu w mobilizacji Żydów amerykańskich na rzecz Izraela"[32]. Przemysł Holokaustu pojawił się nagle dopiero po przytłaczającym pokazie dominacji militarnej Izraela i błyskawicznie rozwijał się w atmosferze jego skrajnego triumfalizmu[33]. Do wyjaśnienia tych anomalii nie wystarczą jednak standardowe techniki interpretacyjne.

Według konwencjonalnych opinii szokujące odwroty i znaczące straty Izraela na początku wojny oraz narastająca izolacja między-narodowa po wojnie arabsko-izraelskiej w 1973 roku pogłębiły obawy

---

[30] Kaufman, *Ambiguous Partnership*, str. 287, 306–307; Steven L. Spiegel, *The Other Arab-Israeli Conflict*, Chicago 1985, str. 17, 32.

[31] Benny Morris, *1948 And After*, Oksford 1990, str. 14–15. Uri Bialer, *Between East and West*, Cambridge 1990, str. 180–181.

[32] Novick, *The Holocaust*, str. 148.

[33] Zob. np. Amnon Kapeliouk, *Israel: la fin des mythes*, Paryż 1975.

amerykańskich Żydów o bezpieczeństwo Izraela. W konsekwencji pamięć o Holokauście nagle znalazła się w centrum uwagi. Novick opisał to w typowy dla tamtych czasów sposób: „Wśród Żydów amerykańskich [...] sytuacja, w jakiej znalazł się bezbronny i izolowany Izrael, była postrzegana jako przerażająco podobna do sytuacji Żydów europejskich sprzed trzydziestu lat [...] [H]olocaust stał się przedmiotem rozmów nie tylko w Ameryce, ale był w coraz większym stopniu [sic] instytucjonalizowany"[34]. W 1948 roku Izrael znalazł się jednak znacznie bliżej przepaści i poniósł znacznie większe straty w ludziach, zarówno w kategoriach względnych, jak i bezwzględnych, niż w 1973 roku.

Prawdą jest, że — nie licząc sojuszu z USA — po wojnie Jom Kippur z 1973 roku Izrael zdecydowanie wypadł z łask społeczności międzynarodowej. Porównajmy jednak tę sytuację z wojną o Kanał Sueski w 1956 roku. Izrael i zorganizowani Żydzi amerykańscy założyli, że w przededniu inwazji na Półwysep Synaj Egipt zagrażał istnieniu Izraela, a całkowite wycofanie Izraela z Synaju zagrozi „żywotnym interesom Izraela i jego przetrwaniu jako państwo"[35]. Społeczność międzynarodowa zdecydowanie trwała jednak przy swoim stanowisku. Wspominając swoje wspaniałe wystąpienie na forum Zgromadzenia Ogólnego ONZ, Abba Eban z żalem stwierdził jednak, że „mimo długotrwałego i głośnego aplauzu po przemówieniu, Zgromadzenie zagłosowało dużą większością głosów przeciwko nam"[36]. Stany Zjednoczone odegrały istotną rolę w osiągnięciu tego konsensusu. Eisenhower nie tylko zmusił Izrael do wycofania się, ale publiczne poparcie w USA dla Izraela spadło do „przerażająco niskiego poziomu" (historyk Peter Grose)[37]. Natomiast bezpośrednio po zakończeniu wojny w 1973 roku Stany Zjednoczone zapewniły Izraelowi ogromną pomoc wojskową, znacznie większą niż łączna pomoc udzielona w ciągu poprzednich czterech lat, podczas gdy amerykań-

---

[34] Novick, *The Holocaust*, str. 152.

[35] *Letter from Israel*, „Commentary", luty 1957 r. Podczas całego kryzysu sueskiego pismo „Commentary" stale powtarzało ostrzeżenie, że stawką w grze jest „ostateczne przetrwanie" Izraela.

[36] Abba Eban, *Personal Witness*, Nowy Jork 1992, str. 272.

[37] Peter Grose, *Israel in the Mind of America*, Nowy Jork 1983, str. 304.

ska opinia publiczna zdecydowanie poparła Izrael[38]. Właśnie wtedy w Ameryce rozpoczęło się „mówienie o Holokauście" — w czasie, gdy Izrael znalazł się w mniejszej izolacji niż w 1956 roku.

W rzeczywistości przemysł Holokaustu znalazł się w centrum uwagi nie tyle z powodu niespodziewanych komplikacji w czasie wojny w październiku 1973 roku i późniejszego nadania Izraelowi statusu pariasa, co z powodu wywołanych przez tę wojnę wspomnień z czasów Ostatecznego Rozwiązania. Imponujący pokaz siły militarnej Sadata w czasie wojny Jom Kippur przekonał amerykańskie i izraelskie elity rządzące, że dyplomatyczna ugoda z Egiptem, obejmująca zwrot egipskich ziem zajętych w czerwcu 1967 roku, jest nie do uniknięcia. W celu wzmocnienia pozycji negocjacyjnej Izraela przemysł Holokaustu zwiększył więc tempo produkcji. Krytyczne znaczenie miał także fakt, że po wojnie w 1973 roku Izrael nie znalazł się w izolacji od Stanów Zjednoczonych: wydarzenia ta miały miejsce w ramach sojuszu USA-Izrael, który pozostał nienaruszony[39]. Historia wyraźnie wskazuje, że w wypadku pełnej izolacji Izraela po wojnie Jom Kippur, wspomnienia amerykańskich elit żydowskich o nazistowskim holokauście nie byłyby bardziej intensywne niż po wojnach w 1948 lub 1956 roku.

Novick przedstawia pomocnicze wyjaśnienia, które jednak są nawet mniej przekonywujące. Przywołując dzieła religijnych uczonych żydowskich sugeruje on, że wojna sześciodniowa oferowała ludową teologię „Zagłady i Odkupienia". „Światło" zwycięstwa z czerwca 1967 roku odkupiło „ciemność" nazistowskiego ludobójstwa, „dało Bogu drugą szansę". Holokaust nie mógł pojawić się w życiu Amerykanów po wojnie sześciodniowej w czerwcu 1967 roku, ponieważ „eksterminacja Żydów osiągnęła zakończenie — jeżeli nie szczęśliwe, to przynajmniej rzeczywiste". Jednak zgodnie ze standardową interpretacją żydowską to nie wojna sześciodniowa, a powstanie Izraela było tym odkupieniem. Dlaczego więc Holokaust musiał czekać na drugie odkupienie? Novick twierdzi, że „wizerunek Żydów jako bohaterów wojennych" w wojnie sześciodniowej „spowodował zatarcie stereotypu słabych i biernych ofiar, który [...] poprzednio dominował

---

[38] A.F.K. Organski, *The $36 Billion Bargain*, Nowy Jork 1990, str. 163, 48.

[39] Finkelstein, *Image and Reality*, rozdz. 6.

w żydowskiej dyskusji na temat Holokaustu"[40]. Pod względem okazanej odwagi to jednak wojna w 1948 roku była najpiękniejszą kartą
w dziejach Izraela. Trwająca 100 godzin „brawurowa" i „błyskotli-
wa" kampania Mosze Dajana na Półwyspie Synaj w 1956 roku była
zwiastunem błyskawicznego zwycięstwa w czerwcu 1967 roku. Dlaczego więc amerykańscy Żydzi potrzebowali wojny sześciodniowej do
„zatarcia stereotypu"?

Opisana przez Novicka instrumentalizacja nazistowskiego holokaustu przez amerykańskie elity żydowskie nie jest jednak zbyt
przekonująca. Przyjrzyjmy się tym reprezentatywnym opiniom:

Gdy przywódcy Żydów amerykańskich próbowali zrozumieć przyczyny izolacji i bezbronności Izraela — przyczyny, które mogły
sugerować środki zaradcze — wyjaśnieniem zasługującym na naj-
szersze poparcie było stopniowe zanikanie wspomnień nazistowskich zbrodni na Żydach oraz pojawienie się na scenie pokolenia
nie posiadającego wiedzy o Holokauście, które spowodowały utratę przez Izrael udzielanego mu wcześniej wsparcia.

[P]odczas gdy amerykańskie organizacje żydowskie nie mogły
nic zrobić, by zmienić niedawną przeszłość na Bliskim Wschodzie
i miały naprawdę niewielkie możliwości wpływu na przyszłość
regionu, mogły one podjąć działania w celu wskrzeszenia wspomnień o Holokauście. Wyjaśnienie w oparciu o „blednące wspomnienia" podsunęło plan działania. [nacisk jak w oryginale][41]

Dlaczego więc wyjaśnienie trudnego położenia Izraela po 1967 roku w oparciu o „blednące wspomnienia" „wymaga[] najszerszego
wsparcia"? Z pewnością było to wyjaśnienie mało prawdopodobne.
Sam Novick przedstawił obszerną dokumentację potwierdzającą, że
wsparcie początkowo okazane Izraelowi miało niewiele wspólnego
z „pamięcią o zbrodniach nazistowskich"[42] oraz że pamięć ta zanikła długo przed utratą przez Izrael międzynarodowego poparcia.
Dlaczego więc żydowskie elity „zrobiły tak mało, by wpłynąć" na

---

[40] Novick, *The Holocaust*, str. 149–150. Novick cytuje tutaj znanego
uczonego żydowskiego, Jacoba Neusnera.

[41] Ibid., str. 153, 155.

[42] Ibid., str. 69–77.

przyszłość Izraela? Z pewnością kontrolowały one potężną sieć organizacyjną. Dlaczego „wskrzeszenie pamięci o holokauście" było jedynym sposobem działania? Dlaczego nie wsparły międzynarodowego konsensusu, wzywającego do wycofania się przez Izrael z terytoriów okupowanych po wojnie sześciodniowej oraz do „sprawiedliwego i trwałego pokoju" pomiędzy Izraelem a jego arabskimi sąsiadami (Rezolucja Rady Bezpieczeństwa ONZ nr 242)?

Zgodnie z bardziej spójnym, ale mniej wielkodusznym wyjaśnieniem, amerykańskie elity żydowskie pamiętały o nazistowskim holokauście przed czerwcem 1967 roku jedynie wtedy, gdy przynosiło to korzyści polityczne. Ich nowy patron, Izrael, wykorzystał nazistowski holokaust w czasie procesu Eichmanna[43]. Mając na uwadze sprawdzoną przydatność holokaustu, po wojnie czerwcowej zrzeszeni w organizacjach Żydzi amerykańscy wykorzystali holokaust do swoich celów. Po ideologicznym przekształceniu, Holokaust (teraz już z dużej litery, jak pisałem wcześniej) stał się bronią doskonałą, służącą do zwalczania krytyki Izraela. Opiszę teraz, w jaki sposób to się odbywa. Na szczególną uwagę zasługuje tutaj fakt, że dla amerykańskich elit żydowskich Holokaust odgrywał taką samą rolę, jak Izrael: stał się kolejnym, bezcennym żetonem w bezwzględnej grze o władzę. Zadeklarowana troska o pamięć o Holokauście została przekształcona w zadeklarowaną troskę o los Izraela[44]. Z tej przyczyny zorganizowani Żydzi amerykańscy szybko wybaczyli i zapomnieli Ronaldowi Reaganowi jego opętańczą deklarację, wygłoszoną w 1985 roku na cmentarzu w Bitburgu, że pochowani tam żołnierze niemieccy (w tym członkowie Waffen SS) byli „ofiarami nazistów w takim samym stopniu, jak ofiary obozów koncentracyjnych". W 1988 roku Reagan otrzymał nagrodę „Humanitarian of the Year" (Humanitarysta Roku), przyznawaną przez jedną z najbardziej szanowanych instytucji Holokaustu — Centrum Szymona Wiesenthala, za jego „zagorzałe wsparcie dla Izraela", a w 1994 roku nagrodę „Torch

---

[43] Tom Segev, *The Seventh Million*, Nowy Jork 1993, część VI.

[44] Troska o ocalałych z nazistowskiego holokaustu stała się przedmiotem podobnej manipulacji: przed czerwcem 1967 roku byli uważani za obciążenie i uciszani; po czerwcu 1967 roku stali się powodem do dumy i zostali uświęceni.

of Liberty" (Pochodnia Wolności) przyznawaną przez proizraelski ADL[45].

Wcześniejsza wypowiedź pastora Jesse Jacksona z 1979 roku, w której oświadczył, że „ma serdecznie dosyć słuchania na temat Holokaustu", nie została mu jeszcze długo ani wybaczona, ani zapomniana. Ataki amerykańskich elit żydowskich na Jacksona nigdy nie zelżały, aczkolwiek nie tyle ze względu na jego „antysemickie uwagi", co z powodu jego „orędownictwa dla stanowiska Palestyny" (Seymour Martin Lipset i Earl Raab)[46]. W wypadku Jacksona ważną rolę odegrał jeszcze jeden czynnik, mianowicie pastor Jackson reprezentował krajowe okręgi wyborcze, z którymi amerykańskie organizacje żydowskie były skonfliktowane od końca lat sześćdziesiątych ubiegłego wieku. Także w odniesieniu do tych konfliktów Holokaust sprawdził się jako potężna broń ideologiczna.

To nie domniemana słabość i izolacja Izraela ani lęk przed „drugim Holokaustem", lecz raczej sprawdzona potęga i strategiczny sojusz ze Stanami Zjednoczonymi spowodowały, że elity żydowskie po czerwcu 1967 roku zaczęły przygotowywać się do przemysłu Holokaustu. Chociaż w sposób niezamierzony, Novick przedstawił najlepsze dowody potwierdzające powyższy wniosek. Dowodząc, że to uwarunkowania siłowe, a nie nazistowskie Ostateczne Rozwiązanie określiły politykę amerykańską wobec Izraela, Novick stwierdził, że

---

[45] „Response", grudzień 1988. Prominentni handlarze Holokaustem i zwolennicy Izraela, jak krajowy dyrektor ADL Abraham Foxman, były przewodniczący AJC Morris Abram, oraz Przewodniczący Konferencji Głównych Amerykańskich Organizacji Żydowskich Kenneth Bialkin z American Jewish Organisations (Amerykańskie Organizacje Żydowskie), nie mówiąc już o Henrym Kissingerze, stanęli w obronie Ronalda Reagana w czasie jego wizyty w Bitburgu, podczas gdy w tym samym tygodniu AJC gościł na swoim dorocznym zgromadzeniu lojalnego ministra spraw zagranicznych kanclerza RFN Helmuta Kohla. W podobnym duchu Michael Berenbaum z Washington Holocaust Memorial Museum (amerykańskie muzeum będące jednocześnie oficjalnym pomnikiem upamiętniającym Holokaust) przypisał później podróż Reagana do Bitburga oraz wygłoszone tam przez niego oświadczenia „naiwnemu poczuciu amerykańskiego optymizmu". (Shafir, *Ambiguous Relations*, str. 302–304; Berenbaum, *After Tragedy*, str. 14)

[46] Seymour Martin Lipset and Earl Raab, *Jews and the New American Scene*, Cambridge 1995, str. 159.

„właśnie wtedy, gdy pamięć o Holokauście była jeszcze świeża w pamięci przywódców amerykańskich — w ciągu pierwszych dwudziestu pięciu lat od zakończenia wojny — poparcie Stanów Zjednoczonych dla Izraela było *najmniejsze*. [...] To nie wtedy, gdy Izrael był postrzegany jako słaby i bezbronny, lecz po tym, jak zademonstrował swoją siłę w czasie wojny sześciodniowej, amerykańska pomoc dla Izraela zmieniła się z małej strużki w rwącą rzekę" (nacisk jak w oryginalnym tekście)[47]. Argument ten w równym stopniu dotyczy amerykańskich elit żydowskich.

*
* *

Istnieją także krajowe źródła przedsiębiorstwa Holokaust. Mainstreamowe interpretacje wskazują na niedawne pojawienie się „polityki tożsamości" z jednej strony, oraz „kultury wiktymizacji" z drugiej. W konsekwencji każda z tych tożsamości została ugruntowana w konkretnej historii ucisku, a Żydzi zaczęli poszukiwać w Holokauście swojej tożsamości.

Jednak pośród grup skarżących się na wiktymizację, jak Afroamerykanie, Latynosi, rdzenni Amerykanie, kobiety, geje i lesbijki, jedynie Żydzi nie są upośledzoną społecznie mniejszością w Ameryce. W rzeczywistości polityka tożsamości i Holokaust zawdzięczają swoją popularność wśród Żydów amerykańskich nie tyle z powodu przypisania im statusu ofiar, lecz dlatego, że tak naprawdę wcale nie są oni ofiarami.

W miarę jak po zakończeniu II wojny światowej antysemickie bariery upadały jedna po drugiej, Żydzi osiągali w Stanach Zjednoczonych coraz wyższy status. Według Lipseta i Raaba dochód na osobę wśród społeczności żydowskiej jest niemal dwa razy wyższy niż pozostałych obywateli; szesnastu spośród czterdziestu najbogatszych Amerykanów to Żydzi; stanowią oni także 40 procent amerykańskich laureatów Nagrody Nobla w dziedzinie nauk ścisłych i ekonomicznych, 20 procent wykładowców na głównych uniwersytetach oraz 40 procent partnerów we wiodących firmach prawniczych w Nowym Jorku i Waszyngtonie.

---

[47] Novick, *The Holocaust*, str. 166.

Ta lista jest jednak o wiele dłuższa[48]. Tożsamość żydowska nie tylko przestała być przeszkodą w drodze do sukcesu, ale stała się jego koroną. Podobnie jak wielu Żydów, którzy dystansowali się od Izraela, gdy państwo to nie cieszyło się jeszcze zbytnią popularnością, by nawrócić się na syjonizm, gdy akcje Izraela poszybowały w górę, liczni Żydzi dystansowali się od swojego pochodzenia etnicznego, gdy nie było ono zbyt popularne, by przyznać się do żydowskiego pochodzenia, gdy zaczęło się to opłacać.

Dlatego świecka historia sukcesu Żydów amerykańskich stanowiła potwierdzenie kluczowego, a może jedynego pewnika dla ich nowo nabytej żydowskiej tożsamości. Czy ktokolwiek mógł jeszcze zaprzeczać, że Żydzi są „narodem wybranym"? W swojej książce *A Certain People: American Jews and Their Lives Today* Charles Silberman — który sam był nowo nawróconym Żydem — oświadczył, że „Żydzi staliby się mniej niż ludzcy, gdyby całkowicie odmówili sobie jakiegokolwiek poczucia wyższości" oraz „całkowite wyparcie się poczucia wyższości byłoby niezwykle trudne dla Żydów amerykańskich, niezależnie od tego, jak bardzo mogą starać się, by je w sobie zagłuszyć". Według pisarza Philipa Rotha każde żydowskie dziecko w Ameryce dziedziczy „nie tyle prawo, naukę i język i ostatecznie — Boga, co pewnego rodzaju psychologię: a tę psychologię można przetłumaczyć w trzech słowach: «Żydzi są lepsi»"[49]. Jak dzisiaj to postrzegamy, Holokaust był negatywną wersją ich przechwałek o światowym sukcesie i służył walidacji ich wyjątkowości.

Do lat siedemdziesiątych ubiegłego wieku antysemityzm przestał być istotnym elementem amerykańskiego życia. Mimo to żydowscy przywódcy podnieśli larum, że amerykańskim Żydom grozi „zajadły antysemityzm"[50]. Główne przykłady z badania przeprowadzonego przez ADL („dla tych, którzy stracili życie, ponieważ byli Żydami") obejmowały wystawianą na Broadwayu rock operę „Jesus Christ Superstar" oraz brukowiec kontrkultury, który „przedstawiał Kissingera jako przymilnego nadskakiwacza, tchórza, brutala, pochlebcę, tyrana, nuworysza, złowrogiego manipulatora, pobawionego poczu-

[48] Lipset i Raab, *Jews*, str. 26–27.

[49] Charles Silberman, *A Certain People*, Nowy Jork 1985, str. 78, 80, 81.

[50] Novick, *The Holocaust*, str. 170–172.

45

cia własnej wartości snoba, pozbawionego zasad i żądnego sławy" — w tym wypadku było to raczej umniejszenie jego zalet charakteru[51].

Dla zorganizowanych Żydów amerykańskich, sztucznie wywołana histeria nowego antysemityzmu służyła wielu różnym celom. Przede wszystkim podniosła znaczenie Izraela jako ostatniej deski ratunku na wypadek, gdyby amerykańscy Żydzi potrzebowali bezpiecznego schronienia. Ponadto wołanie organizacji żydowskich rzekomo walczących z antysemityzmem spotykało się z bardziej życzliwym przyjęciem. Sartre zauważył kiedyś, że „sytuacja antysemity nie jest najszczęśliwsza ze względu na absolutne zapotrzebowanie na wroga, którego pragnie zniszczyć"[52]. Dla takich organizacji żydowskich równie prawdziwa jest odwrotność powyższego stwierdzenia. Wobec niewielkiej podaży antysemityzmu, w ciągu ostatnich kilku lat między głównymi żydowskimi organizacjami „obrony" wybuchła ostra konkurencja, w szczególności między ADL a Centrum Szymona Wiesenthala[53]. Przypadkowo zbiegło się to z faktem, że w kwestii zbierania funduszy taką samą rolę odgrywają rzekome zagrożenia dla Izraela. Po powrocie z podróży do Stanów Zjednoczonych szanowany izraelski dziennikarz Danny Rubinstein napisał: „zgodnie z większością większości osób z żydowskiego establishmentu, ważne jest ciągłe podkreślanie zewnętrznych zagrożeń, wobec których stoi Izrael. [...] ·Żydowski establishment w Ameryce potrzebuje Izraela wyłącznie jako ofiary okrutnych arabskich ataków. Na taki Izrael można pozyskać wsparcie, darczyńców, pieniądze. [...] Wszystkim znane jest oficjalne rozliczenie wpłat na rzecz United Jewish Appeal in America, gdzie występuje nazwa Izraela, a z których mniej więcej połowa trafia nie do Izraela, lecz do żydowskich instytucji w Ameryce. Czy można wyobrazić sobie większy cynizm?" Jak zobaczymy, wykorzystywanie przez przemysł Holokaustu „ofiar Ho-

[51] Arnold Forster and Benjamin R. Epstein, *The New Anti-Semitism*, Nowy Jork 1974, str. 107.

[52] Jean-Paul Sartre, *Anti-Semite and Jew*, Nowy Jork 1965, str. 28.

[53] Saidel, *Never Too Late*, str. 222; Seth Mnookin, *Will NYPD Look to Los Angeles For Latest 'Sensitivity' Training?* [w:] „Forward", 7 stycznia 2000. W artykule stwierdzono, że ADL i Centrum Szymona Wiesenthala rywalizują o licencję na programy nauczania „tolerancji".

lokaustu w trudnej sytuacji" jest najnowszym i prawdopodobnie najbrzydszym przejawem tego cynizmu[54].

Główny motyw uruchamiania antysemickiego alarmu kryje się jednak gdzie indziej. W miarę osiągania coraz większego świeckiego sukcesu amerykańscy Żydzi politycznie skłaniali się coraz bardziej ku prawicy. Chociaż pod względem kwestii kulturowych, takich jak moralność seksualna i aborcja, Żydzi nadal plasowali się na lewo od centrum, pod względem polityki i gospodarki zdecydowanie ciążyli ku prawej stronie sceny politycznej[55]. Zwrotowi ku prawicy towarzyszył zwrot wewnętrzny, w miarę jak Żydzi zapominali o dawnych sojusznikach z biedniejszych klas społecznych i w coraz większym stopniu przeznaczali swoje zasoby na rozwiązywanie wyłącznie żydowskich problemów. Reorientacja amerykańskich Żydów[56] była szczególnie widoczna w rosnącym napięciu pomiędzy Żydami a Afroamerykanami. Mimo tradycyjnych związków z Afroamerykanami w walce z kastową dyskryminacją w Stanach Zjednoczonych, pod koniec lat sześćdziesiątych ubiegłego wieku wielu Żydów wyłamało się z sojuszu Praw Człowieka, gdy — jak pisze Kaufman — „cele ruchu praw człowieka zmieniały się w kierunku od żądania politycznej i prawnej równości ku żądaniom równości gospodarczej". „Gdy ruch

---

[54] Noam Chomsky, *Pirates and Emperors*, Nowy Jork 1986, str. 29–30 (Rubinstein).

[55] Badanie na podstawie niedawno zebranych danych potwierdzających ten trend, patrz Murray Friedman, *Czy amerykańscy Żydzi stają się coraz bardziej prawicowi?* w „Commentary", kwiecień 2000. Na przykład w czasie wyborów w 1997 roku, w których Ruth Messinger, mainstreamowa demokratka, walczyła o stanowisko burmistrza Nowego Jorku z praworządnym republikaninem Rudolphem Giuliani, co najmniej 75% żydowskich głosów oddano na Guilianiego. Co istotne, głosując na Giulianiego Żydzi musieli przeciwstawić się nie tylko tradycyjnym preferencjom partyjnym, ale także etnicznym (Messinger jest Żydówką).

[56] Wydaje się, że to przejście zostało częściowo spowodowane wyparciem kosmopolitycznego przywództwa żydowskiego o środkowoeuropejskich korzeniach przez nowo przybyłych, szowinistycznych Żydów rodem ze wschodnioeuropejskiego sztetl, jak burmistrz Nowego Jorku Edward Koch, czy redaktor naczelny „New York Timesa", A.M. Rosenthal. Warto tutaj przypomnieć, że historycy żydowscy odcinający się od dogmatyzmu Holokaustu, jak Hannah Arendt, Henry Friedlander, Raul Hilberg czy Arno Mayer, z reguły pochodzili z Europy Środkowej.

praw człowieka maszerował na północ, ku okolicom zamieszkałym przez liberalnych Żydów", wspomina Cheryl Greenberg, „kwestia integracji przybrała zupełnie inny ton. Gdy problemy zaczęły się kojarzyć bardziej z klasą niż rasą, Żydzi uciekli na przedmieścia niemal równie szybko, jak chrześcijanie dla uniknięcia czegoś, co postrzegali jako pogarszanie się jakości ich szkół i dzielnic". Pamiętne przesilenie przyszło wraz z przedłużającym się strajkiem nowojorskich nauczycieli w 1968 roku, w czasie którego składający się głównie z Żydów związek zawodowy stanął naprzeciw aktywistów z czarnych dzielnic, walczących o przejęcie kontroli nad upadającymi szkołami. Opisy strajku zawierają liczne wzmianki o pojawiającym się antysemityzmie. Jednak erupcja żydowskiego rasizmu, ledwo skrywanego przed strajkiem, nie jest już tak często wspominana. Jeszcze niedawno żydowskie organizacje i publicyści odgrywali istotną rolę w działaniach podejmowanych w celu dezorganizacji afirmacyjnych programów działania. W istotnych badaniach Sądu Najwyższego — *DeFunis* (1974) i *Bakke* (1978) — AJC, ADL oraz AJ Congress, najwyraźniej odzwierciedlając mainstreamowe sentymenty żydowskie, złożyły dobrowolne opinie prawne, w których sprzeciwiały się polityce dyskryminacji pozytywnej[57].

W agresywnych staraniach w obronie swoich interesów korporacyjnych i klasowych żydowskie elity zarzuciły antysemityzm wszystkim wrogom swojej nowej konserwatywnej polityki. Dlatego właśnie Nathan Perlmutter, szef ADL, utrzymywał, że „prawdziwy antysemityzm" w Ameryce składał się z „podgryzających żydowskie interesy" inicjatyw politycznych, takich jak polityka dyskryminacji pozytywnej, cięcia budżetu na obronę, neoizolacjonizm oraz opozycja wobec energetyki jądrowej czy nawet reformy Kolegium Elektorów[58].

Holokaust miał odegrać krytyczną rolę w tej ideologicznej ofensywie. Oczywiście odwołania do historycznych prześladowań wytłumiły aktualną krytykę. Żydzi przypomnieli sobie nawet o systemie „numerus clausus", który przysporzył im takich cierpień w przeszło-

---

57 Zob. np. Jack Salzman i Cornel West (red.), *Struggles in the Promised land*, Nowy Jork 1997, szczeg. rozdz. 6, 8, 9, 14, 15. (Kaufman na str. 111; Greenberg na str. 166). Należy jednak pamiętać, że aktywna mniejszość Żydów odcięła się od tego przesunięcia w kierunku prawicy.

58 Nathan Perlmutter i Ruth Ann Perlmutter, *The Real Anti-Semitism in America*, Nowy Jork 1982.

ści i posłużył im jako pretekst do krytyki programów dyskryminacji pozytywnej. Poza tym jednak w ramach Holokaustu zdefiniowano antysemityzm wyłącznie jako nieracjonalną nienawiść nie-Żydów do Żydów. Wyłączono w ten sposób możliwość, że niechęć do Żydów mogłaby mieć swoje źródło w realnym konflikcie interesów (dalej napisano więcej na ten temat). Przywołanie Holokaustu było więc sposobem na całkowitą delegitymizację krytyki skierowanej przeciwko Żydom, bowiem krytyka taka mogła wynikać wyłącznie z patologicznej nienawiści.

Podobnie jak kiedyś, gdy zorganizowani Żydzi przypomnieli sobie o Holokauście w momencie największej potęgi Izraela, teraz przypomnieli sobie o Holokauście w momencie największej potęgi amerykańskich Żydów. Tym razem jednak stało się to pod pozorem, że tu i teraz Żydzi stali wobec nieubłaganie zbliżającego się „drugiego Holokaustu". Amerykańskie elity żydowskie mogły teraz przypuszczać tchórzliwe ataki przybierając przy tym heroiczne pozy. Norman Podhoretz na przykład zwrócił uwagę na nowe żydowskie podejście po wojnie w 1967 roku jako ukierunkowane na „opór wobec każdego, kto w jakikolwiek sposób i w jakimkolwiek stopniu oraz z jakiejkolwiek przyczyny próbował nam zaszkodzić. [...] Od tej pory nie ustąpimy"[59]. Podobnie jak Izraelczycy, którzy uzbrojeni po zęby przez Stany Zjednoczone odważnie pokazywali niesfornym Palestyńczykom, gdzie ich miejsce, teraz amerykańscy Żydzi odważnie pokazali niesfornym Afroamerykanom ich miejsce w szeregu.

Wywyższanie się ponad ludzi najmniej zdolnych do obrony — taki był faktyczny cel odzyskanej odwagi zorganizowanych Żydów amerykańskich.

---

[59] Novick, *The Holocaust*, str. 173 (Podhoretz).

Rozdział 2

Naciągacze, przekupnie i historia

S zanowany izraelski pisarz Boas Evron zauważył, że „świadomość Holokaustu jest oficjalną, propagandystyczną indoktrynacją, wymyślaniem sloganów i fałszywym postrzeganiem świata, której prawdziwym celem nie jest bynajmniej zrozumienie przeszłości, lecz manipulacja teraźniejszością". Sam w sobie nazistowski holokaust nie służy jakimkolwiek celom politycznym. Może służyć równie dobrze odrzuceniu, jak poparciu polityki Izraela. Rozszczepiona przez pryzmat ideologii „pamięć o nazistowskiej eksterminacji" stała się według Evrona „potężnym narzędziem w rękach zarówno przywódców izraelskich, jak Żydów mieszkających za granicą"[1]. W ten sposób nazistowski holokaust stał się Holokaustem.

Koncepcja Holokaustu opiera się o dwa centralne dogmaty: (1) Holokaust oznacza jedyne takie zdarzenie w historii ludzkości; (2) Holokaust oznacza szczyt nieracjonalnej, wiecznej nienawiści do Żydów. Przed wojną sześciodniową z 1967 roku żaden z tych dogmatów nie liczył się w ogóle w dyskusji publicznej; chociaż stały się głównymi tematami poruszanymi w literaturze o Holokauście, żaden z tych dogmatów nie został opisany w prawdziwych pracach naukowych o nazistowskim holokauście[2]. Z drugiej jednak strony obydwa te dogmaty posiadają solidne podstawy w judaizmie i syjonizmie.

Bezpośrednio po II wojnie światowej nazistowski holokaust nie był uważany za wyłącznie żydowski, a na pewno nie za zdarzenie wyjątkowe w historii człowieka. Zorganizowani Żydzi amerykańscy mieli szczególne problemy z przedstawieniem go w kontekście uni-

---

[1] Boas Evron, *Holocaust: The Uses of Disaster*, „Radical America", lipiec--sierpień 1983, str. 15.

[2] Rozróżnienie pomiędzy literaturą o Holokauście a pracami naukowymi o nazistowskim holokauście, patrz Finkelstein i Birn, *Nation*, część pierwsza, rozdział 3.

wersalistycznym. Po wojnie sześciodniowej nazistowskie Ostateczne Rozwiązanie zostało radykalnie przeformułowane. „Pierwszym i najważniejszym roszczeniem, jakie wynikło z wojny z 1967 roku i nabrało później symbolicznego znaczenia dla amerykańskiego judaizmu", wspomina Jacob Neusner, było to, że „Holokaust [...] był jedynym w swoim rodzaju, bezprecedensowym wydarzeniem w historii ludzkości"[3]. W swoim wiele wyjaśniającym eseju, historyk David Stannard wyśmiewa „drobny przemysł hagiografów Holokaustu, argumentujących za unikatowym charakterem doświadczenia żydowskiego z energią i pomysłowością teologicznych zealotów"[4]. W końcu przecież dogmat o wyjątkowości jest bez sensu.

Na najbardziej podstawowym poziomie każde wydarzenie historyczne jest unikatowe, chociażby ze względu na jego miejsce i czas, a każde wydarzenie historyczne posiada cechy wspólne i odróżniające w stosunku do innych wydarzeń historycznych. Anomalia Holokaustu polega na tym, że jego wyjątkowy charakter został uznany za absolutnie decydujący. Można tutaj zadać pytanie, czy istnieje jakiekolwiek inne wydarzenie historyczne, którego główną cechą jest jego unikatowość? Z reguły cechy dystynktywne Holokaustu są pomijane w celu zaliczenia tego wydarzenia do całkowicie odrębnej kategorii. Nie wiadomo jednak, dlaczego jego liczne cechy wspólne należy przy tym uznać za trywialne.

Wszyscy autorzy piszący o Holokauście zgadzają się co do unikatowego charakteru Holokaustu, niewielu jednak — o ile w ogóle — zgadza się dlaczego tak jest. Po każdym empirycznym zakwestionowaniu argumentacji o wyjątkowości Holokaustu, w jej miejsce zostaje wprowadzony nowy argument. Według Jeana-Michela Chaumonta skutkiem tego jest wielość sprzecznych, wzajemnie anulujących się argumentów: „wiedza nie kumuluje się. Zamiast rozszerzania wiedzy w wyniku każdej dyskusji, nowa dyskusja zaczyna się od zera"[5]. Ujmując to inaczej: unikatowość jest stałym elementem dyskusji o Holokauście; udowodnienie jej jest zadaniem do wykonania,

---

[3] Jacob Neusner (ed.), *Judaism in Cold War America, 1945–1990*, v. ii: *In the Aftermath of the Holocaust*, Nowy Jork 1993, viii.

[4] David Stannard, „Uniqueness as Denial", w Alan Rosenbaum (red.), *Is the Holocaust Unique?*, Boulder 1996, str. 193.

[5] Jean-Michel Chaumont, *La concurrence des victimes*, Paryż 1997, str. 148–149. Przeprowadzona przez Chaumonta wiwisekcja debaty o „uni-

a zaprzeczenie jej jest równoznaczne z zaprzeczeniem Holokaustu. Być może problem leży w przesłankach a nie w dowodzie. Nawet jeżeli Holokaust był wyjątkowy, czy zmieniłoby to cokolwiek? W jaki sposób zmieniłoby to naszą wiedzę, gdyby nazistowski holokaust nie był pierwszym, lecz czwartym lub piątym w szeregu porównywalnych katastrof?

Najnowszym elementem gry o uznanie unikatowości Holokaustu jest dzieło Stevena Katza *The Holocaust in Historical Context*. W pierwszym z planowanych trzech tomów Katz cytuje niemal 5000 tytułów w ramach pełnego badania historii ludzkości w celu udowodnienia, że „Holokaust jest fenomenologicznie unikatowy przez fakt, że nigdy przedtem żadne państwo nie przystąpiło w ramach świadomie przyjętej zasady i realizowanej polityki do fizycznej anihilacji każdego mężczyzny, kobiety i dziecka należących do danego narodu". Katz wyjaśnia tę tezę w następujący sposób: „Φ jest unikatowo C. Φ może posiadać A, B, D, ... X wspólne z $\triangle$ ale nie C. Teraz Φ może posiadać A, B, D, ... X wspólne ze wszystkimi $\triangle$, ale nie z C. Wszystkie istotne aspekty, jak się okazuje, opierają się o Φ będące unikatowo C ... π bez C nie jest Φ... Na podstawie definicji, jakiekolwiek odstępstwa od tej zasady są niedopuszczalne. $\triangle$ posiadające A, B, D, ... X wspólne z Φ może być jak Φ w tych i innych aspektach [...] ale w odniesieniu do naszej definicji unikatowości, wszelkie lub wszystkie $\triangle$ bez C nie są Φ... Oczywiście całkowite Φ jest większe niż C, ale nigdy nie jest Φ bez C." Tłumaczenie: zdarzenie historyczne zawierające cechę dystynktywną jest dystynktywnym zdarzeniem historycznym. Dla przejrzystości Katz dalej objaśnia, że zastosował termin fenomenologicznie w rozumieniu „niehusserlowskim, nieshutzenowskim, nieschelerowskim, nieheideggerowskim, niemerleau-pontyjskim". Tłumaczenie:

---

katowości Holokaustu" jest prawdziwym pokazem elokwencji. Jednakże jego główna teza jest mało przekonująca, przynajmniej na scenie amerykańskiej. Według Chaumonta Holokaust jako fenomen miał swoje źródła w podejmowanych przez ocalałych Żydów spóźnionych staraniach o publiczne uznanie ich cierpień w przeszłości. Osoby ocalałe z Zagłady niewiele się jednak liczyły w pierwszych działaniach, podejmowanych w celu umieszczenia Holokaustu w centrum uwagi.

przedsięwzięcie Katza jest fenomenalnym nonsensem[6]. Nawet gdyby dowody potwierdzały główną tezę Katza, co nie jest prawdą, udowodniłby on jedynie, że Holokaust zawierał cechę dystynktywną. Dziwne byłoby, gdyby okazało się inaczej. Chaumont wnioskuje, że badanie Katza jest faktycznie „ideologią" udającą „naukę", o czym będzie mowa dalej[7].

Przekonanie o wyjątkowym charakterze Holokaustu o włos jedynie różni się od stwierdzenia, że Holokaustu nie da się racjonalnie wytłumaczyć. Jeżeli Holokaust nie miał precedensu w historii, to musi wznosić się ponad historią i dlatego nie może być przez historię oceniany. Holokaust jest faktycznie unikatowy, ponieważ jest niewytłumaczalny, a jest niewytłumaczalny, ponieważ jest unikatowy.

Najbardziej doświadczonym wyznawcą tej mistyfikacji, nazwanej przez Novicka „sakralizacją Holokaustu", jest Elie Wiesel. Dla Wiesela, jak słusznie zauważył Novick, Holokaust jest w rzeczywistości religią „tajemnicy". Wiesel intonuje więc, że Holokaust „prowadzi w ciemność", „zaprzecza wszystkim odpowiedziom", „leży na zewnątrz historii, o ile nie poza nią", „opiera się zarówno wiedzy, jak opisowi", „nie podlega ani wyjaśnieniom, ani wizualizacji", „nigdy nie zostanie zrozumiany lub przekazany", oznacza „zniszczenie historii" oraz „mutację na skalę kosmiczną". Jedynie ocalały-kapłan (czytaj: jedynie Wiesel) posiada kwalifikacje do poznania jego tajemnicy. Wiesel twierdzi, że jednak tajemnica Holokaustu jest „niemożliwa do przekazania", oraz że „nie możemy nawet o niej mówić". Stąd za swoje standardowe honorarium w wysokości 25 tysięcy dolarów (plus limuzyna z szoferem) Wiesel naucza, że „tajemnica" prawdy o Auschwitz „spoczywa w ciszy"[8].

---

[6] Steven T. Katz, *The Holocaust in Historical Context*, Oksford 1994, str. 28, 58, 60.

[7] Chaumont, *La concurrence*, str. 137.

[8] Novick, *The Holocaust*, str. 200–201, 211–212. Wiesel, *Against Silence*, vi, 158, 211, 239, 272, vii, 62, 81, 111, 278, 293, 347, 371, viii, 153, 243. Elie Wiesel, *All Rivers Run to the Sea*, Nowy Jork 1995, str. 89. Informacje na temat honorarium pobieranego przez Wiesela za wykłady pochodzą od Ruth Wheat z Biura ds. Wykładów B'nai B'rith. Według Elie Wiesela „słowa stanowią pewnego rodzaju podejście poziome, podczas gdy cisza oferuje podejście pionowe. Zanurzasz się w nim". Czy Wiesel skacze na swoje wykłady ze spadochronem?

Jego zdaniem racjonalne zrozumienie Holokaustu sprowadza się do jego zaprzeczenia. Racjonalność bowiem zaprzecza unikatowemu charakterowi i tajemnicy Holokaustu. Porównywanie Holokaustu z cierpieniem innych stanowi dla Wiesela „całkowitą zdradę żydowskiej historii"[9]. Kilka lat temu w parodii nowojorskiego tabloidu znalazł się nagłówek: „Michael Jackson, 60 milionów innych ludzi ginie w jądrowym Holokauście". W listach od czytelników zamieszczono pełen irytacji protest Wiesela: „Jak ludzie śmieją porównywać to, co miało miejsce wczoraj, do Holokaustu? Był tylko jeden Holokaust..." W swoich nowych wspomnieniach Wiesel udowadniał, że życie może naśladować parodię, krytykując Szimona Peresa za przemawianie „bez wahania o «dwóch holokaustach» dwudziestego wieku: Auschwitz i Hiroszimie. Nie powinien był tego robić"[10].

---

[9] Wiesel, *Against Silence*, v. iii, 146.

[10] Wiesel, *And the Sea*, str. 95. Proszę porównać ze sobą następujące informacje prasowe:

Ken Livingstone, były członek Partii Pracy, starający się jako polityk niezależny o urząd mera Londynu, rozsierdził brytyjskich Żydów stwierdzeniem, że globalny kapitalizm zabił tyle samo ofiar, co druga wojna światowa. „Co roku międzynarodowy system finansowy zabija więcej ludzi niż II wojna światowa, ale przynajmniej Hitler był szalony, prawda?" [...] „To zniewaga dla wszystkich ludzi, zamordowanych i prześladowanych przez Adolfa Hitlera", oświadczył John Butterfill, konserwatywny członek brytyjskiego Parlamentu. Pan Butterfill stwierdził także, że oskarżenie wysunięte przez pana Livingstone'a wobec globalnego systemu finansowego miało zdecydowanie antysemickie brzmienie. (*Oświadczenie Livingstone'a rozgniewało Żydów*, „International Herald Tribune", str. 13 kwietnia 2000 r.)

Prezydent Kuby, Fidel Castro [...] oskarżył system kapitalistyczny o regularne powodowanie zgonów w skali porównywalnej z II wojną światową przez ignorowanie potrzeb biedoty. „Obrazy matek z dziećmi, które obserwujemy w całych regionach Afryki dotkniętych suszą lub innymi katastrofami, przypominają nam o obozach koncentracyjnych nazistowskich Niemiec". Odnosząc się do procesów zbrodniarzy wojennych po II wojnie światowej, kubański przywódca oświadczył: „Brakuje nam Norymbergi w celu osądzenia narzuconego nam porządku gospodarczego, w którym co trzy lata więcej mężczyzn, kobiet i dzieci umiera z głodu i możliwych do zapobieżenia chorób, niż zmarło w czasie II wojny światowej". [...] W Nowym Jorku dyrektor krajowy Ligi Przeciwko

Ulubionym powiedzeniem Wiesela jest, że „uniwersalny charakter Holokaustu polega na jego wyjątkowości"[11]. Jeżeli jednak Holokaust wyjątkowy jest w tak nieporównywalny i niemożliwy do pojęcia sposób, to jak Holokaust może mieć wymiar uniwersalny? Debata na temat wyjątkowości Holokaustu jest sterylna. Faktycznie twierdzenia o wyjątkowości Holokaustu stały się formą „terroryzmu intelektualnego" (Chaumont). Osoby stosujące w badaniach naukowych typowe procedury porównawcze muszą w pierwszej kolejności wprowadzić tysiąc i jeden sprzeciwów wobec „trywializacji Holokaustu"[12].

Podtekstem poglądu o wyjątkowości Holokaustu jest stwierdzenie, że Holokaust był złem absolutnym i wyjątkowym. Cierpienia innych ludzi, niezależnie od tego, jak straszne, po prostu nie mieszczą się w tej kategorii zła. Zwolennicy teorii o wyjątkowości Holokaustu z reguły odrzucają takie implikacje, ale tego rodzaju sprzeciwy są nieszczere[13].

Twierdzenia o wyjątkowości Holokaustu są intelektualnie nagie i moralnie godne potępienia, a jednak uparcie są podtrzymywane. Pytanie brzmi: dlaczego? Przede wszystkim, unikatowe cierpienie

---

Zniesławieniu, Abraham Foxman, oświadczył, że: „[...] Bieda jest sprawą ważną, bolesną i być może przynoszącą śmierć, ale to nie jest Holokaust i to nie są obozy koncentracyjne". (John Rice, *Castro Viciously Attacks Capitalism*, „Associated Press", 13 kwietnia 2000 r.)

[11] Wiesel, Against Silence, v. iii, 156, 160, 163, 177.

[12] Chaumont, *La concurrence*, str. 156. Chaumont także w wiele mówiący sposób dowodzi, że stwierdzenie o tym, jak niewypowiedzianym złem był Holokaust, jest nie do pogodzenia z towarzyszącą mu opinią, że jego sprawcy byli ludźmi całkowicie normalnymi. (310)

[13] Katz, *The Holocaust*, str. 19, 22. Novick zauważył, że „twierdzenie, że przekonanie o wyjątkowości Holokaustu *nie* jest formą krzywdzącego porównania, skutkuje systematyczną dwulicowością," „Czy ktokolwiek [...] wierzy, że twierdzenie o wyjątkowości jest czymkolwiek *innym* niż twierdzenie o prymacie?" (nacisk jak w oryginale) Niestety, sam Novick nadużywa takich krzywdzących porównań. Utrzymuje on, że chociaż moralnie wymijające w kontekście amerykańskim, „powtarzane wciąż twierdzenie, że cokolwiek w Stanach Zjednoczonych wyrządzono Afroamerykanom, rdzennym Amerykanom, Wietnamczykom czy innym, blednie w porównaniu do Holokaustu, jest prawdziwe". (*The Holokaust*, str. 197, 15)

przyzwala na unikatowe uprawnienia. Zdaniem Jacoba Neusnera jedyne wyjątkowe zło Holokaustu nie tylko wyróżnia Żydów spośród innych nacji, ale także daje im prawo do „roszczeń w stosunku do pozostałych".

Dla Edwarda Alexandra unikatowość Holokaustu stanowi „kapitał moralny", a Żydzi mają obowiązek uzyskania „suwerennej władzy" nad tym „wartościowym majątkiem"[14].

W rezultacie unikatowy charakter Holokaustu — to „roszczenie" wobec innych, ten „kapitał moralny" — służy Izraelowi za główne alibi. „Niezwykłość żydowskiego cierpienia rozszerza moralne i emocjonalne roszczenia jakie może wysuwać Izrael [...] w stosunku do innych narodów", sugeruje historyk Peter Baldwin[15]. Zdaniem Nathana Glazera Holokaust wskazujący na „szczególną *odmienność* Żydów" dał im „prawo do uważania się za szczególnie zagrożonych i szczególnie zasługujących na podjęcie wszelkich działań, koniecznych do przetrwania"[16] (nacisk jak w oryginale) Typowym przykładem takiego podejścia jest przywoływanie demonów Holokaustu za każdym razem, gdy wspominana jest decyzja Izraela dotycząca opracowania broni nuklearnej[17]. Jak gdyby w przeciwnym wypadku Izrael nie mógł stać się mocarstwem jądrowym.

Znaczenie ma tutaj jeszcze jeden czynnik. Twierdzenie o wyjątkowości Holokaustu jest jednocześnie twierdzeniem o wyjątkowości Żydów. To nie cierpienia Żydów, lecz to, że właśnie *Żydzi* cierpieli, spowodowało, że Holokaust jest wyjątkowy. Lub: Holokaust jest szczególny, bo Żydzi są szczególni. Z tej przyczyny Ismar Schorsch, kanclerz Żydowskiego Seminarium Teologicznego (Jewish Theological Seminary) wyszydza twierdzenie o wyjątkowości Holokaustu jako „żenującą świecką wersję bycia wybranym"[18]. Mimo swojego żarliwego stosunku do wyjątkowości Holokaustu, Elie Wiesel ma

---

[14] Jacob Neusner, A *'Holocaust' Primer*, str. 178; Edward Alexander, *Stealing the Holocaust*, str. 15–16, [w:] Neusner, *Aftermath*.

[15] Peter Baldwin (red.), *Reworking the Past*, Boston 1990, str. 21.

[16] Nathan Glazer, „American Judaism", drugie wydanie, Chicago 1972, str. 171.

[17] Seymour M. Hersh, *The Samson Option*, Nowy Jork 1991, str. 22. Avner Cohen, *Israel and the Bomb*, Nowy Jork 1998, str. 10, 122, 342.

[18] Ismar Schorsch, *The Holocaust and Jewish Survival* [w:] „Midstream", styczeń 1981, str. 39. Chaumont w przekonujący sposób dowiódł, że

nie mniej żarliwy stosunek do wyjątkowości Żydów. „Wszystko, co nas dotyczy, jest inne". Żydzi są „ontologicznie" wyjątkowi[19]. Jako kulminacyjny punkt tysiącletniej nienawiści nie-Żydów do Żydów, Holokaust poświadczał nie tylko unikatowe cierpienia Żydów, ale także ich unikatowość.

Novick pisze, że po zakończeniu II wojny światowej „mało kto poza rządem [USA] — i mało kto poza nim, zarówno Żydzi jak nie-Żydzi — byłby w stanie zrozumieć stwierdzenie o «pozostawieniu Żydów ich losowi»". Sytuacja ta odwróciła się po czerwcu 1967 roku. „Milczenie świata", „obojętność świata", „porzucenie Żydów" — tematy te weszły na stałe do „dyskusji o Holokauście"[20].

Zawłaszczając syjonistyczny dogmat, przedsiębiorstwo Holokaust uczyniło z hitlerowskiego Ostatecznego Rozwiązania symbol tysiącletniej nienawiści nie-Żydów do Żydów. Żydzi ginęli, ponieważ wszyscy nie-Żydzi, zarówno sprawcy zbrodni, jak ich bierni kolaboranci pragnęli ich śmierci. Według Eliego Wiesela „wolny i «cywilizowany» świat oddał Żydów w ręce kata. Byli tam zabójcy — mordercy — oraz tacy, którzy zachowali milczenie"[21]. Nie istnieją żadne historyczne dowody potwierdzające mordercze skłonności nie-Żydów. Pompatyczne próby udowodnienia jednego z wariantów tego oskarżenia w książce *Gorliwi kaci Hitlera: zwyczajni Niemcy i Holokaust* Daniela Goldhagena z trudem wytrzymują krytykę[22]. Polityczna użyteczność tej książki jest jednak znacząca. Należy tutaj jednak stwierdzić, że teoria „wiecznego antysemityzmu" w rzeczywistości działa na korzyść antysemityzmu. Hannah Arendt stwierdziła w *Korzeniach totalitaryzmu*: „to, że doktryna ta została przyjęta przez zawodowych antysemitów, jest logiczne; daje bowiem najlepsze możliwe alibi dla wszystkich horrorów. Jeżeli prawdą jest, że ludzkość uparła się, by mordować Żydów przez ponad dwa tysiące lat, to zabijanie Żydów jest rzeczą normalną, a nawet ludzką, a nienawiść do

twierdzenie o unikatowości Holokaustu miało swoje źródło w religijnym dogmacie o Żydach jako narodzie wybranym i tylko w tym kontekście jest spójne i zrozumiałe. *La concurrence*, str. 102–107, 121.

[19] Wiesel, *Against Silence*, v. i, 153. Wiesel, *And the Sea*, str. 133.

[20] Novick, *The Holocaust*, str. 59, 158–159.

[21] Wiesel, *And the Sea*, str. 68.

[22] Daniel Jonah Goldhagen, *Hitler's Willing Executioners*, Nowy Jork 1996. Krytyka — patrz Finkelstein i Birn, *Nation*.

Żydów jest niezaprzeczalnie uzasadniona. Tym bardziej zaskakującym aspektem tego wyjaśnienia jest więc fakt, że zostało ono przyjęte przez wielu obiektywnych historyków oraz przez nawet większą liczbę Żydów"[23].

Przyjęty w ramach Holokaustu dogmat o wiecznej nienawiści nie-Żydów służył zarówno do uzasadnienia konieczności ustanowienia państwa żydowskiego, jak do wyjaśnienia wrogości skierowanej przeciwko Izraelowi. Państwo żydowskie jest jedyną ochroną przed następnym (nieuniknionym) wybuchem morderczego antysemityzmu; i odwrotnie, morderczy antysemityzm kryje się za każdym atakiem czy nawet manewrem ochronnym wobec państwa żydowskiego. Autorka powieści, Cynthia Ozick, ma gotową odpowiedź na pytanie o to, skąd bierze się krytyka Izraela: „świat pragnie zetrzeć Żydów z powierzchni Ziemi. [...] świat zawsze pragnął pozbyć się Żydów"[24]. Jeżeli cały świat pragnie śmierci Żydów, to naprawdę zdumiewające jest, że Żydzi nadal istnieją — i w przeciwieństwie do większej części ludzkości, mają się całkiem nieźle.

Dogmat ten zapewnił Izraelowi całkowite przyzwolenie: Ponieważ nie-Żydzi zawsze chcą mordować Żydów, to Żydzi mają pełne prawo do samoobrony, w dowolny sposób jaki uznają za stosowny. Niezależnie od tego, co Żydzi uznają za celowe, nawet agresja i tortury zostaną uznane za uczciwe, uzasadnione środki samoobrony. Ubolewając nad „lekcją Holokaustu" i wiecznej nienawiści nie-Żydów, Boas Evron konkluduje, że jest ona „równoznaczna ze świadomym rozpętywaniem paranoi. [...] Mentalność ta [...] daje z góry przyzwolenie na jakiekolwiek nieludzkie traktowanie nie-Żydów, ponieważ zgodnie z obowiązującą mitologią «wszyscy ludzie kolaborowali z nazistami nad zniszczeniem żydostwa» i dlatego Żydom wszystko wolno w ich relacjach z innymi narodami"[25].

W ramach Holokaustu antysemityzm nie-Żydów jest nie tylko niemożliwy do zwalczenia, ale także nieracjonalny. Goldhagen wykracza daleko nie tylko poza klasyczne syjonistyczne, ale także

[23] Hannah Arendt, *The Origins of Totalitarianism*, Nowy Jork 1951, str. 7.
[24] Cynthia Ozick, „All the World Wants the Jews Dead", w „Esquire", listopad 1974.
[25] Boas Evron, *Jewish State or Israeli Nation*, Bloomington 1995, str. 226–227.

standardowe naukowe analizy, tłumacząc antysemityzm jako „odrębny od faktycznych Żydów", „fundamentalnie *nie* będący reakcją na wszelkie obiektywne oceny działań Żydów" oraz „niezależny od charakteru i działań Żydów". Jest to umysłowa patologia nie-Żydów, zakorzeniona „w duszy". (nacisk jak w oryginale) Zdaniem Elie Wiesela kierującemu się „nieracjonalnymi argumentami" antysemicie „po prostu trudno pogodzić się z faktem istnienia Żydów"[26]. Socjolog John Murray Cuddihy zaobserwował krytycznie, że „cokolwiek Żydzi robią czy nie robią, nie tylko nie ma nic wspólnego z antysemityzmem, ale wszelkie *próby* objaśnienia antysemityzmu przez odniesienie do żydowskiego wkładu w antysemityzm są same w sobie aktem antysemityzmu!" (nacisk jak w oryginale)[27]. Oczywiście nie chodzi o to, że antysemityzm jest możliwy do uzasadnienia, ani o to, by obarczać Żydów odpowiedzialnością za popełniane na nich zbrodnie, lecz że antysemityzm rozwija się w szczególnym kontekście historycznym wraz z towarzyszącą mu grą interesów. Zdaniem Ismara Schorscha „utalentowana, dobrze zorganizowana i odnosząca w większości sukcesy mniejszość może inspirować konflikty, wynikające z obiektywnych napięć między grupami", aczkolwiek konflikty takie są „często obarczone antysemickimi stereotypami"[28].

Nieracjonalna istota antysemityzmu nie-Żydów została indukcyjnie wyprowadzona z nieracjonalnej istoty Holokaustu. Przecież hitlerowskie Ostateczne Rozwiązanie charakteryzowało się brakiem racjonalności — było „złem samym w sobie", „bezcelowym masowym mordem"; Ostateczne Rozwiązanie Hitlera oznaczało kulminację antysemityzmu nie-Żydów; stąd wynika, że antysemityzm nie-Żydów jest z samej swojej istoty nieracjonalny. Zarówno łącznie, jak każde

---

[26] Goldhagen, *Hitler's Willing Executioners*, str. 34–35, 39, 42; Wiesel, *And the Sea*, str. 48.

[27] John Murray Cuddihy, „The Elephant and the Angels: The Incivil Irritatingness of Jewish Theodicy", Robert N. Bellah i Frederick E. Greenspahn (red.), *Uncivil Religion*, Nowy Jork 1987, str. 24. Poza tym artykułem, polecamy lekturę „The Holocaust: The Latent Issue in the Uniqueness Debate", P.F. Gallagher (red.), *Christians, Jews, and Other Worlds*, Highland Lakes, NJ 1987.

[28] Schorsch, *The Holocaust*, str. 39. Notabene, twierdzenie, jakoby „Żydzi" stanowili „utalentowaną" mniejszość, jest także, moim zdaniem, „niesmaczną świecką wersją bycia narodem wybranym".

z osobna sugestie te nie wytrzymują nawet powierzchownej krytyki[29]. Argumentacja ta jest jednak bardzo przydatna z politycznego punktu widzenia.

Przypisując Żydom całkowity brak winy, dogmat Holokaustu zabezpiecza Izrael i Żydów amerykańskich przed międzynarodowym potępieniem. Wrogość Arabów, wrogość Afroamerykanów: „nie są to zasadniczo reakcje na wszelkie obiektywne oceny działań żydowskich" (Goldhagen)[30]. Wiesel pisał o prześladowaniu Żydów: „Przez dwa tysiące lat [...] zawsze żyliśmy w poczuciu zagrożenia. [...] Dlaczego? Bez żadnej przyczyny". Na temat wrogości Arabów wobec Izraela: „ze względu na to, kim jesteśmy i co reprezentuje nasza ojczyzna, Izrael — serce naszego życia, największe z naszych marzeń — jeżeli nasi wrogowie będą chcieli nas zniszczyć, to będą próbować osiągnąć ten cel przez zniszczenie Izraela". Na temat wrogości Afroamerykanów wobec Żydów amerykańskich: „ludzie, którzy wzorują się na nas, nie dziękują nam lecz nas atakują. Znaleźliśmy się w bardzo niebezpiecznej sytuacji. Nadal służymy wszystkim za kozła ofiarnego. My pomagaliśmy Afroamerykanom, my zawsze im pomagaliśmy [...] szkoda mi Afroamerykanów. Oni powinni nauczyć się od nas jednego — wdzięczności. Żaden inny naród świata nie

---

[29] Pełna analiza tego temat nie mieści się w zakresie eseju, skupmy się więc tylko na pierwszej z tych propozycji. Trudno uznać, by wojna wytoczona przez Hitlera przeciwko Żydom, nawet jeżeli była nieracjonalna (co samo w sobie jest problemem złożonym), była wyjątkowym wydarzeniem historycznym. Można tutaj przywołać główną tezę traktatu Josepha Schumpetera o imperializmie, zgodnie z którą „nieracjonalne czy irracjonalne, czysto instynktowne inklinacje do wojny i zwycięstwa odgrywają bardzo ważną rolę w historii ludzkości [...] niezliczone wojny — być może większość wszystkich wojen — wybuchały bez [...] przemyślanych czy uzasadnionych interesów". (Joseph Schumpeter, „The Sociology of Imperialism", Paul Sweezy (red.), *Imperialism and Social Classes* [Nowy Jork 1951], 83)

[30] Albert S. Lindemann, zawsze odcinający się od dogmatu Holokaustu, oparł swoją niedawną pracę o antysemityzmie o założenie, że „niezależnie od siły mitu, wrogość wobec Żydów, indywidualna czy zbiorowa, nie zawsze wynikała z fantastycznego czy chimerycznego postrzegania Żydów bądź projekcji nie związanych z jakąkolwiek dotykalną rzeczywistością. Jako istoty ludzkie Żydzi byli równie zdolni jak jakakolwiek inna zbiorowość do prowokowania wrogości w środowiskach świeckich". (*Esau's Tears* [Cambridge 1997], xvii)

czuje wdzięczności tak, jak my; my jesteśmy zawsze wdzięczni"[31]. Zawsze chłostani, zawsze niewinni: tak właśnie wygląda ciężar bycia Żydem[32].

Dogmat Holokaustu o wiecznej nienawiści nie-Żydów uzasadnia także uzupełniający dogmat o wyjątkowości Holokaustu. Jeżeli Holokaust stanowił kulminację tysiącletniej nienawiści nie-Żydów do Żydów, to prześladowanie nie-Żydów w czasie Holokaustu było wyłącznie przypadkowe, a prześladowania nie-Żydów w historii były wyłącznie epizodyczne. Z każdego więc punktu widzenia żydowskie cierpienia podczas Holokaustu miały unikatowy charakter.

I na koniec, żydowskie cierpienia były jedyne w swoim rodzaju, ponieważ sami Żydzi są wyjątkowi. Holokaust był unikatowy, ponieważ nie był racjonalny. Ostatecznie jego siłę stanowiła najbardziej nieracjonalna, typowo ludzka namiętność. Świat nieżydowski nienawidził Żydów z powodu zazdrości, zawiści, urazy. Według Nathana i Ruth Ann Perlmutterów antysemityzm wynikał z „zazdrości i urazy nie-Żydów z powodu handlowego zwycięstwa Żydów nad chrześcijanami [...] liczne rzesze nie-Żydów odnoszących mniejsze sukcesy żywią urazę do mniej licznych, ale odnoszących większe sukcesy Żydów"[33]. Chociaż w negatywny sposób, Holokaust potwierdził w ten sposób status Żydów jako narodu wybranego. Ponieważ Żydzi są lepsi, odnoszą większe sukcesy, musieli cierpieć na skutek gniewu nie-Żydów, którzy ich za to mordowali.

W krótkiej uwadze Novick zastanawia się nad tym, że „jak mówiono by o Holokauście w Ameryce", gdyby Elie Wiesel nie był jego „głównym interpretatorem"?[34] Odpowiedź na to pytanie nie

---

[31] Wiesel, *Against Silence*, v. i, 255, 384.

[32] Chaumont dowodzi w wiele mówiący sposób, że dogmat Holokaustu skutecznie powoduje, że inne zbrodnie stają się bardziej akceptowalne. Nacisk na radykalną niewinność Żydów, tzn. brak jakichkolwiek racjonalnych motywów ich prześladowania, czy nawet mordowania „z góry zakłada «normalny» status prześladowań i mordów w innych okolicznościach, tworząc rzeczywisty rozdział pomiędzy bezwarunkowo niedopuszczalnymi zbrodniami a zbrodniami, z którymi trzeba — a więc i można — się pogodzić". (*La concurrence*, str. 176)

[33] Perlmutterowie, *Anti-Semitism*, str. 36, 40.

[34] Novick, *The Holocaust*, str. 351 prz. 19.

jest trudna: Przed czerwcem 1967 roku ogromne wrażenie na amerykańskich Żydach wywarło uniwersalistyczne przesłanie Bruno Bettelheima, byłego więźnia obozu koncentracyjnego. Po wojnie sześciodniowej Bettelheim został odsunięty na boczny tor, a jego miejsce zajął Wiesel. Znaczenie Wiesela jest funkcją jego użyteczności ideologicznej. Unikatowość żydowskiego cierpienia/unikatowość Żydów, wieczna wina nie-Żydów/wieczna niewinność Żydów, bezwarunkowa obrona Izraela/bezwarunkowa obrona żydowskich interesów: Elie Wiesel *jest* Holokaustem.

*

* *

Powoływanie się na dogmaty Holokaustu pozbawia większość literatury na temat Ostatecznego Rozwiązania Hitlera jakiegokolwiek naukowego znaczenia. Faktem jest, że badania nad Holokaustem są pełne nonsensów, jeżeli nie zwykłych oszustw. Szczególnie wiele mówi środowisko kulturowe, w którym kwitnie literatura Holokaustu.

Pierwszym z dużych oszustw Holokaustu była książka *Malowany ptak* autorstwa polskiego emigranta, Jerzego Kosińskiego[35]. Kosiński wyjaśniał, że książka ta została „napisana w języku angielskim, bym mógł pisać bez emocji, wolny od uczuciowych konotacji, jakie zawsze zawiera język ojczysty autora". W rzeczywistości te części książki, których był faktycznym autorem — kwestia nadal nierozwiązana — zostały napisane w języku polskim. Książka została uznana za opartą o autobiograficzne opisy wędrówki Kosińskiego jako samotnego dziecka przez polskie wsie podczas II wojny światowej. W rzeczywistości Kosiński przez całą wojnę mieszkał z rodzicami. Motywem książki są sadystyczne tortury o podłożu seksualnym, popełniane przez polskich chłopów. Osoby, które czytały tę książkę przed jej publikacją, skrytykowały ją jako „pornografię przemocy" i „produkt umysłu ogarniętego obsesją sadomasochistycznej przemocy". W rzeczywistości niemal wszystkie patologiczne epizody opisane przez Kosińskiego były wytworem jego wyobraźni. Książka przedstawia polskich chłopów, z którymi mieszkał Kosiński, jako jadowitych antysemitów. „Bij Żyda", krzyczą, „bijcie ich". W rzeczywistości polscy chłopi ukrywali rodzinę Kosińskich mimo wiedzy

---

[35] Nowy Jork 1965. W oparciu o tekst Jamesa Parka Sloana, *Jerzy Kosinski*, Nowy Jork 1996, jako źródło informacji.

o ich żydowskim pochodzeniu, zdawali też sobie sprawę ze strasznych konsekwencji, jakie im groziły w wypadku ujawnienia, że ukrywają Żydów.

Elie Wiesel chwalił *Malowanego Ptaka* w „New York Times Book Review" jako „jedno z najlepszych" oskarżeń ery nazistowskiej, „napisane z głęboką szczerością i wrażliwością". Cynthia Ozick później ogłosiła, że „natychmiast" rozpoznała autentyczność Kosińskiego jako „ocalałego Żyda i świadka Holokaustu". Nawet wiele lat później, gdy Kosiński został ujawniony jako sprawny oszust literacki, Wiesel nadal pisał liczne panegiryki jego „wyjątkowych dzieł"[36].

Malowany ptak stał się podstawowym tekstem Holokaustu. Książka została bestsellerem, zdobywała nagrody, była tłumaczona na liczne języki i została włączona do lektur obowiązkowych w szkołach średnich i wyższych. Działając na rzecz Holokaustu, Kosiński ogłosił się „tańszą wersją Elie Wiesela" (był zapraszany przez gremia, których nie było stać na honorarium za prelekcje dla Elie Wiesela — „milczenie" bywa kosztowne). Mimo ostatecznego zdemaskowania Kosińskiego przez tygodnik śledczy, „New York Times" nadal zaciekle go bronił, twierdząc, że padł on ofiarą komunistycznego spisku[37].

---

[36] Elie Wiesel, *Everybody's Victim*, „New York Times Book Review", 31 października 1965; Wiesel, *All Rivers*, str. 335. Cytat z tekstu Ozick na podstawie Sloana, 304–305. Uwielbienie Wiesela dla Kosińskiego nie jest zaskakujące. Kosiński chciał analizować „nowy język", a Wiesel pragnął „wykuć nowy język" Holokaustu. Dla Kosińskiego, „wszystko, co znajduje się między epizodami, to zarówno komentarz na temat epizodu, jak coś, co epizod skomentował". Dla Wiesela „przestrzeń pomiędzy jakimikolwiek dwoma słowami jest większa niż odległość między niebem a ziemią". Istnieje polskie przysłowie, które kwituje ten bezmiar głębi: „od pustki do próżni". Obydwaj pisarze obficie dekorowali swoje dywagacje cytatami z dzieł Alberta Camusa, co wyraźną oznaką szarlatanerii. Wspominając, że Camus kiedyś mu powiedział „zazdroszczę ci Auschwitz", Wiesel stwierdził: „Camus nie mógł sobie wybaczyć, że nie wiedział o tym majestatycznym wydarzeniu, tej tajemnicy tajemnic". (Wiesel, *All Rivers*, str. 321; Wiesel, *Against Silence*, v. ii., 133)

[37] Geoffrey Stokes i Eliot Fremont-Smith, *Jerzy Kosiński's Tainted Words*, „Village Voice", 22 czerwca 1982; John Corry, *A Case History: 17 Years of Ideological Attack on a Cultural Target*, „New York Times", 7 listopada

W innym fałszerstwie zatytułowanym *Fragments*, autor Binjamin Wilkomirski[38] czerpie obficie z kiczowatego opisu Holokaustu przedstawionego w *Malowanym ptaku*. Podobnie jak Kosiński, także Wilkomirski przedstawia się jako samotne dziecko ocalałe z zagłady, które traci mowę, trafia do sierocińca i dopiero długo potem odkrywa swoje żydowskie korzenie. Podobnie jak w *Malowanym ptaku*, główna narracja *Fragments* jest prowadzona prostym i oszczędnym językiem naiwnego dziecka, które nie potrafi zapamiętać ani czasu, ani miejsca zdarzeń. Książkę upodabnia do *Malowanego ptaka* także zakończenie każdego rozdziału opisem rozpasanej przemocy. Kosiński przedstawiał *Malowanego ptaka* jako „powolne rozmrażanie umysłu", natomiast Wilkomirski przedstawia *Fragments* jako „pamięć odzyskaną"[39].

1982. Na korzyść Kosińskiego świadczy jednak fakt, że w obliczu śmierci przeszedł on jednak pewnego rodzaju przemianę. W ciągu kilku lat, jakie upłynęły od zdemaskowania Kosińskiego do jego samobójstwa, Kosiński krytykował wykluczenie przez przemysł Holokaustu nieżydowskich ofiar tego ludobójstwa. „Wielu północnoamerykańskich Żydów wydaje się postrzegać to jako Shoah, jako wyłącznie żydowską katastrofę. [...] Przecież wśród ofiar tego ludobójstwa znalazła się co najmniej połowa światowych Romów (niesprawiedliwie zwanych Cyganami), około 2,5 miliona polskich katolików, miliony obywateli Związku Radzieckiego różnych narodowości. [...]" Kosiński oddał też hołd „odwadze Polaków", którzy „ukrywali" go „podczas Holcaustu" mimo jego tzw. „semickich rysów". (Jerzy Kosiński, *Passing By* [Nowy Jork: 1992], 165–166, 178–179) Zapytany przez gniewnego uczestnika konferencji o Holokauście, co Polacy zrobili, by ratować Żydów, Kosiński odparował: „A co zrobili Żydzi, by ratować Polaków?"

[38] Nowy Jork: 1996 r. Opis oszustwa Wilkomirskiego — patrz Elena Lappin, *The Man With Two Heads*, „Granta", nr 66 oraz Philip Gourevitch, *Stealing the Holocaust*, „New Yorker", 14 czerwca 1999.

[39] Istotny wpływ „literacki" na Wilkomirskiego wywarł także Wiesel. Wystarczy porównać następujące fragmenty:

Wilkomirski: „Zobaczyłem jej szeroko otwarte oczy, i nagle wiedziałem: te oczy wiedziały wszystko, widziały wszystko, co widziały oczy moje, wiedziały nieskończenie więcej niż ktokolwiek inny w tym kraju. Widziałem już takie oczy, widziałem je tysiące razy, w obozie i potem. To były oczy Mili. Jako dzieci mówiliśmy sobie wszystko takimi oczami. Ona to też wiedziała; patrzyła przez moje oczy wprost do mojego serca".

Mimo że *Fragments* jest mistyfikacją, książka ta stanowi arche-
typ wspomnień ofiar Holokaustu. Akcja książki toczy się w obozach
koncentracyjnych, gdzie każdy strażnik jest szalonym, sadystycznym
potworem, radośnie rozłupującym czaszki żydowskich noworodków.
Klasyczne wspomnienia z nazistowskich obozów koncentracyjnych
są jednak zgodne z opisem byłej więźniarki Auschwitz, dr Elli
Lingens-Reiner: „Sadystów było niewielu. Nie więcej niż pięć do
dziesięciu procent"[40]. Literatura Holokaustu jest jednak pełna opisów wszechobecnych niemieckich sadystów. Utwór ten służy więc
jednocześnie dwóm celom, ponieważ zarówno „dokumentuje" wyjątkową irracjonalność Holokaustu, jak fanatyczny antysemityzm jego
sprawców.

Osobliwy charakter *Fragments* polega na tym, że książka ta opisuje życie nie podczas Holokaustu, ale po nim. Mały Binjamin zostaje
adoptowany przez szwajcarską rodzinę i przeżywa kolejne tortury.
Zostaje uwięziony w świecie ludzi, którzy nie wierzą w Holokaust.
„Zapomnij o tym, to był tylko zły sen", krzyczy jego matka. „To był
tylko zły sen [...] masz przestać o tym myśleć". „Tutaj, w tym kraju,
każdy mi mówi, żebym zapomniał, że to się nigdy nie stało, że ja

---

Wiesel: „Oczy — muszę opowiedzieć wam o ich oczach. Muszę zacząć
od tego, ponieważ ich oczy poprzedzają wszystko inne, i wszystko jest
w nich zrozumiałe. Reszta może zaczekać. Reszta jedynie potwierdzi
to, co już wiemy. Ale ich oczy — ich oczy lśniły jakąś niemożliwą do
ograniczenia prawdą, która płonie, ale się nie spala. Milcząc przed
tymi oczami, ze wstydu możesz jedynie skłonić głowę i przyjąć wyrok.
Jedynym twoim marzeniem jest teraz patrzeć na świat tak, jak te
oczy. Dorosły mężczyzna, człowiek mądry i doświadczony, nagle stajesz
się bezsilny i potwornie zubożały. Oczy te przypominają ci twoje
dzieciństwo, twoje sieroctwo, powodują, że tracisz wiarę w moc języka.
Oczy te przeczą wartości słów; powodują, że mowa staje się zbędna". (*The
Jews of Silence* [Nowy Jork: 1966], 3)
Wiesel poświęcił rapsodii o „oczach" jeszcze półtorej strony. Jego talentowi
literackiemu dorównuje jego mistrzowskie opanowanie dialektyki. Wiesel
przyznaje tam, że „w przeciwieństwie do wielu liberałów, wierzę w zbiorową
winę". W innym miejscu oświadczył jednak: „podkreślam, że nie wierzę
w zbiorową winę". (Wiesel, *Against Silence*, v. ii, 134; Wiesel, *And the Sea*,
str. 152, 235)
[40] Bernd Naumann, *Auschwitz*, Nowy Jork: 1966, str. 91. Obszerna
dokumentacja patrz Finkelstein i Birn, *Nation*, str. 67–68.

to sobie wymyśliłem", twierdzi autor z irytacją. „Ale przecież oni wszystko o tym wiedzą!"

Nawet w szkole „chłopcy pokazują mnie sobie palcami, podnoszą pięści i krzyczą: „On zmyśla, nie było nic takiego. Kłamca! On jest szalony, to wariat, idiota". (Tak na marginesie: oni mieli rację.) Wszystkie nieżydowskie dzieci okładają go pięściami, śpiewając antysemickie rymowanki i jednoczą się przeciwko biednemu Binjaminowi, podczas gdy dorośli wciąż mu docinają:s „zmyślasz!"

Doprowadzony do najczarniejszej rozpaczy, Benjamin doświadcza objawienia Holokaustu. „Obóz wciąż tam jest — jest tylko ukryty i dobrze zamaskowany. Oni zdjęli mundury i przebrali się w ładne ubrania, żeby nikt ich nie mógł rozpoznać. [...] Ale daj im najsubtelniejszą wskazówkę, że być może jesteś Żydem — i od razu poczujesz, że to są ci sami ludzie, jestem tego pewien. Oni nadal mogą zabijać, nawet jeżeli nie noszą już mundurów". *Fragments* to coś więcej niż hołd dla dogmatu Holokaustu, to „dymiący pistolet": nawet w Szwajcarii — neutralnej Szwajcarii, wszyscy nie-Żydzi chcą zabijać Żydów.

Książka została powszechnie uznana za klasyk literatury Holokaustu. Została przetłumaczona na ponad dziesięć języków i zdobyła wiele nagród, w tym Jewish National Book Award, Jewish Quarterly Prize oraz Prix de Mémoire de la Shoah. Wilkomirski szybko został gwiazdą filmów dokumentalnych, programowym mówcą na konferencjach i seminariach, kwestarzem na rzecz Muzeum Pamięci Holokaustu Stanów Zjednoczonych i przede wszystkim — symbolem Holokaustu.

Daniel Goldhagen uznał *Fragments* za „małe arcydzieło", stając się głównym propagatorem Wilkomirskiego w świecie naukowym. Wnikliwi historycy, jak Raul Hilberg, bardzo szybko ogłosili, że *Fragments* to mistyfikacja. Po zdemaskowaniu mistyfikacji Hilberg zadał także właściwe pytania: „W jaki sposób kilka wydawnictw mogło uznać tę książkę za wspomnienia? Jak książka ta mogła spowodować zaproszenie pana Wilkomirskiego do Muzeum Pamięci Holokaustu Stanów Zjednoczonych oraz do kilku znanych uniwersytetów? Dlaczego nie istnieje uczciwa kontrola jakości w odniesieniu do oceny materiału o Holokauście przeznaczonego do publikacji?"[41]

---

[41] Lappin, 49. Hilberg zawsze zadawał właściwe pytania. Stąd jego status pariasa w społeczności Holokaustu; patrz Hilberg, *The Politics of Memory*, passim.

Okazało się, że Wilkomirski, pół-dziwak i pół-hochsztapler, całą wojnę spędził w Szwajcarii. Do tego nie jest nawet Żydem. Warto jednak zapoznać się z recenzjami przemysłu Holokaustu:

Arthur Samuelson (wydawca): „*Fragments* to całkiem ciekawa książka. [...] Jest mistyfikacją tylko wtedy, gdy nazwiemy ją literaturą faktu. W takim wypadku wydałbym ją ponownie, tym razem jako powieść. Być może nie jest prawdziwa — ale to czyni autora jeszcze lepszym pisarzem!"

Carol Brown Janeway (redaktor i tłumaczka): „Jeżeli oskarżenia [...] okażą się prawdziwe, to najważniejszą kwestią nie są fakty empiryczne, które można zweryfikować, lecz fakty duchowe, nad którymi należy się zadumać. Konieczna byłaby weryfikacja duszy, a to nie jest możliwe".

Takich opinii było więcej. Israel Gutman jest dyrektorem Yad Vashem i wykładowcą Holokaustu na Uniwersytecie Hebrajskim. Jest także byłym więźniem Auschwitz. Zdaniem Gutmana „nie jest aż tak istotne", czy *Fragments* to mistyfikacja. „Wilkomirski napisał dzieło, które głęboko przeżył, co do tego nie ma wątpliwości. [...] On nie jest oszustem. Jest człowiekiem, który przeżywa swoją opowieść w głębi duszy. Jego ból jest prawdziwy". Nie ma więc znaczenia, czy Wiłkomirski spędził wojnę w obozie koncentracyjnym, czy w eleganckim domu w szwajcarskich Alpach; tak czy inaczej, nie jest oszustem, jeżeli jego ból jest autentyczny, twierdzi były więzień Auschwitz i ekspert w dziedzinie Holokaustu. Pozostali zasługują na wzgardę; Gutman, jaka szkoda.

New Yorker zatytułował swój demaskatorski artykuł o mistyfikacji Wilkomirskiego „Stealing the Holocaust" (Kradzież Holokaustu). Wczoraj Wilkomirski był fetowany za swoje opowieści o złowrogich nie-Żydach; dzisiaj jest potępiany jako kolejny zły nie-Żyd. Wina zawsze leży po stronie nie-Żydów. To prawda, że Wilkomirski wymyślił swoje przeżycia z Holokaustu, ale jeszcze ważniejszą prawdą jest fakt, że przemysł Holokaustu, wzniesiony na oszukańczym zawłaszczeniu historii dla celów ideologicznych, był zobowiązany do celebrowania mistyfikacji Wilkomirskiego. Był on „ocalałym z Holokaustu", który czekał aż zostanie odkryty.

W październiku 1999 roku niemiecki wydawca Wilkomirskiego wycofał *Fragments* z księgarni i ostatecznie przyznał publicznie, że Wilkomirski nie jest żydowską sierotą, lecz Szwajcarem, którego prawdziwe imię i nazwisko to Bruno Doessekker. Po otrzymaniu wiadomości, że wszystko się wydało, Wilkomirski uparcie głosił: „Jestem Binjaminem Wilkomirskim!" Dopiero miesiąc później amerykański wydawca, Schocken, usunął *Fragments* ze swojego katalogu[42]. Porozmawiajmy teraz o wtórnej literaturze Holokaustu. Znamienną cechą tej literatury jest przeznaczenie sporej przestrzeni na opisy „arabskiego łącznika". Novick stwierdził, że chociaż Mufti Jerozolimy nie odegrał „jakiejkolwiek istotnej roli w Holokauście", to jednak w czterotomowej *Encyklopedii Holokaustu* (pod redakcją Israela Gutmana) przypisano mu „główną rolę". Mufti cieszy się także ogromnym powodzeniem w Yad Vashem, gdzie, jak pisał Tom Segev, „zwiedzający sam dochodzi do wniosku, że istnieje wiele wspólnego pomiędzy nazistowskimi planami zniszczenia Żydów, a wrogością Arabów wobec Izraela". Podczas uroczystości upamiętnienia Auschwitz, celebrowanej przez duchownych wszystkich wyznań, Wiesel sprzeciwił się jedynie obecności muzułmańskiego kadiego: „czyżbyśmy zapomnieli [...] o Muftim Jerozolimy, Hajj Amin el-Husseinim, przyjacielu Heinricha Himmlera?" Notabene, jeżeli Mufti liczył się aż tak bardzo w hitlerowskim Ostatecznym Rozwiązaniu, to dlaczego Izrael nie postawił go przed sądem jak Eichmanna? Po wojnie mieszkał przecież oficjalnie w pobliskim Libanie[43].

Szczególnie po nieudanej inwazji Izraela na Liban w 1982 roku, a także gdy oficjalne hasła izraelskiej propagandy znalazły się w ogniu silnej krytyki ze strony izraelskich „nowych historyków", apologeci podejmowali szczególnie intensywne starania w celu przypisania Arabom nazizmu. Słynny historyk Bernard Lewis poświęcił arabskiemu nazizmowi cały rozdział swojej krótkiej historii antysemityzmu oraz trzy pełne strony swojej „krótkiej historii ostatnich dwóch tysięcy lat" Bliskiego Wschodu. Michael Berenbaum z Muzeum Pamięci Holokaustu w Waszyngtonie, zaliczający się do skrajnie liberalnego odłamu przemysłu Holokaustu, łaskawie przyznał, że „kamienie miotane przez młodych Palestyńczyków w proteście

---

[42] *Publisher Drops Holocaust Book*, „New York Times", 3 listopada 1999; Allan Hall i Laura Williams, *Holocaust Hoaxer?*, „New York Post", 4 listopada 1999.

[43] Novick, *The Holocaust*, str. 158; Segev, *Seventh Million*, str. 425; Wiesel, *And the Sea*, str. 198.

przeciwko obecności Izraela [...] nie są tożsame z napaścią nazistów na bezsilną żydowską ludność cywilną"[44].

Najnowszym przyczynkiem do festiwalu Holokaustu jest książka *Gorliwi kaci Hitlera: zwyczajni Niemcy i Holokaust* Daniela Jonaha Goldhagena. W ciągu zaledwie kilku tygodni od wydania książki Goldhagena każdy liczący się tytuł opiniotwórczy wydrukował co najmniej jedną jej recenzję. „The New York Times" opublikował wiele wzmianek o książce Goldhagena, chwaląc ją jako „jedną z tych rzadkich nowych prac, które zasługują na tytuł wiekopomnej" (Richard Bernstein). Książka *Gorliwi kaci Hitlera: zwyczajni Niemcy i Holokaust* sprzedała się w ponad pięciuset tysiącach egzemplarzy, została przetłumaczona na 13 języków, a magazyn „Time" ogłosił ją „najczęściej omawianą" i drugą najlepszą książką z dziedziny literatury faktu w tym roku[45].

Elie Wiesel zwrócił uwagę na „znakomite badania" oraz „bogactwo materiału dowodowego [...] z przemożnym wsparciem dokumentów i faktów", i uznał książkę *Gorliwi kaci Hitlera: zwyczajni Niemcy i Holokaust* za „ogromny wkład w rozumienie i nauczanie o Holokauście". Israel Gutman chwalił książkę za „ponowne zadanie wyraźnie centralnych pytań", ignorowanych przez „główny nurt nauk o Holokauście". Goldhagen otrzymał nominację na szefa katedry o Holokauście na Uniwersytecie Harvarda i był porównywany przez krajowe środki masowego przekazu z Elie Wieselem, przez co szybko stał się wszechobecny we wszystkich wydarzeniach, związanych z Holokaustem.

Centralną tezą książki Goldhagena jest standardowy dogmat Holokaustu, jakoby kierujący się patologiczną nienawiścią Niemcy chętnie korzystali z zapewnionych im przez Hitlera możliwości mordowania Żydów. Nawet wiodący autor prac o Holokauście, Yehuda Bauer, wykładowca Uniwersytetu Hebrajskiego i dyrektor Yad Vashem, czasami akceptował ten dogmat. Kilka lat temu w rozważaniach o stanie umysłu sprawców Bauer pisał: „Żydzi byli mordowani

[44] Bernard Lewis, *Semites and Anti-Semites*, Nowy Jork 1986, rozdz. 6; Bernard Lewis, *The Middle East*, Nowy Jork 1995, str. 348–350; Berenbaum, *After Tragedy*, str. 84.

[45] „New York Times", 27 marca, 2 kwietnia, 3 kwietnia 1996 r. „Time", 23 grudnia 1996 r.

przez ludzi, którzy w dużym stopniu wcale nie darzyli ich nienawiścią. [...] Niemcy nie musieli nienawidzić Żydów, by ich zabijać".
W niedawnej recenzji książki Goldhagena, Bauer wyraził jednak
całkowicie przeciwny pogląd: „Najbardziej radykalny rodzaj morder-
czych postaw dominował od końca 1930 roku [...] [P]oprzez wybuch
II wojny światowej ogromna większość Niemców zaczęła identyfiko-
wać się z reżimem i jego antysemicką polityką w takim stopniu, że
rekrutowanie morderców stało się łatwe". Zapytany o tę rozbieżność
poglądów, Bauer odpowiedział: „Nie widzę jakiejkolwiek sprzeczności pomiędzy tymi stwierdzeniami"[46].

Mimo zastosowania aparatu badań naukowych, książka *Gorliwi
kaci Hitlera: zwyczajni Niemcy i Holokaust* stanowi jedynie kom-
pendium sadystycznej przemocy. Nic więc dziwnego, że Goldhagen
gorliwie popierał Wilkomirskiego: *Gorliwi kaci Hitlera: zwyczajni
Niemcy i Holokaust* to po prostu *Fragments* plus przypisy. Książka *Gorliwi kaci Hitlera: zwyczajni Niemcy i Holokaust* jest pełna
wewnętrznych sprzeczności i mylnych interpretacji materiału źró-
dłowego, przez co jest pozbawiona wartości naukowej. W książce
zatytułowanej *A Nation on Trial* Ruth Bettina Birn wraz z autorem
niniejszej książki udowodnili bylejakość argumentacji Goldhagena.
Wywołało to dyskusję, która stanowi wiele mówiącą ilustrację wewnętrznych procesów przebiegających w przemyśle Holokaustu.

Ruth Bettina Birn, która jest czołowym światowym autorytetem
w dziedzinie archiwów, z których korzystał Goldhagen, najpierw
opublikowała swoje krytyczne wnioski w Cambridge Historical Journal. Goldhagen odrzucił zaproszenie pisma do opublikowania pełnego odparcia zarzutów, i zamiast tego zatrudnił znaną londyńską
kancelarię prawną w celu pozwania Birn i Cambridge University
Press za „liczne poważne oszczerstwa". Prawnicy Goldhagena żą-
dali od Birn przeprosin, odwołania tekstu oraz przyrzeczenia, że
nie będzie dalej głosić swojej krytyki, po czym zagrozili: „wszelkie

---

[46] Yehuda Bauer, *Reflections Concerning Holocaust History*, Louis Green-
span i Graeme Nicholson (red.), *Fackenheim*, Toronto 1993, str. 164, 169;
Yehuda Bauer, *On Perpetrators of the Holocaust and the Public Discourse*,
„Jewish Quarterly Review" nr 87 (1997 r.), 348–350; Norman G. Finkelstein
i Yehuda Bauer, *Goldhagen's „Hitler's Willing Executioners": An Exchange
of Views*, „Jewish Quarterly Review" nr 1–2 (1998 r.), 126.

publikacje z pani strony w wyniku otrzymania niniejszego pisma spowodują dalsze powiększenie zadośćuczynienia"[47].

Wkrótce po publikacji równie krytycznej recenzji autora w „New Left Review", wydawnictwo Metropolitan Henry'ego Holta wyraziło zgodę na publikację obu esejów w formie książki. W artykule na pierwszej stronie czasopismo „Forward" ostrzegało, że wydawnictwo Metropolitan „przygotowuje się do wydania książki Normana Finkelsteina, notorycznego ideologicznego przeciwnika państwa Izrael". „Forward" działa jako główny nadzorca „poprawności Holokaustu" w Stanach Zjednoczonych.

Zarzucając Finkelsteinowi, że jego „rażąca stronniczość i bezczelne oświadczenia [...] są nieodwracalnie naznaczone jego antysyjonistyczną postawą", szef ADL Abraham Foxman wezwał Holta do zaniechania publikacji tej książki: „Problem [...] nie polega na tym, czy teza Goldhagena jest prawdziwa czy nie, ale na tym, czym jest «uzasadniona krytyka» i co wykracza poza przyjęte granice". Sekretarz Redakcji Metropolitan Sara Bershtel odpowiedziała, że „niezależnie od tego, czy teza Goldhagena jest prawdziwa czy nie, tu właśnie leży problem".

Leon Wieseltier, redaktor literacki proizraelskiego pisma „New Republic", osobiście interweniował u prezesa Holta, Michaela Naumanna. „Nie wiecie, kim jest Finkelstein. Jest trucizną, odrażającym nienawidzącym siebie samego Żydem, czymś, co można znaleźć pod kamieniem". Elan Steinberg, dyrektor wykonawczy Światowego Kongresu Żydów WJC, uznał decyzję Holta za „hańbę". „Jeżeli chcą być śmieciarzami, to powinni nosić odpowiednie ubrania robocze".

„Nigdy przedtem nie zdarzyło mi się doświadczyć podobnej próby, podjętej przez zainteresowane strony, publicznego rzucenia cienia na zbliżającą się publikację", wspominał później Naumann. Znany izraelski historyk i dziennikarz Tom Segev napisał w „Haaretz", że kampania ta graniczyła z „kulturalnym terroryzmem".

---

[47] Zob. Charles Glass, *Hitler's (un)willing executioners*, „New Statesman", 23 stycznia 1998 r., Laura Shapiro, *A Battle Over the Holocaust*, „Newsweek", 23 marca 1998 r., oraz Tibor Krausz, *The Goldhagen Wars*, „Jerusalem Report", 3 sierpnia 1998 r.. Powyższe i powiązane pozycje, zob. *www.NormanFinkelstein.com* (z linkiem do strony internetowej Goldhagena).

Jako główny historyk Wydziału Zbrodni Wojennych i Zbrodni Przeciwko Ludzkości kanadyjskiego Ministerstwa Sprawiedliwości, Birn została następnie zaatakowana przez organizacje kanadyjskich Żydów. Kanadyjski Kongres Żydowski (Canadian Jewish Congress, CJC) ogłosił, że zostałem „wyklęty przez ogromną większość Żydów na tym kontynencie" i potępił udział Birn w pracach nad tą książką. CJC złożył protest na ręce Ministerstwa Sprawiedliwości w celu wywarcia na nią nacisku poprzez jej pracodawcę. Protest ten, wraz z raportem opracowanym wspólnie z CJC, w którym Birn zarzucono przynależność „do rasy sprawców" (jest z pochodzenia Niemką), skutkował wszczęciem wobec niej oficjalnego śledztwa.

Napaści *ad hominem* nie zakończyły się nawet po publikacji książki. Goldhagen zarzucał Birn, dla której ściganie nazistowskich zbrodniarzy wojennych było celem życia, że jest propagatorką antysemityzmu oraz że, moim zdaniem, ofiary nazistowskich zbrodni, w tym członkowie mojej własnej rodziny, zasługiwali na śmierć[48]. Stanley Hoffmann i Charles Maier, współpracownicy Goldhagena z Harwardzkiego Ośrodka Badań Europejskich (Harvard Center for European Studies), udzielili mu publicznego poparcia[49].

W artykule zamieszczonym w *The New Republic* oskarżenia o stosowanie cenzury nazwano „kaczką dziennikarską" i stwierdzono, że

---

[48] Daniel Jonah Goldhagen, *Daniel Jonah Goldhagen Comments on Birn*, „German Politics and Society", lato 1998, str. 88, 91 prz. 2; Daniel Jonah Goldhagen, *The New Discourse of Avoidance*, prz. 25 (*www.Goldhagen.com/nda2html*)

[49] Hoffmann był doradcą Goldhagena przy dysertacji, która później przekształciła się w książkę *Gorliwi kaci Hitlera: zwyczajni Niemcy i Holokaust*. Hoffmann nie tylko napisał entuzjastyczną recenzję książki Goldhagena dla *Foreign Affairs*, ale także potępił książkę *A Nation on Trial* jako „szokującą" w innej recenzji dla tego samego pisma, rażąco naruszając w ten sposób zasady protokołu naukowego. (*Foreign Affairs*, maj/czerwiec 1996 r. i lipiec/sierpień 1998 r.) Maier opublikował obszerny tekst na ten temat na witrynie H-German (*www2.h-net.msu.edu*). W ostatecznym rozrachunku jedynymi „aspektami rozwoju wydarzeń", jakie Maier uznał za „prawdziwie niesmaczne i godne potępienia", były krytyki na temat Goldhagena. Z tej przyczyny udzielił „wsparcia dla dalszego szukania złych zamiarów" w pozwie Goldhagena przeciwko Birn i potępił moją argumentację jako „wyssane z palca i podżegające spekulacje". (23 listopada 1997 r.)

„istnieje różnica pomiędzy cenzurą a respektowaniem norm". Książka *A Nation on Trial* spotkała się z uznaniem wiodących historyków nazistowskiego holokaustu, jak Raul Hilberg, Christopher Browning oraz Ian Kershaw. Ci sami naukowcy jednomyślnie potępili książkę Goldhagena; sam Hilberg nazwał ją „bezwartościową". Niezłe normy, prawda?

Na koniec zastanówmy się nad następującą prawidłowością: Wiesel i Gutman poparli Goldhagena; Wiesel poparł Kosińskiego; Gutman i Goldhagen poparli Wilkomirskiego. Połączcie ze sobą graczy, a zrozumiecie, czym jest literatura Holokaustu.

Niezależnie od tego szumu medialnego, brakuje jakichkolwiek dowodów świadczących o tym, że zaprzeczający Holokaustowi cieszą się w Stanach Zjednoczonych silniejszymi wpływami niż zwolennicy płaskiej Ziemi. Mając na uwadze nonsensy, jakimi na codzień posługuje się przemysł Holokaustu, liczba sceptyków jest zaskakująco mała. Nietrudno domyślić się, jaki motyw kryje się za twierdzeniem o szeroko rozpowszechnionym zaprzeczaniu Holokaustu. Jak inaczej można by uzasadnić rosnącą liczbę muzeów, książek, agend, filmów i programów w społeczności nasyconej Holokaustem niż przez ciągłe wywoływanie demonów negacji Holokaustu? Z tej przyczyny publikacja przyjętej z uznaniem książki Deborah Lipstadt *Denying the Holocaust* (Negowanie Holokaustu)[50], oraz wyników nieudolnie przeprowadzonego przez Amerykański Komitet Żydowski (American Jewish Committee, AJC) sondażu, sugerującego wszechobecną negację Holokaustu[51], zbiegły się w czasie z otwarciem Muzeum Pamięci Holokaustu w Waszyngtonie.

Denying the Holocaust jest zaktualizowaną wersją zarzutów „nowego antysemityzmu". Lipstadt dokumentuje wszechobecność negacji Holokaustu, cytując kilka niezbyt godnych zaufania publikacji. Jej główna linia obrony opiera się o wydaną przez jakieś nieznane wydawnictwo książkę pt. *The Hoax of the Twentieth Century* (Mistyfikacja dwudziestego wieku) autorstwa Arthura Butza, wykładowcy

---

[50] Nowy Jork 1994. Lipstadt kieruje katedrą Holokaustu na Uniwersytecie Emory i ostatnio została powołana w skład Rady Pamięci Holokaustu USA (United States Holocaust Memorial Council).

[51] Przez zastosowanie podwójnego zaprzeczenia sondaż AJC w zasadzie sam sprowokował zamieszanie: „Czy twoim zdaniem wydaje się możliwe,

elektrotechniki na Uniwersystecie Northwestern. Lipstadt zatytułowała rozdział o Butzu: „Wkraczając do mainstreamu". Gdyby nie ludzie tacy jak Lipstadt, nikt by nigdy nie usłyszał o Arthurze Butzu. W rzeczywistości jedynym mainstreamowym pisarzem negującym holokaust jest Bernard Lewis. Został za to nawet skazany przez francuski sąd. Lewis negował jednak tureckie ludobójstwo na Ormianach podczas I wojny światowej, a nie ludobójstwo Żydów, i poza tym popiera Izrael[52]. Oczywiście ten przypadek negacji holokaustu nie wywołał w Stanach Zjednoczonych jakiejkolwiek reakcji. Turcja jest sojusznikiem Izraela, co dodatkowo sprzyjało tej sytuacji. Wypominanie ludobójstwa na Ormianach jest więc tabu. Elie Wiesel i rabin Arthur Hertzberg zrezygnowali wraz z AJC i Yad Vashem z udziału w międzynarodowej konferencji o ludobójstwie w Tel Awiwie, ponieważ sponsorzy naukowi, wbrew sugestiom rządu izraelskiego, uwzględnili sesje na temat mordów na Ormianach. Wiesel podjął także jednostronne działania w celu odwołania konferencji i zdaniem Yehudy Bauera osobiście namawiał innych do rezygnacji z uczestnictwa[53]. Działając za namową Izraela, Rada ds. Holcaustu USA (US

---

czy niemożliwe, że nazistowska eksterminacja Żydów nigdy nie miała miejsca?" Dwadzieścia dwa procent respondentów odpowiedziało, że to „wydaje się możliwe". W dalszych sondażach, w których pytanie to zostało przeredagowane i przedstawione w prostej formie, negacja Holokaustu zbliżyła się do zera. W niedawnym sondażu AJC, przeprowadzonym w 11 krajach, stwierdzono, że niezależnie od wszechobecnych roszczeń prawicowych ekstremistów, twierdzących, że jest inaczej, tylko „niewielka liczba ludzi negowała Holokaust". (Jennifer Golub i Renae Cohen, *What Do Americans Know About the Holocaust?* [The American Jewish Committee 1993]; *Holocaust Deniers Unconvincing — Surveys*, „Jerusalem Post" [4 lutego 2000]) Mimo to w zeznaniu złożonym przed Kongresem w sprawie „antysemityzmu w Europie" David Harris z AJC podkreślił wagę negacji Holokaustu przez europejską prawicę, przy czym ani razu nie wspomniał o wynikach sondaży AJC, wskazujących na praktyczny brak reakcji opinii publicznej na taką negację. (Przesłuchania przed Komisją Spraw Zagranicznych Senatu Stanów Zjednoczonych, 5 kwietnia 2000 r.)

[52] Zob. *France Fines Historian Over Armenian Denial*, „Boston Globe", 22 czerwca 1995; *Bernard Lewis and the Armenians*, „Counterpunch", 16–31 grudnia 1997.

[53] Israel Charny, *The Conference Crisis. The Turks, Armeians and the Jews* [w:] *The Book of the International Conference on the Holocaust*

Holocaust Council) praktycznie wyeliminowała wszelkie wzmianki o Ormianach w Muzeum Pamięci Holokaustu w Waszyngtonie, a żydowscy lobbyści w Kongresie zablokowali obchody dnia pamięci ludobójstwa na Ormianach[54].

Kwestionowanie świadectwa ocalałych, potępianie roli żydowskich kolaborantów, sugerowanie, że Niemcy cierpieli podczas nalotów bombowych na Drezno lub że jakiekolwiek inne państwa poza Niemcami popełniały zbrodnie podczas II wojny światowej — to wszystko stanowi, zdaniem Lipstadt, negację Holokaustu[55]. Negacją Holokaustu jest także sugerowanie, że Wiesel czerpał korzyści z przemysłu Holokaustu, a nawet kwestionowanie jego dzieł[56].

Zdaniem Lipstadt najbardziej „podstępną" formą negacji Holokaustu są „niemoralne jednoznaczności", czyli negowanie wyjątkowości Holokaustu[57]. Argumentacja ta ma intrygujące implikacje. Daniel Goldhagen twierdzi, że czyny Serbów w Kosowie „różnią się w swojej istocie jedynie skalą od czynów nazistowskich Niemiec"[58]. Czyni to Goldhagena „w istocie" zwolennikiem negacji Holokaustu. W rzeczywistości jednak izraelscy komentatorzy reprezentujący pełne spektrum polityczne porównywali czyny popełniane przez Serbów w Kosowie z izraelskimi działaniami przeciwko Palestyńczykom w 1948 roku[59]. Można więc uznać, że zdaniem Goldhagena Izrael popełnił Holokaust. Jednak nawet Palestyńczycy już tak nie twierdzą.

---

and Genocide. Book One: The Conference Program and Crisis, Tel Awiw 1982. Israel Amrani, *A Little Help for Friends*, „Haaretz", (20 kwietnia 1990 r.) (Bauer). Zgodnie z dziwaczną relacją Wiesela, zrezygnował on z przewodniczenia konferencji, by „nie obrazić naszych ormiańskich gości". Prawdopodobnie z uprzejmości wobec Ormian usiłował on spowodować odwołanie konferencji i namawiał innych do rezygnacji z uczestnictwa. (Wiesel, *And the Sea*, str. 92)

54 Edward T. Linenthal, *Preserving Memory*, Nowy Jork 1995, str. 228nn, 263, 312–313.

55 Lipstadt, *Denying*, str. 6, 12, 22, 89–90.

56 Wiesel, *All Rivers*, str. 333, 336.

57 Lipstadt, *Denying*, rozdział 11.

58 *A New Serbia*, „New Republic", 17 maja 1999.

59 Zob. np. Meron Benvenisti, *Seeking Tragedy*, „Haaretz", 16 kwietnia 1999; Zeev Chafets, *What Undergraduate Clinton Has Forgotten*, „Jerusalem Report", 10 maja 1999; and Gideon Levi, *Kosovo: It is Here*, „Haaretz",

Niezależnie od tego, jak obelżywa jest polityka czy motywy autorów literatury rewizjonistycznej, nie jest ona w całości bezużyteczna. Lipstadt piętnuje Davida Irvinga jako jednego „z najbardziej niebezpiecznych rzeczników negacji Holokaustu" (ostatnio przegrał on w Wielkiej Brytanii proces o zniesławienie za to i inne stwierdzenia). Craig podkreśla jednak, że Irving, znany jako wielbiciel Hitlera i sympatyk niemieckiego narodowego socjalizmu, wniósł „niezastąpiony" wkład w naszą wiedzę o II wojnie światowej. Zarówno Arno Mayer w swojej ważnej pracy o nazistowskim holokauście, jak Raul Hilberg powołują się na publikacje negujące Holokaust. Hilberg zauważył, że „jeżeli ci ludzie chcą mówić, to należy im na to pozwolić. Służy to jedynie tym spośród nas, którzy prowadzą badania ukierunkowane na ponowne poznanie tego, co uważaliśmy za oczywiste. Jest to także użyteczne dla nas"[60].

Coroczne Dni Pamięci Holokaustu są wydarzeniem o zasięgu ogólnokrajowym. Wszystkie 50 stanów prowadzi obchody, które odbywają się często w stanowych organach ustawodawczych. Stowarzyszenie Organizacji Holokaustu (Association of Holocaust Organisations) liczy ponad sto instytucji zajmujących się Holokaustem, działających w Stanach Zjednoczonych. Siedem najważniejszych muzeów Holokaustu znajduje się w Stanach Zjednoczonych. Centralnym punktem upamiętnienia Holokaustu jest amerykańskie Muzeum Pamięci Holokaustu w Waszyngtonie.

---

4 kwietnia 1999. (Benvenisti ogranicza porównanie działań serbskich do działań izraelskich po maju 1948 r.)

[60] Arno Mayer, *Why Did the Heavens Not Darken?*, Nowy Jork 1988. Christopher Hitchens, *Hitler's Ghost*, „Vanity Fair", czerwiec 1996 (Hilberg). Obiektywna ocena Irvinga w artykule Gordona A. Craiga, *The Devil in the Details*, „New York Review of Books", 19 września 1996. Craig słusznie odrzuca twierdzenia Irvinga na temat nazistowskiego holokaustu jako „ograniczone i szybko zdyskredytowane", ale dalej pisze, że Irving „wie więcej o narodowym socjalizmie niż większość naukowców badających ten temat, a badacze okresu 1933–1945 zawdzięczają więcej, niż byliby skłonni przyznać jego energii jako badacza, oraz zakresowi i wigorowi jego publikacji [...] Jego książka zatytułowana *Hitler's War* [...] pozostaje najlepszym badaniem, jakie posiadamy na temat niemieckiej strony II wojny światowej, i jako takie jest niezbędne wszystkim badaczom tego konfliktu [...] Ludzie tacy jak David Irving odgrywają więc niezastąpioną rolę w przedsięwzięciach historycznych i nie wolno nam dyskredytować ich poglądów".

Pierwsze pytanie, jakie należy sobie zadać, to dlaczego w ogóle posiadamy w sercu stolicy państwa uznane i finansowane w skali federalnej muzeum Holokaustu. Jego obecność na National Mall w Waszyngtonie jest szczególnie niestosowna z powodu braku muzeum upamiętniającego zbrodnie, popełnione w ciągu historii Ameryki. Wyobraźmy sobie tylko, jakie oskarżenia o hipokryzję wywołałoby zbudowanie przez Niemcy narodowego muzeum w Berlinie, upamiętniającego nie nazistowskie ludobójstwo, lecz niewolnictwo w Ameryce lub eksterminację rdzennych Amerykanów[61].

Autor projektu muzeum napisał, że starał się „powstrzymać od wszelkich prób indoktrynacji, od wszelkiej manipulacji wrażeniami lub emocjami". Muzeum było jednak przez całe swoje istnienie pogrążone w polityce[62]. Prezydent Jimmy Carter przystąpił do tego przedsięwzięcia w momencie, gdy zbliżała się jego kampania o reelekcję, by udobruchać żydowskich ofiarodawców i wyborców, zirytowanych uznaniem przez Prezydenta „uzasadnionych praw" Palestyńczyków. Przewodniczący Konferencji Przewodniczących Głównych Amerykańskich Organizacji Żydowskich (Conference of Presidents of Major American Jewish Organisations), rabin Alexander Schindler, potępił uznanie praw Palestyńczyków przez Cartera jako „szokującą" inicjatywę. Carter ogłosił decyzję o budowie muzeum w czasie wizyty premiera Menachema Begina w Waszyngtonie, w samym środku bezpardonowej walki w Kongresie o zaproponowaną przez Administrację sprzedaż broni do Arabii Saudyjskiej. Sprawa Muzeum wywołała także inne problemy polityczne. Muzeum wycisza kwestię chrześcijańskich korzeni europejskiego antysemityzmu, by nie obrazić silnej grupy wyborców. Obniża też rangę nałożonych przed wojną,

---

[61] Podejmowane w latach 1984 i 1994 nieudane próby budowy na Washington Mall muzeum Afroamerykanów, patrz Fath Davis Ruffins, *Culture Wars Won and Lost, Part II: The National African-American Museum Project*, „Radical History Review", zima 1998. Inicjatywa Kongresu została ostatecznie odrzucona na skutek działań senatora Jesse Helmsa z Północnej Karoliny. Roczny budżet Muzeum Holokaustu w Waszyngtonie wynosi 50 milionów dolarów amerykańskich, z czego 30 milionów dolarów stanowią dotacje federalne.

[62] Opis patrz Lienthal, *Preserving Memory*, Saidel, *Never Too Late*, szczególnie rozdziały 7, 15, oraz Tim Cole, *Selling the Holocaust*, Nowy Jork 1999, rozdział 6.

dyskryminacyjnych ograniczeń imigracji do USA, jednocześnie przeceniając rolę USA w uwalnianiu obozów koncentracyjnych i milcząc na temat masowej rekrutacji nazistowskich zbrodniarzy wojennych przez USA pod koniec wojny. Muzeum przekonuje, że „my" nie moglibyśmy nawet pomyśleć o tak złych czynach, nie mówiąc już o ich popełnianiu. W przewodniku Muzeum Michael Berenbaum zaobserwował, że „Holokaust stoi w sprzeczności do istoty amerykańskiego etosu. W jego popełnieniu postrzegamy pogwałcenie każdej z podstawowych amerykańskich wartości". Muzeum Holokaustu w ostatnich scenach przedstawiających walkę ocalałych Żydów o wjazd do Palestyny[63] przekazuje syjonistyczną lekcję, że Izrael był „właściwą odpowiedzią na nazizm".

Upolitycznienie rozpoczyna się jeszcze przed przekroczeniem progu Muzeum. Muzeum znajduje się przy Placu Raoula Wallenberga. Wallenberg był szwedzkim dyplomatą, upamiętnionym za uratowanie tysięcy Żydów, który zginął w sowieckim więzieniu. Inny Szwed, hrabia Folke Bernadotte, nie doznał tego zaszczytu, mimo że on także uratował tysiące Żydów, ponieważ były premier Izraela Yitzak Shamir rozkazał przeprowadzenie na niego zamachu za jego zbyt „proarabskie poglądy"[64].

---

[63] Michael Berenbaum, *The World Must Know*, Nowy Jork 1993, str. 2, 214; Omer Bartov, *Murder In Our Midst*, Oksford 1996, str. 180.

[64] Szczegóły patrz Kati Marton, *A Death in Jerusalem*, Nowy Jork 1994, rozdz. 9. W swoich pamiętnikach Wiesel wspominał „legendarną «terrorystyczną» przeszłość" wykonawcy zamachu na Bernadotte'a, Yehoshuy Cohena. Należy zwrócić uwagę na ujęcie terroryzmu w cudzysłów. (Wiesel, *And the Sea*, str. 58) Muzeum Holokaustu w Nowym Jorku, chociaż w nie mniejszym stopniu zamieszane w politykę (zarówno burmistrz Ed Koch, jak gubernator Mario Cuomo starali się o żydowskie głosy i pieniądze), od samego początku było przedmiotem gry prowadzonej przez lokalnych żydowskich deweloperów i finansistów. W pewnym momencie firmy budowlane starały się usunąć słowo „Holokaust" z nazwy muzeum w obawie, że mogłoby to spowodować spadek wartości nieruchomości, położonych w granicach przyległego, luksusowego osiedla mieszkaniowego. Plany te wywołały serię żartów, że kompleks mieszkaniowy należałoby przemianować na „Treblinka Towers", a okoliczne ulice na „Auschwitz Avenue" i „Birkenau Boulevard". Muzeum starało się o fundusze od J. Petera Grace'a, mimo doniesień o jego związkach ze skazanym nazistowskim zbrodniarzem wojennym, i zorganizowało wielką uroczystość w The Hot Rod — „Komisja Pamięci Holokaustu

Istotą polityki Muzeum Holokaustu jest jednak decyzja kto zasługuje na upamiętnienie. Czy Żydzi byli jedynymi ofiarami Holokaustu, czy też inni, którzy stracili życie z powodu nazistowskich prześladowań, także liczą się jako ofiary?[65] Na etapie planowania Muzeum Elie Wiesel (wraz z Yehudą Bauerem z Yad Vashem) walczyli o to, by upamiętnienie dotyczyło wyłącznie Żydów. Uznany za „niezaprzeczalnego eksperta okresu Holokaustu", Wiesel zawzięcie bronił nadrzędnej wagi cierpienia żydowskich ofiar. „Jak zawsze, zaczęli od Żydów", nawoływał w typowy dla siebie sposób. „Jak zawsze, nie zatrzymali się na samych Żydach"[66]. Jednak to nie Żydzi, a komuniści byli pierwszymi ofiarami politycznymi, i to nie Żydzi, lecz osoby niepełnosprawne były pierwszymi ofiarami ludobójstwa[67].

---

w Nowym Jorku zaprasza na całonocnego Rock and Rolla". (Saidel, *Never Too Late*, str. 8, 121, 132, 145, 158, 161, 191, 240)

[65] Novick nazwał to kontrowersją „6 milionów" przeciwko „11 milionom". Liczba 5 milionów nieżydowskich ofiar cywilnych najwyraźniej pochodziła od słynnego „łowcy nazistów" Szymona Wiesenthala. Novick stwierdził, że „z historycznego punktu widzenia to nie ma sensu, ponieważ pięć milionów jest albo liczbą zaniżoną (gdyż nie wszyscy nieżydowscy cywile zostali zamordowani przez Trzecią Rzeszę), albo zdecydowanie zawyżoną (w odniesieniu do nieżydowskich grup przeznaczonych, jak Żydzi, do wymordowania)". Szybko dodaje jednak, że „chodziło oczywiście nie o liczby jako takie, lecz o to, co mamy na myśli, do czego się odnosimy, gdy mówimy o «Holokauście»". Co dziwne, po uprzednim stwierdzeniu Novick popiera upamiętnienie wyłącznie Żydów, ponieważ liczba 6 milionów „opisuje coś szczególnego i określonego", podczas gdy liczba 11 milionów jest „niedopuszczalnie nieprecyzyjna". (Novick, *The Holocaust*, str. 214–226)

[66] Wiesel, *Against Silence*, v. iii. 162, 166.

[67] Niepełnosprawni jako pierwsze ofiary nazistowskiego ludobójstwa — zob. szczególnie Henry Friedlander, *The Origins of Nazi Genocide*, Chapel Hill 1995. Według Leona Wieseltiera nie-Żydzi, którzy zginęli w Auschwitz, „zmarli śmiercią przeznaczoną dla Żydów [...] byli ofiarami «rozwiązania» zaplanowanego dla innych" (Leon Wieseltier, *At Auschwitz Decency Dies Again*, „New York Times" [3 września 1989]). Liczne prace naukowe wykazują jednak, że była to śmierć przeznaczona dla niepełnosprawnych Niemców, która dopiero potem stała się udziałem Żydów; poza badaniem Friedlandera, zob. np. Michael Burleigh, *Death and Deliverance*, Cambridge 1994.

Głównym wyzwaniem dla Muzeum było uzasadnienie przemilczania ludobójstwa na Romach. Naziści w systematyczny sposób wymordowali aż pół miliona Romów, co proporcjonalnie równało się mniej więcej ludobójstwu na Żydach[68]. Autorzy książek o Holokauście, jak Yehuda Bauer, utrzymywali jednak, że Romowie nie padli ofiarą tego samego ludobójstwa, co Żydzi. Szanowani historycy holokaustu, jak Henry Friedlander i Raul Hilber, uważali jednak, że tak właśnie się stało[69]. Marginalizacja przez Muzeum ludobójstwa na Romach miała wiele przyczyn. Po pierwsze, nie można po prostu porównywać śmierci Roma ze śmiercią Żyda. Dyrektor Wykonawczy Rady Pamięci Holokaustu USA, rabin Seymour Siegel, wyśmiał wezwanie do przyjęcia przedstawiciela Romów jako „niedorzeczne", podając w wątpliwość, czy Romowie kiedykolwiek „istnieli" jako ludzie: „należy w jakiś sposób uznać lub potwierdzić istnienie ludu romskiego [...] o ile coś takiego w ogóle istnieje". Przyznał jednak, że „istniał element cierpienia pod rządami nazistów". Edward Linenthal wspomina, że przedstawiciele Romów żywili „głęboką podejrzliwość" wobec Rady, „wynikającą z wyraźnych dowodów, że niektórzy członkowie Rady postrzegali uczestnictwo Romów w Muzeum w taki sposób, w jaki rodzina odnosi się do niemile widzianych, kłopotliwych krewnych"[70].

---

[68] Zob. Guenter Lewy, *The Nazi Persecution of the Gypsies*, Oksford 2000, str. 221–222, gdzie przedstawiono różne szacunki dotyczące liczby zamordowanych Romów.

[69] Friedlander, *Origins*: „Poza Żydami naziści mordowali europejskich Romów. Zdefiniowani jako «ciemnoskóra» grupa rasowa, romscy mężczyźni, kobiety i dzieci nie mogli uniknąć losu ofiar nazistowskiego ludobójstwa. [...] [N]azistowski reżim systematycznie mordował jedynie trzy grupy istot ludzkich: inwalidów, Żydów i Romów" (xii–xiii). (Friedlander był nie tylko najwyższej klasy historykiem, ale także byłym więźniem Auschwitz.) Raul Hilberg, *The Destruction of the European Jews*, Nowy Jork 1985 (w trzech tomach), v. iii, 999–1000. Wiesel pisze w swoich pamiętnikach, z właściwą sobie prawdomównością, jak Rada Pamięci Holokaustu, której był przewodniczącym, odmówiła przyjęcia przedstawiciela Romów — jak gdyby sam nie miał uprawnień do mianowania takiego przedstawiciela. (Wiesel, *And the Sea*, str. 211)

[70] Linenthal, *Preserving Memory*, str. 241–246, 315.

Po drugie, uznanie ludobójstwa na Romach oznaczałoby utratę przysługującego wyłącznie Żydom prawa do Holokaustu wraz z utratą żydowskiego „kapitału moralnego". Po trzecie, jeżeli naziści prześladowali Romów w takim samym stopniu jak Żydów, to dogmat, jakoby Holokaust był szczytowym momentem tysiącletniej nienawiści nie-Żydów do Żydów, byłby niemożliwy do utrzymania. Jeżeli natomiast zawiść nie-Żydów wywołała ludobójstwo na Żydach, to czy zawiść spowodowała także ludobójstwo na Romach? W stałej wystawie Muzeum nieżydowskie ofiary nazizmu przedstawiono jedynie zdawkowe upamiętnienie nieżydowskich ofiar nazizmu[71].

Polityka Muzeum Holokaustu była też kształtowana przez konflikt izraelsko-palestyński. Przed objęciem stanowiska dyrektora Muzeum Walter Reich napisał pean na temat oszukańczego dzieła Joan Peters *From Time Immemorial*, zgodnie z którym Palestyna była przed kolonizacją syjonistyczną właściwie pustym obszarem[72]. Pod naciskiem Departamentu Stanu Reich został zmuszony do rezygnacji ze stanowiska po tym, jak odmówił zaproszenia Yasira Arafata, wówczas już posłusznego sojusznika Ameryki, do odwiedzenia muzeum. Teolog Holokaustu John Roth otrzymał propozycję objęcia stanowiska zastępcy dyrektora, po czym został zmuszony do rezygnacji ze względu na jego wcześniejszą krytykę Izraela. Prezes Muzeum Miles Lerman potępił książkę wstępnie zatwierdzoną przez Muzeum za to, że zawierała rozdział na temat Benny'ego Morrisa, znanego izraelskiego historyka krytycznego wobec Izraela, twier-

---

[71] Chociaż „szczególny nacisk na Żydów" Muzeum Holokaustu w Nowym Jorku był jeszcze bardziej widoczny (Saidel), nieżydowskie ofiary nazizmu bardzo wcześnie poinformowano, że było ono przeznaczone „wyłącznie dla Żydów", a Yehuda Bauer wpadł w szał po zwykłej wzmiance Komisji, że Holokaust spowodował straty nie tylko wśród Żydów. W piśmie skierowanym do członków Komisji Bauer ostrzegał: „jeżeli nie ulegnie to natychmiastowej i radykalnej zmianie, to podejmę wszelkie działania w celu [...] zaatakowania tego oburzającego planu z każdej dostępnej mi platformy publicznej". (Saidel, *Never Too Late*, str. 125–126, 129, 212, 221, 224–225)

[72] Więcej informacji — zob. Finkelstein, *Image and Reality*, rozdział 2.

dząc, że „postawienie Muzeum po stronie przeciwnej do Izraela jest niewyobrażalne"[73].

Po przerażających izraelskich atakach na Liban w 1996 roku, zakończonych masakrą ponad stu cywilów w Qana, felietonista dziennika „Haaretz" Ari Shavit zauważył, że Izrael może bezkarnie popełniać takie czyny, ponieważ „mamy Ligę Przeciwko Zniesławieniu [...] oraz Yad Vashem i Muzeum Holokaustu"[74].

[73] *ZOA Criticizes Holocaust Museum's Hiring of Professor Who Compared Israel to Nazis*, „Israel Wire", 5 czerwca 1998; Neal M. Sher, *Sweep the Holocaust Museum Clean*, „Jewish World Review", 22 czerwca 1998; *Scoundrel Time*, „PS — The Intelligent Guide to Jewish Affairs", 21 sierpnia 1998; Daniel Kurtzman, *Holocaust Museum Taps One of Its Own for Top Spot*, „Jewish Telegraphic Agency", 5 marca 1999; Ira Stoll, *Holocaust Museum Acknowledges a Mistake*, „Forward", 13 sierpnia 1999.

[74] Noam Chomsky, *World Orders Old and New*, Nowy Jork 1996, str. 293–294 (Shavit).

Rozdział 3

Podwójne wymuszenie

Termin „ocalały z Holokaustu" początkowo oznaczał osoby, które przeszły wyjątkową traumę żydowskiego getta, obozu koncentracyjnego lub obozów pracy niewolniczej, często w tej kolejności. Pod koniec wojny liczbę ocalałych z Holokaustu szacowano na ok. 100.000[1]. Liczba jeszcze żyjących ocalałych może stanowić nie więcej niż jedną czwartą liczby wszystkich ocalałych. Ponieważ pobyt w obozie był traktowany jak korona męczeństwa, wielu Żydów, którzy spędzili wojnę w innym miejscu, podawało się za byłych więźniów obozów. Innym istotnym motywem tej mistyfikacji były pobudki materialne. Powojenny rząd Niemiec wypłacał rekompensaty Żydom, którzy przeżyli pobyt w getcie lub obozie koncentracyjnym. Wielu Żydów fałszowało więc swoją przeszłość w celu spełnienia tego wymogu[2]. „Jeżeli każdy, kto uważa się za ocalałego, jest nim faktycznie, to kogo zabijał Hitler?" pytała moja matka.

W rzeczywistości wielu uczonych wątpi w prawdziwość takich świadectw. „W moich własnych pracach wykryłem wysoki procent błędów, które mogły wynikać z zeznań", wspomina Hilberg. Nawet zaangażowana w przemysł Holokaustu Deborah Lipstadt cierpko zauważyła, że ocalali z Holokaustu często utrzymywali, jakoby w Auschwitz byli badani przez samego Josefa Mengele[3].

---

[1] Henry Friedlander, *Darkness and Dawn in 1945: The Nazis, the Allies, and the Survivors*, US Holocaust Memorial Museum, 1945 — the Year of Liberation, Waszyngton 1995, str. 11–35.

[2] Zob. np. Segev, *Seventh Million*, str. 248.

[3] Lappin, *Man With Two Heads*, str. 48; D.D. Guttenplan, *The Holocaust on Trial*, „Atlantic Monthly", luty 2000, str. 62 (zob. tekst powyżej, w którym Lipstadt zrównuje zwątpienie w świadectwo ocalałego z negacją Holokaustu).

Poza lukami pamięci, niewiara w niektóre świadectwa ocalałych z Holokaustu może wynikać z dodatkowych przyczyn. Osoby ocalałe z Holokaustu są obecnie czczone jak świeccy święci, więc nikt nie ma odwagi kwestionować ich zeznania. Nieprawdopodobne relacje są przyjmowane bez komentarza. Elie Wiesel wspomina w swoich przyjętych z uznaniem pamiętnikach, jak niedługo po uwolnieniu z Buchenwaldu, gdy miał zaledwie osiemnaście lat, „przeczytałem *Krytykę czystego rozumu* — nie śmiejcie się! — w jidysz". Pomijając relację samego Wiesela, że w owym czasie w ogóle nie znał „gramatyki jidysz", dzieło Kanta nigdy nie zostało przetłumaczona na ten język. Wiesel snuje także szczegółowe wspomnienia o „tajemniczym uczonym talmudyście", który „opanował język węgierski w dwa tygodnie, tylko po to, żeby mnie zaskoczyć". W żydowskim tygodniku Wiesel wspominał, jak „często chrypnie lub traci głos" po tym, jak milcząco czyta swoje książki sam sobie, „głośno, w głowie". Reporterowi „New York Timesa" opowiedział, jak kiedyś potrąciła go taksówka na Times Square: „Przeleciałem w powietrzu do następnej przecznicy. Zostałem potrącony na skrzyżowaniu 45. ulicy i Broadwayu, a karetka zabrała mnie przy 44". Wiesel przekonuje: „prawda, jaką przedstawiam, jest nieupiększona. Nie potrafię inaczej"[4].

Ostatnio termin „ocalały z Holokaustu" został zredefiniowany, by oznaczał nie tylko tych, którzy cierpieli, ale także tych, którym udało się uniknąć nazistów. Termin ten obejmuje więc na przykład ponad 100.000 polskich Żydów, którzy schronili się w Związku Radzieckim po nazistowskim ataku na Polskę. Historyk Leonard Dinnerstein zauważył jednak, że o ile „osoby, które mieszkały w Rosji, nie były traktowane inaczej niż obywatele tego kraju", to „byli więźniowie obozów koncentracyjnych wyglądali jak żywe trupy"[5]. Jeden ze współpracowników strony internetowej Holokaustu utrzymywał, że chociaż on sam całą wojnę przebywał w Tel Awiwie, to był ocalałym z Holokaustu, ponieważ jego babka zmarła w Auschwitz. Z kolei według Israela Gutmana, Wilkomirski był ocalałym z Holokaustu, ponieważ „jego ból był autentyczny". Kancelaria premiera Izraela

[4] Wiesel, *All Rivers*, str. 121–130, 139, 163–164, 201–202, 336; „Jewish Week", str. 17 września 1999 r. „New York Times", 5 marca 1997 r.

[5] Leonard Dinnerstein *America and the Survivors of the Holocaust*, Nowy Jork 1982, str. 24.

ostatnio oszacowała liczbę „żyjących ofiar Holokaustu" na około milion osób. Nietrudno przekonać się, jaki jest główny motyw leżący u podstaw gwałtownego wzrostu liczby ofiar. Zgłaszanie roszczeń o ogromne reparacje w imieniu zaledwie garstki żyjących ocalałych z Holokaustu byłoby raczej trudne. W rzeczywistości najważniejsi wspólnicy Wilkomirskiego byli w taki czy inny sposób związani z roszczeniami o odszkodowania dla ofiar Holokaustu. Jego przyjaciółka z dziecięcych lat spędzonych w Auschwitz, „mała Laura", „dostawała pieniądze ze szwajcarskiego funduszu dla ofiar Holokaustu, chociaż w rzeczywistości była urodzoną w Ameryce wyznawczynią kultów satanistycznych. Z kolei jego główni izraelscy sponsorzy aktywnie działali w organizacjach zaangażowanych w pozyskiwanie odszkodowań za Holokaust lub byli przez takie organizacje subsydiowani"[6].

Kwestia reparacji zapewnia szczegółowy wgląd w mechanizm działania przemysłu Holokaustu. Jak widzieliśmy, sojusz ze Stanami Zjednoczonymi w czasie zimnej wojny umożliwił Niemcom szybką rehabilitację i zapomnienie nazistowskiego holokaustu. Mimo to już na początku lat pięćdziesiątych ubiegłego wieku Niemcy przystąpiły do negocjacji z instytucjami żydowskimi i podpisały umowy o odszkodowaniach. Przy niewielkich naciskach z zewnątrz, lub nawet ich braku, Niemcy wypłaciły odszkodowania o wartości blisko 60 milionów dolarów amerykańskich.

Przyjrzyjmy się w pierwszej kolejności dokonaniom Ameryki. Około 4–5 milionów mężczyzn, kobiet i dzieci zmarło w wyniku wojen, toczonych przez USA w Indochinach. Po wycofaniu się Amerykanów, wspomina pewien historyk, Wietnam desperacko potrzebował pomocy. „Na południu kraju zniszczonych było 9 tysięcy spośród 15 tysięcy wiosek, 25 milionów akrów ziemi rolnej, 12 milionów akrów lasu, zabito 1,5 miliona zwierząt gospodarskich, w kraju było około 200.000 prostytutek, 879 tysięcy sierot, 181 tysięcy inwalidów i 1 milion wdów; wszystkie sześć uprzemysłowionych miast w Wietnamie Północnym poniosło ciężkie straty, podobnie jak stolice prowincji i okręgów oraz 4 tysiące spośród 5,8 tysiąca gmin wiejskich". Prezydent Carter odmówił jednak zapłaty jakichkolwiek re-

---

6 Daniel Ganzfried, *Binjamin Wilkomirski und die verwandelte Polin*, „Weltwoche", 4 listopada 1999.

paracji, tłumacząc, że „zniszczenia były wzajemne". Podobną opinię wyraził William Cohen, Sekretarz ds. Obrony prezydenta Clintona, stwierdzając, że nie widzi on potrzeby „jakichkolwiek przeprosin, oczywiście za samą wojnę". „Obydwa narody przez nią ucierpiały. Oni mają swoje blizny wojenne. A my z pewnością mamy nasze"[7]. Rząd niemiecki starał się wypłacać żydowskim ofiarom odszkodowania na mocy trzech różnych porozumień podpisanych w 1952 r. Osoby indywidualne otrzymywały płatności na podstawie postanowień ustawy o odszkodowaniach (*Bundesentschädigungsgesetz*). Osobna umowa podpisana z Izraelem finansowała absorpcję i rehabilitację kilkuset tysięcy żydowskich uchodźców. W tym samym czasie rząd niemiecki negocjował także finansowe rozliczenia z Konferencją Żydowskich Roszczeń Materialnych wobec Niemiec — organizacją reprezentującą wszystkie największe organizacje żydowskie, w tym Amerykański Komitet Żydowski (American Jewish Committee), Amerykański Kongres Żydowski (American Jewish Congress), B'nai B'rith, Komisję ds. Wspólnej Dystrybucji (Joint Distribution Committee) itp. Konferencja ds. Roszczeń miała przeznaczyć otrzymaną kwotę w wysokości 10 milionów dolarów amerykańskich (czyli około miliarda dzisiejszych dolarów) przez dwanaście lat na żydowskie ofiary nazistowskich prześladowań, które nie spełniały kryteriów określonych dla procesu wypłacania odszkodowań[8]. Taką właśnie ofiarą była moja Matka. Chociaż przeżyła getto warszawskie, obóz koncentracyjny na Majdanku i obozy pracy niewolniczej w Częstochowie i Skarżysku-Kamiennej, od rządu niemieckiego otrzymała tylko 3,4 tysiąca dolarów odszkodowania. Inne żydowskie ofiary (z których wiele wcale ofiarami nie było), otrzymywały od Niemiec przez resztę życia renty, które łącznie dochodziły do setek tysięcy dolarów. Pieniądze przekazywane Konferencji ds. Roszczeń były przeznaczone dla tych ofiar żydowskich, które otrzymały jedynie minimalne odszkodowania.

---

[7] Marilyn B. Young, *The Vietnam Wars*, Nowy Jork 1991, str. 301–302; *Cohen: US Not Sorry for Vietnam War*, „Associated Press", 11 marca 2000.

[8] Opis — zob. szczególnie Nana Sagi, *German Reparations*, Nowy Jork 1986, oraz Ronald W. Zweig, *German Reparations and the Jewish World*, Boulder 1987. Obie prace zawierają oficjalne opisy historyczne i zostały zamówione przez Konferencję ds. Roszczeń.

Rząd Niemiec faktycznie naciskał, by w umowie z Konferencją ds. Roszczeń znalazły się wyraźne postanowienia, nakazujące, by pieniądze te zostały przeznaczone wyłącznie na ocalałych Żydów, zgodnie ze ścisłą definicją, którzy otrzymali niesprawiedliwe lub niewystarczające odszkodowania, zasądzone przez niemieckie sądy. Konferencja wyraziła swoje głębokie oburzenie takim kwestionowaniem jej dobrej wiary. Po osiągnięciu porozumienia Konferencja opublikowała biuletyn prasowy, w którym podkreślono, że pieniądze zostaną przeznaczone dla „ofiar prześladowań przez reżim nazistowski, którym istniejące lub proponowane ustawodawstwo nie jest w stanie zapewnić zadośćuczynienia". W ostatecznym kształcie porozumienie wzywało Konferencję do wykorzystania tych kwot na „pomoc materialną, rehabilitację i ponowne osiedlanie ofiar żydowskich".

Konferencja ds. Roszczeń niezwłocznie anulowała to porozumienie. Przy rażącym naruszeniu litery i ducha porozumienia Konferencja przeznaczyła uzyskane kwoty nie na rehabilitację ofiar żydowskich, lecz raczej na rehabilitację *społeczności* żydowskich. W rzeczywistości wiodąca zasada Konferencji ds. Roszczeń zabraniała wykorzystywania tych pieniędzy na „bezpośrednią pomoc dla osób indywidualnych". Konferencja dała jednak klasyczny przykład dbałości o „swoich", przewidując wyjątek od powyższej reguły dla dwóch kategorii ofiar: rabinów i „zasłużonych działaczy żydowskich", którzy jednak otrzymywali płatności na rzecz osób indywidualnych. Organizacje wchodzące w skład Konferencji ds. Roszczeń wykorzystały większość otrzymanych kwot na finansowanie różnych własnych przedsięwzięć. Jeżeli żydowskie ofiary otrzymały jakiekolwiek świadczenia, to stało się to w sposób pośredni lub wręcz przypadkowy[9]. Ogromne kwoty były przekazywane okrężną drogą do żydowskich społeczności w krajach arabskich lub na ułatwianie żydowskiej emigracji z Europy Wschodniej[10].

---

[9] W odpowiedzi na niedawną interpelację posła do Bundestagu Martina Hohmanna (CDU), rząd niemiecki przyznał (aczkolwiek w bardzo zawoalowany sposób), że jedynie około 15 procent kwot przekazanych Konferencji ds. Roszczeń faktycznie trafiło do żydowskich ofiar prześladowań nazistowskich. (osobisty kontakt, 23 lutego 2000 r.)

[10] W swojej oficjalnej historii Ronald Zweig wyraźnie stwierdza, że Konferencja ds. Roszczeń pogwałciła warunki porozumienia: „napływ

Z pieniędzy tych finansowano także przedsięwzięcia kulturalne, jak muzea Holokaustu, i szefów katedr uczelnianych zajmujących się badaniami Holokaustu, a także Yad Vashem, flagowy okręt wypłacający renty „sprawiedliwym nie-Żydom".
Niedawno Konferencja ds. Roszczeń podjęła starania o przekazanie jej zdenacjonalizowanych majątków żydowskich w byłej Niemieckiej Republice Demokratycznej, wartych setki milionów dolarów, które zgodnie z prawem należały się żyjącym spadkobiercom. Gdy Konferencja została zaatakowana przez oszukanych Żydów za to i inne nadużycia, rabin Arthur Hertzberg obłożył obie strony klątwą, zarzucając im, że „tutaj nie chodzi o sprawiedliwość, to jest walka o pieniądze"[11]. Gdy Niemcy czy Szwajcarzy odmawiają wypłaty odszkodowań, niebiosa nie mogą powstrzymać słusznego oburzenia amerykańskich organizacji żydowskich. Jeżeli jednak żydowskie

---

środków umożliwił Wspólnej [Komisji ds. Dystrybucji] (Joint Distribution Committee, JDC) kontynuację programów w Europie, które w przeciwnym wypadku musiałyby zostać zakończone, oraz podejmowanie programów, które w przeciwnym wypadku nie mogłyby być realizowane ze względu na brak środków. Jednak najważniejszą zmianą w budżecie JDC, wynikającą z płatności reparacji, była możliwość przekazywania pieniędzy do państw muzułmańskich, gdzie w ciągu pierwszych trzech lat od otrzymania tych kwot aktywność JDC wzrosła o 68%. Mimo formalnych ograniczeń, przewidzianych w porozumieniu i dotyczących wykorzystania środków przeznaczonych na reparacje, pieniądze były kierowane tam, gdzie były najbardziej potrzebne. Moses Leavitt [wysokiej rangi urzędnik Konferencji ds. Roszczeń] [...] stwierdził: «nasz budżet opierał się o pierwszeństwo potrzeb w Izraelu i poza jego granicami, w państwach muzułmańskich, wszelkiego rodzaju [...] Fundusze Konferencji uważaliśmy wyłącznie za część ogólnych środków postawionych do naszej dyspozycji w celu spełnienia tych potrzeb żydowskich, za które byliśmy odpowiedzialni, którym nadano najwyższy priorytet» (*German Reparations*, str. 74).

[11] Patrz np. Lorraine Adams, *The Reckoning*, „Washington Post Magazine", 20 kwietnia 1997; Netty C. Gross, *The Old Boys Club* oraz *After Years of Stonewalling, the Claims Conference Changes Policy*, „Jerusalem Report", 15 maja 1997, 16 sierpnia 1997; Rebecca Spence, *Holocaust Insurance Team Racking Up Millions in Expenses as Survivors Wait*, „Forward", 30 lipca 1999; Verena Dobnik, *Oscar Hammerstein's Cousin Sues German Bank Over Holocaust Assets*, „AP Online", 20 listopada 1998 (Hertzberg).

elity okradają ocalałych Żydów, nie wiąże się to z jakimikolwiek problemami natury etycznej — tutaj chodzi tylko o pieniądze.

Chociaż moja zmarła Matka otrzymała tylko 3500 dolarów odszkodowania, inni, bardziej zaangażowani w proces reparacyjny, całkiem nieźle na tym wyszli.

Miesięczne wynagrodzenie Saula Kagana, wieloletniego Sekretarza Wykonawczego Konferencji ds. Roszczeń wynosiło podobno 105 tys. dolarów amerykańskich. Pomiędzy posiedzeniami Konferencji Kagan został skazany za 33 umyślne nadużycia finansowe i kredytowe, które popełnił jako szef jednego z nowojorskich banków. (Wyrok skazujący został skasowany po licznych apelacjach.) Alfonse D'Amato, były senator stanu Nowy Jork, jest mediatorem w pozwach związanych z Holokaustem przeciwko niemieckim i austriackim bankom za wynagrodzenie w wysokości 350 dolarów za godzinę i zwrot kosztów. Tylko za pierwszych 6 miesięcy pracy pobrał wynagrodzenie w wysokości 103 tysięcy dolarów. Przedtem Wiesel publicznie chwalił D'Amato za jego „wrażliwość na żydowskie cierpienia". Lawrence Eagleburger, Sekretarz Stanu prezydenta Busha, zarabia 300 tysięcy dolarów rocznie jako przewodniczący Międzynarodowej Komisji ds. Roszczeń Ubezpieczeniowych z Ery Holokaustu. „Niezależnie od tego, ile zarabia, absolutnie się to opłaca", stwierdził Elan Steinberg ze Światowego Kongresu Żydów (World Jewish Congress, WJC). Kagan zarabia w 12 dni, Eagleburger w 4 dni, a D'Amato w 10 godzin tyle samo, ile moja Matka otrzymała za sześć lat cierpień podczas nazistowskich prześladowań[12].

Nagrodę dla najbardziej przedsiębiorczego oszusta Holokaustu powinien jednak z pewnością otrzymać Kenneth Bialkin. W liczącej dziesięciolecia karierze ten lider amerykańskich Żydów piastował m.in. stanowisko szefa ADL i przewodniczącego Konferencji Przewodniczących Głównych Amerykańskich Organizacji Żydowskich. Obecnie Bialkin reprezentuje spółkę ubezpieczeniową Gene-

---

[12] Greg B. Smith, *Federal Judge OKs Holocaust Accord*, „Daily News", 7 stycznia 2000. Janny Scott, *Jews Tell of Holocaust Deposits*, „New York Times", 17 października 1996. Saul Kagan odczytał pierwszą wersję tego rozdziału na forum Konferencji ds. Roszczeń. Ostateczna wersja zawiera wszystkie jego poprawki dotyczące faktów.

rali w pozwie przeciwko Komisji Eagleburgera za podobno „bardzo dużą kwotę"[13].

*
* *

Ostatnio przemysł Holokaustu przekształcił się w przekręt do wymuszania pieniędzy. Przypisując sobie prawo do reprezentowania Żydów z całego świata, zarówno żywych, jak martwych, przemysł Holokaustu zgłasza roszczenia do majątków żydowskich z czasów Holokaustu w całej Europie. Słusznie nazywany „ostatnim rozdziałem Holokaustu", przemysł Holokaustu w pierwszej kolejności zastosował podwójne wymuszenie wobec państw europejskich, a prawowitych żydowskich spadkobierców na początek skierowano do Szwajcarii. Najpierw omówię zarzuty, które stawiano Szwajcarom. Następnie przejdę do dowodów i wykażę, że wiele z tych zarzutów nie tylko wysunięto w oparciu o oszustwo, ale miały raczej zastosowanie do wysuwających roszczenia, niż do tych, do których je kierowano.

Dla upamiętnienia 50. rocznicy zakończenia II wojny światowej prezydent Szwajcarii w maju 1995 roku oficjalnie przeprosił Żydów za odmowę udzielenia im schronienia podczas nazistowskiego holokaustu[14]. Niemal jednocześnie wznowiono dyskusję na temat od dawna poruszanego problemu środków żydowskich zdeponowanych na rachunkach w bankach szwajcarskich przed i w czasie wojny. W szeroko rozpropagowanym artykule izraelski dziennikarz powołał się na dokument — jak się okazało, błędnie zinterpretowany — dowodząc, że banki szwajcarskie nadal posiadały warte miliardy

---

[13] Elli Wohlgelernter, *Lawyers and the Holocaust*, „Jerusalem Post", 6 lipca 1999.

[14] Dane źródłowe do tego rozdziału — zob. Tom Bower, *Nazi Gold*, Nowy Jork 1998; Itamar Levin, *The Last Deposit*, Westport Conn. 1999; Gregg J. Rickman, *Swiss Banks and Jewish Souls*, New Brunswick, NJ 1999; Isabel Vincent, *Hitler's Silent Partners*, Nowy Jork 1997; Jean Ziegler, *The Swiss, the Gold and the Dead*, Nowy Jork 1997. Mimo bardzo wyraźnego antyszwajcarskiego nastawienia, książki te zawierają mnóstwo użytecznych informacji.

dolarów środki zdeponowane na rachunkach żydowskich z czasów Holokaustu[15].

Światowy Kongres Żydowski, który był organizacją schyłkową do momentu swojej kampanii demaskującej Kurta Waldheima jako zbrodniarza wojennego, szybko skorzystał z nadarzającej się okazji prężenia muskułów. Od samego początku wiadomo było, że Szwajcaria będzie łatwą zdobyczą. Mało kto stanąłby po stronie bogatych szwajcarskich bankierów przeciwko „ocalałym z Holokaustu biedakom". Co więcej, banki szwajcarskie były mało odporne na naciski ekonomiczne ze strony Stanów Zjednoczonych[16].

Pod koniec 1995 roku przewodniczący WJC i syn wysokiego funkcjonariusza Konferencji Roszczeń Żydowskich, Edgar Bronfman, oraz rabin Israel Singer, Sekretarz Generalny WJC i bogaty przedsiębiorca w branży obrotu nieruchomościami, odbyli spotkanie z bankierami szwajcarskimi[17]. Bronfman, który jest spadkobiercą ogromnego majątku znanej z produkcji alkoholi firmy Seagram (jego osobisty majątek szacuje się na 3 miliardy dolarów), później, z właściwą sobie skromnością, poinformował Komisję Bankową Senatu, że przemawiał „w imieniu Żydów" oraz „tych 6 milionów, które już nie mogą przemawiać w swoim imieniu"[18]. Szwajcarscy ban-

---

[15] Levin, *Last Deposit*, rozdz. 6–7. Błędny raport izraelski (chociaż nie to było jego celem, Levin był autorem) — zob. Hans J. Halbheer, *To Our American Friends*, „American Swiss Foundation Occasional Papers" (b.d.).

[16] W Stanach Zjednoczonych działało trzynaście oddziałów sześciu banków szwajcarskich. W 1994 roku banki szwajcarskie udzieliły amerykańskim firmom kredyty na kwotę 38 miliardów dolarów i zarządzały w imieniu swoich klientów wartymi miliardy dolarów inwestycjami w amerykańskie akcje i banki.

[17] W 1992 roku z WJC wydzieliła się nowa organizacja o nazwie Światowa Organizacja ds. Restytucji Żydowskich (World Jewish Restitution Organization, WJRO), która rościła sobie prawo do legalnego nadzoru nad aktywami ocalałych z Holokaustu, zarówno żywych, jak martwych. Pod przewodnictwem Bronfmana WJRO formalnie działa jako instytucja reprezentująca organizacje żydowskie, zorganizowana na wzór Konferencji Roszczeń Żydowskich.

[18] Przesłuchania przed senacką Komisją ds. Bankowości, Mieszkalnictwa i Urbanistyki, Senat USA, 23 kwietnia 1996 r. Przedstawiona przez Bronfmana obrona „interesów żydowskich" była wysoce wybiórcza. Jednym

kierzy oświadczyli, że udało im się znaleźć jedynie 775 uśpionych rachunków, których właścicieli nie udało się zidentyfikować, wartych łącznie 32 miliony dolarów. Zaproponowali tę kwotę jako podstawę do negocjacji z WJC, który ją odrzucił jako niewystarczającą. W grudniu 1995 roku Bronfman połączył siły z senatorem D'Amato. Ponieważ notowania senatora akurat spadły do najniższego od lat poziomu, a wybory do Senatu zbliżały się milowymi krokami, D'Amato natychmiast skorzystał z okazji, by poprawić swoje notowania wśród społeczności żydowskiej, obiecującej nie tylko głosy ważnych wyborców, ale także bogatych ofiarodawców. Zanim Szwajcarzy zostali ostatecznie rzuceni na kolana, WJC we współpracy z pełną gamą instytucji Holokaustu (w tym z Amerykańskim Muzeum Pamięci Holokaustu oraz Centrum Szymona Wiesenthala) zmobilizował do walki cały amerykański establishment polityczny. Począwszy od prezydenta Clintona, który zakopał topór wojenny wobec D'Amato (nadal toczyły się przesłuchania w sprawie Whitewater), by zapewnić mu wsparcie, poprzez jedenaście agencji rządu federalnego oraz Izbę Reprezentantów i Senat po rządy stanowe i samorządy lokalne w całym kraju, obie partie polityczne zwarły szeregi i kolejni przedstawiciele amerykańskiego życia publicznego zaczęli otwarcie piętnować perfidnych Szwajcarów.

Przy wydatnej pomocy komisji bankowych Izby Reprezentantów i Senatu przemysł Holokaustu zorganizował bezwstydną kampanię oszczerczą. Dzięki pomocy nieskończenie uległej i łatwowiernej prasy, gotowej publikować pod wielkimi nagłówkami wszelkie, nawet najbardziej niedorzeczne artykuły związane z Holokaustem, kampania oszczerstw okazała się niemożliwa do zatrzymania. Gregg Rickman, główny doradca D'Amato do spraw legislacyjnych, chwali się w swojej relacji, że bankierzy szwajcarscy zostali zmuszeni do stawienia się „przed sądem opinii publicznej, w którym to my kontrolowaliśmy porządek rozprawy. Bankierzy znaleźli się na na-

---

z głównych partnerów biznesowych Bronfmana jest Leo Kirch, właściciel prawicowych koncernów medialnych. Kirch w ostatnich latach zasłynął próbami zwolnienia z pracy redaktora niemieckiej gazety, który poparł decyzję Sądu Najwyższego, zabraniającą umieszczania chrześcijańskich krzyży w szkołach publicznych. (*www.Seagram.com/company_info/ history/main.html*; Oliver Gehrs, *Einfluss aus der Dose* [w:] „Tagesspiegel" [12 września 1995 r.])

szym gruncie, gdzie my byliśmy sędzią, ławą przysięgłych i katem".
Tom Bower, jeden z najważniejszych badaczy kampanii antyszwaj-
carskiej, nazwał ogłoszone przez D'Amato wezwanie do przeprowadzenia przesłuchań „eufemizmem publicznej rozprawy sądowej lub
sądem kapturowym"[19].

„Tubą propagandową" niszczycielskiej kampanii skierowanej
przeciwko Szwajcarii był dyrektor wykonawczy WJC Elan Steinberg.
Jego głównym zadaniem było rozpowszechnianie dezinformacji. Zdaniem Bowera „główną bronią Steinberga było «zastraszanie przez
zawstydzanie», realizowane przez rozgłaszanie licznych oskarżeń
w celu wywołania dyskomfortu i szoku. Raporty OSS, często pisane
w oparciu o plotki i niesprawdzone źródła, oraz przez lata odrzucane
przez historyków jako zwykłe pogłoski, nagle nabrały nie znoszącej
krytyki wiarygodności i były szeroko rozpowszechniane". „Ostatnie,
czego banki potrzebują, to negatywny rozgłos", wyjaśniał rabin Singer. „Będziemy to robić, aż banki powiedzą: «Dosyć. Chcemy pójść na
kompromis»". Spragniony medialnego rozgłosu rabin Marvin Hier,
Dziekan Centrum Szymona Wiesenthala, spektakularnie zarzucał
Szwajcarom zamykanie żydowskich uchodźców w „niewolniczych
obozach pracy". (Hier zatrudniał w Centrum Szymona Wiesenthala
swoją żonę i syna, i traktował tę instytucję jak rodzinną firmę;
w 1995 roku rodzina Hierów zarobiła w Centrum łącznie 520 tysięcy
dolarów. Centrum jest znane z wystaw muzealnych w stylu „Dachau
Disneyland" oraz „skutecznego stosowania sensualistycznej taktyki straszenia sensacjami w celu pozyskiwania funduszy".) Itamar
Levin stwierdził, że „w świetle ostrzału mieszaniną prawd i przypuszczeń, faktami i fikcją, łatwo jest zrozumieć, dlaczego tak wielu
Szwajcarów uważa, że ich państwo padło ofiarą jakiegoś międzynarodowego spisku"[20].

---

[19] Rickman, *Swiss Banks*, str. 50–51; Bower, *Nazi Gold*, str. 299–300.

[20] Bower, *Nazi Gold*, str. 295 („tuba propagandowa"), 306–307; zob. 319;
Alan Morris Schom, „The Unwanted Guests, Swiss Forced Labor Camps
1940–1944", Raport opracowany dla Centrum Szymona Wiesenthala,
styczeń 1998 roku; (Schom stwierdził, że były to „rzeczywiste obozy pracy
niewolniczej") Levin, *Last Deposit*, str. 158, 188; Trzeźwy opis działania
szwajcarskich obozów dla uchodźców — zob. Ken Newman (red.), *Swiss
Wartime Work Camps: A collection of Exewitness Testimonies, 1940–1945*,

Kampania szybko przerodziła się w szkalowanie Szwajcarów. W badaniu przeprowadzonym przy wsparciu biura D'Amato i Centrum Szymona Wiesenthala Bower napisał w typowy dla siebie sposób, że „państwo, którego obywatele pysznili się przed sąsiadami swoim godnym pozazdroszczenia bogactwem, świadomie czerpało korzyści ze splamionych krwią pieniędzy"; czy że „pozornie szacowni obywatele najbardziej pokojowego narodu świata [...] popełnili bezprecedensową kradzież", a „nieuczciwość stanowiła kod kulturowy, który każdy Szwajcar opanował w celu ochrony wizerunku i dobrobytu swojego narodu", Szwajcarów „instynktownie pociągały wysokie zyski" (czy tylko Szwajcarów?); że „własny interes był najważniejszym celem wszystkich banków szwajcarskich" (tylko banków szwajcarskich?); że „niewielka grupa szwajcarskich bankierów stała się bardziej chciwa i niemoralna od wszystkich innych"; „skrytość i podstępność to sztuki praktykowane przez szwajcarskich dyplomatów" (tylko przez szwajcarskich dyplomatów?); „przeprosiny i ustępstwa rzadko gościły w tradycji politycznej Szwajcarii" (w przeciwieństwie do naszej?); „szwajcarska chciwość była wyjątkowa"; „szwajcarski charakter narodowy" łączył w sobie „prostotę i dwulicowość", a „pod maską ogłady kryło się egoistyczne niezrozumienie wszelkich opinii wyrażanych przez innych ludzi"; Szwajcarzy byli „nie tylko szczególnie pozbawionymi czaru ludźmi, którzy nie wydali spośród siebie żadnych artystów ani bohaterów od czasów Wilhelma Tella, ani żadnych mężów stanu, a jedynie nieuczciwych kolaborantów z nazistami, którzy czerpali zyski z ludobójstwa" i tak dalej. Rickman podkreśla tę „głębszą prawdę" na temat Szwajcarów: „głęboko w ich naturze, być może głębiej, niż przypuszczali, leżała uśpiona arogancja wobec wszystkich innych. Mimo starań, nie byli w stanie ukryć skutków swojego wychowania"[21]. Wiele tych

---

Zürich 1999, oraz Międzynarodowa Komisja Ekspertów, Szwajcaria — druga wojna światowa, *Switzerland and Refugees in the Nazi Era*, Berno 1999, rozdział 4.4.4; Saidel, *Never Too Late*, str. 222–223 („Dachau", „sensationalistic"); Yossi Klein Halevi, *Who Owns the Memory?*, „Jerusalem Report", 25 lutego 1993; Wiesenthal udzielił Centrum zgody na używanie jego nazwiska za 90 tysięcy dolarów rocznie.

[21] Bower, *Nazi Gold*, xi, xv, 8, 9, 42, 44, 56, 84, 100, 150, 219, 304; Rickman, *Swiss Banks*, str. 219.

oszczerstw w dużym stopniu przypomina oszczerstwa wygłaszane przez antysemitów przeciwko Żydom.

Główny zarzut, zgodnie z podtytułem Bowera, dotyczył faktu istnienia w przeszłości i obecnie „pięćdziesięcioletniego spisku zawiązanego między Szwajcarią a nazistami w celu kradzieży miliardów od europejskich Żydów i ocalałych z Holokaustu". Zarzut ten stał się mantrą afery wyłudzenia odszkodowań za Holokaust, która stanowiła „największy rabunek w historii ludzkości". Dla przemysłu Holocaustu wszystkie żydowskie sprawy należą do odrębnej, nadrzędnej kategorii — wszystkiego co najgorsze, wszystkiego co największe...

Przemysł Holokaustu początkowo zarzucał szwajcarskim bankom, że systematycznie odmawiały prawnym spadkobiercom ofiar Holokaustu dostępu do uśpionych rachunków bankowych wartych od 7 miliardów do 20 miliardów dolarów. W artykule zamieszczonym na pierwszej stronie „Time'a" podano, że „przez ostatnich 50 lat" obowiązywało stałe zlecenie banków szwajcarskich, by „opóźniać i uniemożliwiać wszelkie działania, gdy ocalali z Holokaustu pytali o rachunki ich zmarłych krewnych". Powołując się na przepisy o tajemnicy bankowej, przyjętej przez banki szwajcarskie w 1934 roku częściowo w celu uniemożliwienia nazistom przejęcia żydowskich depozytów, D'Amato pouczał Komisję Bankową Izby Reprezentantów: „czyż nie jest to ironia losu, że ten sam system, który zachęcał ludzi, by przyjeżdżali i otwierali tam rachunki, wykorzystał przepisy o tajemnicy bankowej do odmowy tym samym ludziom i ich spadkobiercom ich dziedzictwa, ich praw? To było zwyrodniałe, wynaturzone, wykrzywione".

Bower jednym tchem relacjonuje odkrycie głównego dowodu potwierdzającego perfidię Szwajcarów wobec ofiar Holokaustu: „łut szczęścia i ciężka praca pozwoliły na odkrycie okrucha prawdy, który potwierdził słuszność skargi Bronfmana. W raporcie wywiadu wysłanym ze Szwajcarii w lipcu 1945 podano, że Jacques Salmanovitz, właściciel the Société Générale de Surveillance, kancelarii notarialnej i powierniczej z siedzibą w Genewie, mającej powiązania z państwami bałkańskimi, posiada listę 182 żydowskich klientów, którzy powierzyli notariuszowi 8,4 miliona franków szwajcarskich i około 90 tysięcy dolarów do czasu ich przybycia na Bałkany. Raport zawierał dodatkowo informację, że Żydzi nadal nie zgłosili się po swoją własność. Rickman i D'Amato wpadli w ekstazę". Rickman w swojej relacji także powołuje się na ten „dowód szwajcarskiej przestępczości". Żaden z nich nie wspomina jednak w tym szczególnym kontekście, że Salmanovitz sam był Żydem. (Faktyczna zasadność tych roszczeń zostanie omówiona poniżej.)[22]

Pod koniec 1996 roku grupa Żydów składająca się ze starszych kobiet i jednego mężczyzny złożyła przed komisjami bankowymi Kongresu poruszające zeznania na temat nadużyć popełnianych przez szwajcarskich bankierów. Według relacji Itamara Levina, redaktora głównej izraelskiego gazety biznesowej, niemal żaden z tych świadków nie posiadał „rzeczywistych dowodów istnienia środków zdeponowanych w bankach szwajcarskich". W celu wzmocnienia efektu teatralnego składanych zeznań D'Amato wezwał Elie Wiesela na świadka. W swoim szeroko później cytowanym zeznaniu Wiesel wyraził szok — szok! — spowodowany rewelacją, że sprawcy Holokaustu chcieli Żydów najpierw obrabować, a dopiero potem wymordować: „początkowo byliśmy przekonani, że ostateczne rozwiązanie zostało przyjęte wyłącznie z powodu zatrutej ideologii. Teraz wiemy, że oni nie chcieli po prostu wymordować Żydów, niezależnie od tego, jak strasznie to brzmi — oni pragnęli żydowskich pieniędzy. Każdego dnia dowiadujemy się więcej o tej tragedii. Czy nie ma końca naszego bólu? Nie ma końca tej potworności?" Oczywiście nazistowskie rabunki na Żydach nie są dla nikogo zaskoczeniem, a duża część doniosłej pracy badawczej Raula Hilberga *The Destruction of the European Jews*, opublikowanej w 1961 roku, była poświęcona przejmowaniu przez nazistów żydowskich majątków[23].

Szwajcarskim bankierom zarzucono także podkradanie depozytów ofiar Holokaustu i metodyczne niszczenie dokumentacji banko-

---

[22] Thomas Sancton, *A Painful History*, „Time", str. 24 lutego 1997 r. Przesłuchania przed Komisją Bankowości i Usług Finansowych, Izba Reprezentantów, 25 czerwca 1997 r. Bower, *Nazi Gold*, str. 301–302; Rickman, *Swiss Banks*, str. 48. Levin także milczał na temat żydowskiego pochodzenia Salmanovitza (zob. 5, 129, 135).

[23] Levin, *Last Deposit*, str. 60. Przesłuchania przed Komisją Bankowości i Usług Finansowych, Izba Reprezentantów, 11 grudnia 1996 roku (cytat z zeznania Wiesela złożonego 16 października 1996 roku przed Komisją Bankowości Senatu). Raul Hilberg, *The Destruction of the European Jews*, Nowy Jork 1961, rozdz. 5.

wej dla zatarcia śladów kradzieży, oraz że jedynie Żydzi byli ofiarami tych nadużyć. Podczas jednego z przesłuchań senator Barbara Boxer napastliwie oświadczyła: „ta Komisja nie akceptuje dwulicowego zachowania banków szwajcarskich. Przestańcie wmawiać światu, że prowadzicie poszukiwania, podczas gdy w rzeczywistości puszczacie w ruch niszczarki"[24].

Niestety, „wartość propagandowa" (Bower) wiekowych żydowskich oskarżycieli, zeznających o szwajcarskiej perfidii, szybko się wyczerpała. Wobec tego przemysł Holokaustu musiał sobie poszukać nowego oskarżyciela. Wściekłość mediów skupiła się więc na zakupie przez Szwajcarię złota, zrabowanego podczas wojny przez nazistów ze skarbców europejskich banków centralnych. Informacja ta, początkowo okrzyknięta szokującą rewelacją, w rzeczywistości nie była niczym nowym. Arthur Smith, autor standardowej pracy naukowej na ten temat, wypowiedział się na ten temat w czasie przesłuchania przed Izbą Reprezentantów: „całe dzisiejsze przedpołudnie i teraz po południu słuchałem o rzeczach, które w dużym stopniu, w zarysie, są znane od wielu lat; jestem zaskoczony, jak wiele tych informacji jest przedstawianych jako nowe i sensacyjne". Głównym celem tych przesłuchań nie było jednak przedstawienie informacji, lecz, jak ujęła to Isabel Vincent, „tworzenie sensacyjnych opowieści". Zasadnie przyjęto, że po obrzuceniu wystarczającą ilością błota Szwajcaria w końcu się podda[25].

Jedyny nowy zarzut dotyczył świadomego udziału Szwajcarów w handlu „złotem ofiar". Szwajcarów oskarżono o kupowanie od nazistów ogromnych ilości złota, które następnie przetapiali na sztaby po „obrabowaniu ofiar obozów koncentracyjnych i obozów śmierci". Zgodnie z relacją Bowera, WJC „potrzebował sprawy o wydźwięku

---

[24] Przesłuchania przed senacką Komisją ds. Bankowości, Mieszkalnictwa i Urbanistyki, Senat USA, 6 maja 1997 r.

[25] Przesłuchania przed Komisją Bankowości i Usług Finansowych, Izba Reprezentantów, 11 grudnia 1996 r. Smith skarżył się prasie, że dokumenty, które odkrył długo przed przesłuchaniami, zostały uznane przez D'Amato za nowo odkryte. Rickman, który do przesłuchań w Kongresie zmobilizował ogromną grupę badaczy poprzez Muzeum Holokaustu USA, w dziwacznym akcie obrony odpowiedział: „O ile wiedziałem o książce Smitha, to postanowiłem jej nie czytać, by uniknąć oskarżenia o korzystanie z «jego» dokumentów" (113). Vincent, *Silent Partners*, str. 240.

emocjonalnym w celu powiązania Holokaustu ze Szwajcarią". Nową rewelację na temat szwajcarskiej perfidii natychmiast uznano za dar losu. Zdaniem Bowera „trudno znaleźć obrazy bardziej szokujące od metodycznej ekstrakcji w obozach śmierci złotych plomb z ust martwych Żydów wyciąganych z komór gazowych". „Fakty są bardzo, ale to bardzo niepokojące" — D'Amato żałośnie przekonywał Izbę Reprezentantów podczas przesłuchania — „ponieważ fakty te mówią o zabieraniu i rabowaniu aktywów z domów, z banków narodowych, z obozów śmierci; złotych zegarków i bransolet, oprawek okularów i plomb z ludzkich zębów"[26].

Poza blokowaniem dostępu do rachunków ofiar i zakupem zrabowanego złota, Szwajcarzy zostali także oskarżeni o spiskowanie przeciwko Polsce i Węgrom w celu oszukania Żydów. Według oskarżenia pieniądze zdeponowane na rachunkach w szwajcarskich bankach, po które nikt się nie zgłosił, należące do obywateli Polski i Węgier (z których wielu nie było wcale Żydami), zostały przejęte przez Szwajcarię jako rekompensata za szwajcarskie dobra, znacjonalizowane przez te rządy. Rickman uznał tę informację za „szokującą rewelację, która totalnie zaskoczy Szwajcarów i wywoła prawdziwą burzę". Fakty te były jednak od dawna szeroko znane i zostały opisane w amerykańskich pismach prawniczych na początku lat pięćdziesiątych ubiegłego wieku. Niezależnie od medialnego wrzasku, łączne kwoty ostatecznie oszacowano na mniej niż milion dolarów według aktualnych kursów wymiany[27].

Jeszcze przed pierwszym przesłuchaniem w Senacie w sprawie uśpionych rachunków bankowych w kwietniu 1996 roku, banki szwajcarskie wyraziły zgodę na ustanowienie komisji śledczej oraz na przestrzeganie jej ustaleń. Komisja składała się z sześciu członków, po trzech ze Światowej Organizacji Żydowskich Reparacji (World Jewish Restitution Organization) oraz Stowarzyszenia

---

[26] Bower, *Nazi Gold*, str. 307. Przesłuchania przed Komisją Bankowości i Usług Finansowych, Izba Reprezentantów, środa, 25 czerwca 1997 r.

[27] Rickman, *Swiss Banks*, str. 77. Ostateczny opis tego tematu — zob. Peter Hug i Marc Perrenoud, *Assets in Switzerland of Victims of Nazism and the Compensation Agreements with East Bloc Countries*, Berno 1997. Początkowa dyskusja na ten temat w Stanach Zjednoczonych — zob. J. Rubin i Abba P. Schwartz, *Refugees and Reparations*, „Law and Contemporary Problems", Duke University School of Law, 1951, str. 283.

Szwajcarskich Bankierów (Swiss Bankers Association), a na jej czele stanął Paul Volcker, były prezes amerykańskiego Banku Rezerw Federalnych (US Federal Reserve Bank). W maju 1996 roku ta „niezależna komisja prominentnych osób" otrzymała formalnie „Memorandum Porozumienia". Ponadto w grudniu 1996 roku, w celu zbadania szwajcarskiego handlu złotem z Niemcami podczas II wojny światowej, rząd Szwajcarii powołał „niezależną komisję ekspertów" pod przewodnictwem profesora Jean-François Bergiera, w skład której wchodził także znany izraelski badacz holokaustu Saul Friedländer.

Jednak zanim jeszcze te komisje rozpoczęły pracę, przemysł Holokaustu naciskał na finansowe rozliczenie ze Szwajcarią. Szwajcarzy protestowali, że wszelkie rozliczenia muszą poczekać do zakończenia pracy komisji; w przeciwnym wypadku będą stanowić „wymuszenie i szantaż". WJC posłużył się wtedy tym samym atutem, co zawsze, którym był lęk o losy „ofiar Holokaustu w potrzebie". „Moim problemem jest czas", oświadczył Bronfman przed Komisją Bankową Izby Reprezentantów w grudniu 1996 roku, „i są jeszcze ci wszyscy ludzie, którzy przeżyli Holokaust, o których się martwię". Można się tutaj zastanowić, dlaczego tak głęboko zaniepokojony milioner nie mógł sam tymczasowo ulżyć ich doli. Bronfman ze złością odrzucił szwajcarską propozycję odszkodowania w wysokości 250 milionów dolarów: „Nie potrzebujemy łaski. Sam dam te pieniądze". Oczywiście nie dał. W lutym 1997 roku Szwajcaria wyraziła jednak zgodę na ustanowienie „Specjalnego Funduszu na Ofiary Holokaustu w Trudnej Sytuacji" w wysokości 200 milionów dolarów dla zaspokojenia „osób, które potrzebują szczególnej pomocy lub wsparcia" do czasu zakończenia prac obu komisji. (Fundusz wciąż był wypłacalny, gdy komisje Bergiera i Volckera przedstawiły swoje raporty.) Naciski ze strony przemysłu Holokaustu na ostateczne rozliczenie nie tylko nie ustępowały, ale nadal się nasilały. Ponowne prośby Szwajcarów o zaczekanie z rozstrzygnięciem do czasu ujawnienia ustaleń obu komisji — w końcu to WJC pierwszy wezwał do rachunku sumienia — nadal były ignorowane. W rzeczywistości przemysł Holokaustu mógł wyłącznie przegrać w wypadku opublikowania tych ustaleń: gdyby stwierdzono, że liczba żydowskich rachunków bankowych z czasów Holokaustu jest niewielka, to oskarżenia wysuwane wobec banków szwajcarskich straciłyby wiarygodność; nawet jednak w wypadku znalezienia wielu takich rachunków, rekompensaty mogłyby trafić głównie do prawnych spadkobierców, a nie żydowskich organizacji. Kolejną mantrą powtarzaną przez przemysł Holokaustu było, że zadośćuczynienie „dotyczy prawdy i sprawiedliwości, a nie pieniędzy". „Tu nie chodzi o pieniądze", skwitowali to Szwajcarzy. „Tu chodzi o jeszcze więcej pieniędzy"[28].

Poza rozpętaniem publicznej histerii przemysł Holokaustu koordynował także realizację dwutorowej strategii w celu zmuszenia Szwajcarów „terrorem" (Bower) do posłuszeństwa: pozwy grupowe i bojkot gospodarczy. Pierwszy pozew grupowy został złożony na początku października 1996 roku przez Edwarda Fagana i Roberta Swifta w imieniu Gizelli Weisshaus (jej ojciec przed śmiercią w Auschwitz mówił jej o pieniądzach zdeponowanych w Szwajcarii, ale banki odrzucały jej powojenne zapytania) oraz „innych osób w podobnej sytuacji" na kwotę 20 miliardów dolarów. Kilka tygodni później Centrum Szymona Wiesenthala wraz z adwokatami Michaelem Hausfeldem i Melvynem Weissem złożyło podobny pozew grupowy, a w styczniu 1997 roku Światowa Rada Ortodoksyjnych Społeczności Żydowskich (the World Council of Orthodox Jewish Communities) złożyła trzeci pozew. Wszystkie trzy pozwy złożono na ręce sędziego Edwarda Kormana, sędziego Sądu Okręgowego w Brooklynie, który je skonsolidował. Przynajmniej jedna ze stron zaangażowanych w proces, kanadyjski adwokat z Toronto Sergio Karas, potępił tę praktykę: „Jedynym skutkiem pozwów zbiorowych było prowokowanie masowej histerii i nagonki na Szwajcarię. Potwierdzają one jedynie mit o tym, że żydowscy prawnicy pragną tylko pieniędzy". Paul Volcker sprzeciwiał się pozwom grupowym, twierdząc, że „będą one utrudniać naszą pracę, być może nawet

---

[28] Levin, *Last Deposit*, str. 93, 186. Przesłuchania przed Komisją Bankowości i Usług Finansowych, Izba Reprezentantów, środa, środa, 11 grudnia 1996 r. Rickman, *Swiss Banks*, str. 218. Bower, *Nazi Gold*, str. 318, 323. Tydzień przed ustanowieniem Funduszu Specjalnego prezydent Szwajcarii, „przerażony nieustającą wrogością w Ameryce" (Bower), ogłosił utworzenie Fundacji Solidarności (Solidarity Foundation) o wartości 5 miliardów dolarów w celu „ograniczenia biedy, rozpaczy i przemocy" w skali globalnej. Utworzenie fundacji wymagało jednak zgody narodowego referendum, a w kraju szybko pojawiła się opozycja. Los fundacji pozostaje niepewny.

spowodują jej nieskuteczność" — argument co prawda mało istotny, lecz potencjalnie nowy bodziec dla przemysłu Holokaustu[29].

Główną bronią użytą w celu złamania oporu Szwajcarii był jednak bojkot gospodarczy. Avraham Burg, przewodniczący Agencji Żydowskiej (Jewish Agency) i główny przedstawiciel Izraela w sprawie szwajcarskich kont, ostrzegł w styczniu 1997 roku, że „teraz bitwa stanie się znacznie bardziej brutalna". „Do tej pory wstrzymywaliśmy się z międzynarodowymi naciskami żydowskimi". Już w styczniu 1996 roku WJC zaczął planować bojkot. Bronfman i Singer skontaktowali się z Głównym Audytorem miasta Nowy Jork, Alanem Hevesi (którego ojciec był prominentnym urzędnikiem AJC), oraz Głównym Audytorem stanu Nowy Jork, Carlem McCallem. Obaj audytorzy łącznie inwestują miliardy dolarów w fundusze emerytalne. Hevesi był także prezesem Stowarzyszenia Audytorów USA (US Comptrollers Association), które inwestowało 30 bilionów dolarów w fundusze emerytalne. Pod koniec stycznia Singer opracowywał już plany z gubernatorem stanu Nowy Jork, Georgem Pataki, oraz D'Amato i Bronfmanem na weselu jego córki. „Co ze mnie za człowiek", dziwił się rabin, „załatwiam interesy na weselu mojej córki"[30].

W lutym 1996 roku Hevesi i McCall skierowali do banków szwajcarskich pismo z groźbą sankcji. W październiku gubernator Pataki publicznie obiecał im swoje wsparcie. W ciągu następnych kilku miesięcy rządy lokalne i stanowe w stanach Nowy Jork, New Jersey, Rhode Island i Illinois przyjęły uchwały grożące szwajcarskim bankom bojkotem gospodarczym, jeżeli nie ulegną żądaniom. W maju 1997 roku miasto Los Angeles zastosowało pierwsze sankcje, wycofując setki milionów dolarów z funduszy emerytalnych w banku szwajcarskim. Hevesi niezwłocznie poszedł za jego przykładem i nałożył sankcje w Nowym Jorku. W ciągu kilku dni do bojkotu przyłączyły się stany: Kalifornia, Massachusetts i Illinois.

„Chcę 3 miliardy lub więcej", ogłosił Bronfman w grudniu 1997 roku, „w celu zakończenia tego wszystkiego, pozwów grupowych, procesu Volckera i całej reszty". Jednocześnie D'Amato i urzędnicy bankowi stanu Nowy Jork podejmowali starania w celu zablokowa-

---

[29] Bower, *Nazi Gold*, str. 315; Vincent, *Silent Partners*, str. 211; Rickman, *Swiss Banks*, str. 184 (Volcker).

[30] Levin, *Last Deposit*, str. 187–188, 125.

nia nowo utworzonemu bankowi United Bank of Switzerland (fuzja głównych banków szwajcarskich) rozszerzenia działalności na Stany Zjednoczone. „Jeżeli Szwajcarzy będą się upierać przy swoim, to będę zmuszony zwrócić się do wszystkich udziałowców amerykańskich, by zawiesili swoje transakcje ze Szwajcarami", ostrzegł w marcu 1998 r. Bronfman. „Dochodzimy do punktu, w którym sprawa musi się sama rozwiązać, albo przerodzi się w wojnę totalną". W kwietniu Szwajcarzy zaczęli uginać się pod naciskiem, ale nadal nie chcieli się poddać. (Przez cały 1997 rok Szwajcarzy podobno wydali 500 milionów dolarów na odpieranie ataków przedsiębiorstwa Holokaust.) „Całe szwajcarskie społeczeństwo jest dotknięte złośliwym rakiem", lamentował Melvyn Weiss, jeden z prawników zaangażowanych w pozwy zbiorowe. „Daliśmy im możliwość pozbycia się choroby przy użyciu silnej dawki promieniowania po bardzo małych kosztach, a oni odrzucili naszą propozycję". W czerwcu banki szwajcarskie złożyły „ostateczną ofertę" na 600 milionów dolarów. Przewodniczący ADL Abraham Foxman był tak zaszokowany arogancją Szwajcarów, że ledwo panował nad sobą: „To ultimatum jest obrazą dla pamięci ofiar — tych, którzy przetrwali, oraz tych członków społeczności żydowskiej, którzy w dobrej wierze wyciągnęli rękę do Szwajcarów, by razem pracować nad rozwiązaniem tej bardzo trudnej sprawy"[31].

W lipcu 1998 roku Hevesi i McCall zagrozili wprowadzeniem nowych, surowych sankcji. Stany New Jersey, Pennsylvania, Connecticut, Floryda, Michigan i Kalifornia przyłączyły się w ciągu kilku dni. W połowie sierpnia Szwajcaria ostatecznie poddała się. W ramach ugody wynegocjowanej przez sędziego Kormana Szwajcarzy zgodzili się zapłacić 1,25 miliarda dolarów. Banki szwajcarskie oświadczyły w biuletynie prasowym, że „celem dodatkowej płatności jest odwrócenie groźby sankcji oraz długotrwałego i kosztownego postępowania sądowego"[32].

„Był pan prawdziwym pionierem w tej sadze", gratulował D'Amato premier Izraela Benjamin Netanyahu. „Jej wynik jest nie

---

31 Levin, *Last Deposit*, str. 218; Rickman, *Swiss Banks*, str. 214, 223, 221.

32 Rickman, *Swiss Banks*, str. 231.

tylko osiągnięciem materialnym, ale także zwycięstwem moralnym i triumfem ducha"[33]. Szkoda, że nie powiedział „woli".

Zawarta ze Szwajcarią ugoda na 1,25 miliarda dolarów obejmowała w zasadzie trzy grupy — spadkobierców kont w bankach szwajcarskich, uchodźców, którym Szwajcaria odmówiła schronienia, oraz ofiary pracy niewolniczej, z której Szwajcaria czerpała korzyści[34]. Niezależnie od słusznego oburzenia postępowaniem „perfidnych Szwajcarów", podobne czyny popełniane przez Amerykę zasługują na takie same, o ile nie większe potępienie. Wrócę teraz do sprawy uśpionych rachunków w Stanach Zjednoczonych. Podobnie jak Szwajcaria, także Stany Zjednoczone odmówiły azylu żydowskim uchodźcom uciekającym przed nazizmem przed i w czasie II wojny światowej. Rząd Stanów Zjednoczonych nie uznał jednak za stosowne zadośćuczynić krzywdom na przykład żydowskich uchodźców znajdujących się na pokładzie feralnego statku „St. Louis". Wyobraźmy sobie, co by się stało, gdyby zadośćuczynienia zażądały tysiące uchodźców z Ameryki Środkowej i Haiti, którym odmówiono azylu po ich ucieczce przed sponsorowanymi przez USA szwadronami śmierci. Chociaż Szwajcaria jest o wiele mniejsza od Stanów Zjednoczonych i dysponuje znacznie mniejszymi zasobami, to jednak podczas nazistowskiego holokaustu przyjęła tyle samo żydowskich uchodźców, co Stany Zjednoczone (około 20 tysięcy)[35].

---

[33] Ibid. Rickman nadał odpowiedni tytuł temu rozdziałowi jego relacji „Bojkoty i dyktaty".

[34] Pełny tekst decyzji w sprawie pozwu zbiorowego („Class Action Settlement Agreement") — zob. Niezależna Komisja Prominentnych Osób (Independent Committee of Eminent Persons), *Report on Dormant Accounts of Victims of Nazi Persecution in Swiss Banks*, Berno 1999, Załącznik O. Poza Funduszem Specjalnym w kwocie 200 milionów dolarów oraz ugodą w sprawie pozwu zbiorowego na kwotę 1,25 miliarda dolarów, przemysł Holokaustu załatwił sobie dodatkowe 70 milionów dolarów od Stanów Zjednoczonych i ich sojuszników podczas konferencji o szwajcarskim złocie, która odbyła się w 1997 roku w Londynie.

[35] Polityka USA w sprawie żydowskich uchodźców w tym okresie — zob. David S. Wyman, *Paper Walls*, Nowy Jork 1985, oraz *The Abandonment of the Jews*, Nowy Jork 1984. Polityka Szwajcarii — zob. Niezależna Komisja Ekspertów, Szwajcaria — Druga wojna światowa, *Switzerland and Refugees in the Nazi Era*, Bern 1999. Podobny zestaw

Oznacza to jedynie, że amerykańscy politycy pouczali Szwajcarię, by w celu odpokutowania grzechów przeszłości zapewniła material- ne zadośćuczynienie. Stuart Eizenstat, Podsekretarz Handlu i spe- cjalny wysłannik prezydenta Clintona ds. restytucji mienia, nazwał szwajcarskie zadośćuczynienie dla Żydów „istotnym papierkiem lak- musowym dla woli obecnego pokolenia, by stanąć twarzą w twarz z przeszłością i naprawić dawne krzywdy". Podczas tego samego zebrania Senatu D'Amato przyznał, że chociaż Szwajcarzy „nie mogą odpowiadać za to, co miało miejsce lata temu, to jednak nadal mają obowiązek przyjęcia odpowiedzialności i podjęcia próby zrobienia w chwili obecnej tego, co należy". Prezydent Clinton także publicznie potwierdził plany WJC, dotyczące zadośćuczynienia, i stwierdził, że „musimy w najlepszy możliwy sposób stanąć twarzą w twarz ze straszliwą niesprawiedliwością wyrządzoną w przeszłości, i jej za- dośćuczynić". „Historia nie przewiduje przedawnienia", oświadczył przewodniczący James Leach podczas przesłuchań przed Komisją Bankową Izby Reprezentantów. „Nie można nigdy zapomnieć o prze- szłości". Przywódcy klubów obu partii w Kongresie napisali w liście do Sekretarza Stanu, że „należy jasno postawić sprawę, że reakcja na sprawę restytucji mienia będzie postrzegana jako test przestrzega- nia podstawowych praw człowieka i rządów prawa". W przemówieniu wygłoszonym w szwajcarskim parlamencie Sekretarz Stanu Made- leine Albright wyjaśniała, że korzyści ekonomiczne czerpane przez Szwajcarów z zablokowanych kont żydowskich „zostały przekaza- ne kolejnym pokoleniom, dlatego świat teraz oczekuje od narodu szwajcarskiego nie tyle odpowiedzialności za czyny ich przodków, co hojności w podejmowaniu możliwych obecnie działań w celu wyna-

---

czynników — dekoniunktura gospodarcza, ksenofobia, antysemityzm, a później także bezpieczeństwo — przyczyniły się do przyjęcia zarówno przez USA, jak Szwajcarię restrykcyjnej polityki kwot. Wspominając „hipokryzję przemówień w innych krajach, a szczególnie w Stanach Zjednoczonych, które były całkowicie niezainteresowane liberalizacją ich przepisów imigracyjnych", mimo ostrej krytyki Szwajcarii, Niezależna Komisja stwierdziła, że polityka przyjęta przez ten kraj wobec uchodźców była „podobna do takiej, jaką przyjmowały rządy większości innych państw". (42, 263) W obszernych relacjach amerykańskich środków masowego przekazu nie znalazłem jakiejkolwiek wzmianki na temat ustaleń Komisji.

grodzenia dawnych krzywd"[36]. Te bardzo szlachetne wezwania jakoś nie znalazły przełożenia na sprawę zadośćuczynienia Afroamerykanom za stulecia niewolnictwa, a wszelkie głosy na ten temat były aktywnie wyśmiewane[37].

---

[36] Przesłuchania przed senacką Komisją ds. Bankowości, Mieszkalnictwa i Urbanistyki, Senat USA, 15 maja 1997 r. (Eizenstat i D'Amato). Przesłuchania przed senacką Komisją ds. Bankowości, Mieszkalnictwa i Urbanistyki, Senat USA, 23 kwietnia 1996 r. (Bronfman, cytujący Clintona oraz pismo do liderów w Kongresie). Przesłuchania przed Komisją Bankowości i Usług Finansowych, Izba Reprezentantów, 11 grudnia 1996 r. (Leach). Przesłuchania przed Komisją Bankowości i Usług Finansowych, Izba Reprezentantów, 25 czerwca 1997 r. (Leach). Rickman, *Swiss Banks*, str. 204 (Albright).

[37] Jedyną obcą nutą podczas licznych przesłuchań w Kongresie na temat odszkodowań za Holokaust była wypowiedź kongresmenki z Kalifornii, Maxine Waters. Waters co prawda zadeklarowała „1000 procent" poparcia dla „sprawiedliwości dla wszystkich ofiar Holokaustu", ale zakwestionowała przy tym, „w jaki sposób przyjąć ten format i wykorzystać go w rozliczeniu pracy niewolniczej moich przodków tutaj w Stanach Zjednoczonych. To dziwne, siedzieć tutaj [...] i nie pomyśleć, co mogłabym zrobić [...] w celu zaakceptowania zarzutów dotyczących pracy niewolniczej w Stanach Zjednoczonych. [...] Reparacje w społeczności Afroamerykanów zostały w zasadzie potępione jako koncepcja radykalna, a wiele osób, które [...] tak ciężko pracowały nad przedstawieniem tej sprawy w Kongresie, zostało po prostu wyśmianych". Waters zaproponowała w szczególności, by agendy rządowe zajmujące się odszkodowaniami za Holokaust zajęły się także sprawą odszkodowań „za krajową pracę niewolniczą". James Leach z Komisji Bankowości Izby Reprezentantów odpowiedział: „Szanowna pani podniosła wyjątkowo istotny problem, który przewodniczący weźmie pod uwagę [...]. Podniesiony przez panią istotny problem jest umiejscowiony w historii Ameryki i głęboko zakorzeniony w obszarze praw człowieka". Sprawa zostanie niewątpliwie pogrzebana głęboko w pamięci Komisji. (Przesłuchania przed Komisją Bankowości i Usług Finansowych, Izba Reprezentantów, 9 lutego 2000 r.). Randall Robinson, który obecnie przewodzi kampanii o zadośćuczynienie Afroamerykanom niewolnictwa, zestawił „milczenie" rządu amerykańskiego z tą kradzieżą, „nawet gdy Podsekretarz Stanu USA, Stuart Eizenstat, pracował nad zmuszeniem 16 niemieckich spółek do wypłacenia odszkodowań Żydom, wykorzystanym do pracy niewolniczej pod rządami nazistów". (Randall Robinson, *Compensate the Forgotten Victims*

Nadal nie jest jasne, jak ostateczne rozstrzygnięcie wpłynie na „ocalałych z Holokaustu w trudnej sytuacji". Pierwsza powódka w sprawie o uśpione konta bankowe w Szwajcarii, Gizella Weisshaus, zwolniła swojego adwokata Edwarda Fagana, którego oskarżyła, że ją wykorzystywał. Mimo to Fagan wystawił sądowi rachunek za swoje usługi opiewający na 4 miliony dolarów. Łączna kwota honorariów dla adwokatów wyniosła niemal 15 milionów dolarów, przy czym wielu z nich liczyło sobie nawet 600 dolarów za godzinę. Jeden z prawników zażądał 2400 dolarów za przeczytanie książki Toma Bowera *Nazi Gold*. W artykule zamieszczonym w żydowskim tygodniku wydawanym w Nowym Jorku autor napisał, że „żydowskie grupy i spadkobiercy zdejmują białe rękawiczki i zaczynają się bić o swój udział w odszkodowaniu w wysokości 1,25 miliarda dolarów, wypłaconym przez banki szwajcarskie". Powodowie i spadkobiercy uważają, że pieniądze powinny zostać im bezpośrednio przekazane. Organizacje żydowskie uważają jednak, że im także coś się należy. Greta Beer, która występowała przed Kongresem jako kluczowy świadek w sprawie przeciwko bankom szwajcarskim, potępiła żydowskie organizacje za ich przesadne żądania i błagalnie zwróciła się do sądu sędziego Kormana, że nie chce „zostać zgnieciona pod stopą jak jakiś owad". Niezależnie od troski o „ocalałych z Holokaustu w trudnej sytuacji", WJC żąda, by prawie połowa szwajcarskich pieniędzy została przeznaczona na żydowskie organizacje i „edukację o Holokauście". Centrum Szymona Wiesenthala utrzymuje, że gdyby pieniądze te trafiły do „godnych" organizacji żydowskich, to „część tych kwot mogłaby zostać przekazana żydowskim ośrodkom edukacyjnym". W swoich staraniach o większy udział w podziale łupów, organizacje żydów reformowanych i ortodoksyjnych przekonywały, że 6 milionów zmarłych z pewnością życzyłoby sobie, by pieniądze te trafiły właśnie do reprezentowanych przez nich odłamów judaizmu. W międzyczasie przemysł Holokaustu zmusił Szwajcarię do zawarcia ugody, powołując się na argument, że czas ma znaczenie: „Znajdujące się w trudnej sytuacji ofiary Holokaustu umierają każdego dnia". Kiedy tylko Szwajcarzy przekazali pieniądze, sytuacja cudownym sposobem straciła na pilności. Nawet po upływie roku od

of America's Slavery Holocaust, „Los Angeles Times" [11 lutego 2000]; zob. Randall Robinson, *The Debt* [Nowy Jork 2000], 245)

osiągnięcia porozumienia nie został opracowany żaden plan dystrybucji. W momencie, gdy pieniądze zostaną ostatecznie rozdzielone,
wśród żywych nie będzie już prawdopodobnie żadnego z „ocalałych
z Holokaustu w trudnej sytuacji". W rzeczywistości według stanu
na grudzień 1999 roku mniej niż połowa z 200 milionów dolarów ze
„Specjalnego Funduszu na Ofiary Holokaustu w Trudnej Sytuacji"
została przekazana faktycznym ofiarom. Po opłaceniu honorariów
adwokackich szwajcarskie pieniądze popłyną szerokim strumieniem
w ręce „godnych" organizacji żydowskich[38].

Burt Neuborne, profesor prawa z Uniwersytetu Nowego Jorku
i członek zespołu prawników uczestniczących w pozwie zbiorowym,
napisał w „New York Times": „Sprawa jakichkolwiek odszkodowań
będzie nie do obrony, jeżeli spowodują one, że Holokaust zostanie
uznany za nastawione na zysk przedsięwzięcie banków szwajcarskich". Edgar Bronfman w poruszający sposób zeznawał przed Komisją Bankową Izby Reprezentantów, że Szwajcarom „nie wolno
pozwolić na czerpanie zysków z prochów ofiar Holokaustu". Z drugiej jednak strony Bronfman niedawno przyznał, że skarbiec WJC
wzbogacił się o co najmniej „około 7 miliardów dolarów" z pieniędzy
przeznaczonych na odszkodowania[39].

---

[38] Philip Lentz, *Reparation Woes*, „Crain's", 15–21 listopada 1999. Michael
Shapiro, *Lawyers in Swiss Bank Setlement Submit Bill, Outraging
Jewish Groups*, „Jewish Telegraphic Agency" (23 listopada 1999 roku).
Rebecca Spence, *Hearings on Legal Fees in Swiss Bank Case*, „Forward"
(26 listopada 1999 roku). James Bone, *Holocaust Survivors Protest Over
Legal Fee*, „The Times" (Londyn) (1 grudnia 1999 roku). Devlin Barrett,
Holocaust Assets, „New York Post", 2 grudnia 1999. Stewart Ain, *Religious
Strife Erupts In Swiss Money Fight*, „Jewish Week", 14 stycznia 2000. Adam
Dickter, *Discord in the Court*, „Jewish Week", 21 stycznia 2000; Swiss
Fund for Needy Victims of the Holocaust/Shoa, „Overview on Finances,
Payments and Pending Applications", 30 listopada 1999. Zamieszkałe
w Izraelu osoby ocalałe z Holokaustu nigdy nie otrzymały jakichkolwiek
pieniędzy, przeznaczonych dla nich z Funduszu Specjalnego; zob. Yair
Sheleg, *Surviving Israeli Bureaucracy*, „Haaretz", 6 lutego 2000.
[39] Burt Neuborne, *Totaling the Sum of Swiss Guilt*, „New York Times",
24 czerwca 1998. Przesłuchania przed Komisją Bankowości i Usług
Finansowych, Izba Reprezentantów, środa, środa, 11 grudnia 1996 r.
Holocaust-Konferenz in Stockholm, „Frankfurter Allgemeine Zeitung",
26 stycznia 2000 (Bronfman).

W międzyczasie opublikowano autorytatywne raporty o bankach szwajcarskich. Dzisiaj można już ocenić, czy Bower miał rację, twierdząc, że istniał „trwający pięćdziesiąt lat spisek szwajcarsko-nazistowski, zawiązany w celu ukradzenia miliardów dolarów Żydom europejskim i ocalałym z Holokaustu".

W lipcu 1998 roku Niezależna Komisja Ekspertów (Bergier) opublikowała swój raport zatytułowany *Szwajcaria i transakcje na złocie w czasie II wojny światowej* (Switzerland and Gold Transactions in the Second World War)[40]. Komisja potwierdziła, że banki szwajcarskie zakupiły od nazistowskich Niemiec złoto o wartości 4 miliardów dolarów amerykańskich według dzisiejszych cen, wiedząc, że zostało ono zrabowane z banków centralnych okupowanej Europy. Podczas odbywających się na Kapitolu przesłuchań członkowie Kongresu wyrazili swoje oburzenie faktem, że banki szwajcarskie handlowały skradzionym mieniem i — co gorsza — nadal prowadziły te godne potępienia praktyki. Ubolewając nad faktem, że skorumpowani politycy deponują swoje nielegalne zyski w bankach szwajcarskich, jeden z członków Kongresu wezwał Szwajcarię do wprowadzenia ustawodawstwa przeciwko „tym sekretnym przepływom pieniędzy przez [...] ludzi będących ważnymi politykami lub przywódcami, ludzi ograbiających swój skarb". Inny członek Kongresu lamentował nad „ogromną liczbą międzynarodowych, skorumpowanych ważnych urzędników rządowych i przedstawicieli świata biznesu, którzy w bankach szwajcarskich znaleźli schronienie dla swoich znaczących bogactw", zastanawiając się przy tym głośno, czy „szwajcarski system bankowy chroni przestępców z tego pokolenia i państwa, które reprezentują w [...] sposób taki, jak udzielenie schronienia nazistowskiemu reżimowi 55 lat temu?"[41]. Problem ten jest faktycznie niepokojący. Każdego roku do prywatnych banków trafiają kwoty

---

[40] Independent Commission of Experts, Switzerland — Second World War, *Switzerland and Gold Transactions in the Second World War, Interim Report*, Berno 1998.

[41] Przesłuchania przed Komisją Bankowości i Usług Finansowych, Izba Reprezentantów, środa, środa, 11 grudnia 1996 r. Wezwany w charakterze biegłego Gerhard L. Weinberg, historyk z Uniwersytetu Stanowego Karoliny Północnej, świętoszkowato zeznał, że „w tamtym czasie oraz w pierwszych latach powojennych rząd szwajcarski zawsze hołdował stanowisku, że rabunek jest legalny" oraz że „priorytetem numer jeden"

w wysokości 100–200 miliardów dolarów, uzyskane na całym świecie w wyniku politycznej korupcji. Reprymendy komisji ds. bankowości Kongresu miałyby jednak większą siłę sprawczą, gdyby połowa tego „uciekającego nielegalnego kapitału" nie była deponowana w bankach amerykańskich podlegających prawu Stanów Zjednoczonych[42]. Najnowszymi beneficjentami tego legalnego „sanktuarium" w USA są między innymi Raul Salinas de Gortari, brat byłego prezydenta Meksyku, oraz rodzina byłego dyktatora Nigerii, generała Sani Abachy. Szwajcarski parlamentarzysta Jean Ziegler stwierdził, że „złoto zrabowane przez Adolfa Hitlera i jego giermków w zasadzie niczym nie różni się od krwawych pieniędzy" deponowanych obecnie przez dyktatorów z państw trzeciego świata na prywatnych rachunkach w bankach szwajcarskich. „Miliony mężczyzn, kobiet i dzieci traciły życie przez hitlerowskich złodziei" oraz „setki tysięcy dzieci umiera co roku z powodu chorób i niedożywienia" w państwach trzeciego świata, ponieważ „tyrani okradają swoje państwa z pomocą szwajcarskich rekinów finansjery"[43]. Oczywiście także z pomocą amerykańskich rekinów finansjery. Nie wspominając tutaj o jeszcze jednej, istotnej sprawie, mianowicie że wielu z tych tyranów zdobyło i utrzymywało władzę dzięki potędze Stanów Zjednoczonych, i korzystało z ich przyzwolenia na okradanie swoich państw.

W odpowiedzi na szczegółowe pytanie dotyczące nazistowskiego holokaustu, Niezależna Komisja stwierdziła, że banki szwajcarskie faktycznie zakupiły „sztabki zawierające złoto zrabowane przez nazistowskich przestępców ofiarom obozów pracy i obozów śmierci". O tym jednak banki szwajcarskie nie wiedziały: „nie istnieją jakiekolwiek wskazówki, świadczące o tym, by decydenci w szwajcarskim banku centralnym wiedzieli, że sztabki zawierające takie złoto były

---

banków szwajcarskich było „osiąganie możliwie największych zysków [...] niezależnie od praworządności, moralności, uczciwości, czy czegokolwiek innego". (Przesłuchania przed Komisją Bankowości i Usług Finansowych, Izba Reprezentantów, 25 czerwca 1997 r.)

[42] Raymond W. Baker, *The Biggest Loophole in the Free-Market System*, „Washington Quarterly", jesień 1999. Chociaż prawo USA tego nie sankcjonuje, corocznie spora część z „pranych" 500 miliardów do 1 biliona dolarów amerykańskich, pochodzących z handlu narkotykami, zostaje „bezpiecznie zdeponowana w bankach amerykańskich". (ibid.)

[43] Ziegler, *The Swiss*, xii; zob. 19, 265.

dostarczane do Szwajcarii przez Reichsbank". Komisja oszacowała wartość „złota ofiar" nieświadomie zakupionego przez Szwajcarię na 134.428 dolarów amerykańskich, czyli około 1 miliona dolarów według aktualnych cen. Liczba ta obejmuje „złoto ofiar" zrabowane zarówno żydowskim, jak nie-żydowskim więźniom obozów koncentracyjnych[44].

W grudniu 1999 roku Niezależna Komisja Prominentnych Osób (Volcker) opublikowała swój *Raport o uśpionych rachunkach w bankach szwajcarskich ofiar nazistowskich prześladowań* (Report on Dormant Accounts of Victims of Nazi Persecution in Swiss Banks)[45]. Raport dokumentuje wyniki wyczerpującego, trwającego trzy lata audytu, który kosztował co najmniej 500 milionów dolarów amerykańskich[46]. Najważniejsze ustalenie, dotyczące „traktowania uśpionych rachunków ofiar nazistowskich prześladowań", zasługuje na przytoczenie w całej rozciągłości:

> [D]la ofiar nazistowskich prześladowań nie istnieją dowody systematycznej dezinformacji, utrudniania dostępu, zaboru mienia czy naruszenia wymogów dotyczących archiwizacji dokumentów, przewidzianych prawem szwajcarskim. Raport krytykuje jednak działania niektórych banków, związane z traktowaniem rachunków bankowych ofiar nazistowskich prześladowań. Należy tutaj podkreślić wyraz „niektórych", użyty w zdaniu powyżej, ponieważ krytykowane działania dotyczą głównie tych spośród konkretnych banków, które prowadziły indywidualne rachunki ofiar nazistowskich prześladowań, w kontekście śledztwa przeprowadzonego w 254 bankach, obejmującego okres około 60 lat. W odniesieniu do krytykowanych czynności Raport uznał także istnienie okoliczności łagodzących w postępowaniu banków zaangażowanych w takie działania. Ponadto w Raporcie uznano istnienie obfitych dowodów

---

[44] *Switzerland and Gold Transactions in the Second World War*, IV, 48.

[45] Independent Committee of Eminent Persons, *Report on Dormant Accounts of Victims of Nazi Persecution in Swiss Banks*, Berno 1999 (zwany dalej *Raportem*).

[46] „Zewnętrzny koszt" audytu oszacowano na 200 milionów dolarów amerykańskich. (*Raport*, str. 4, par. 17). Koszty poniesione przez banki szwajcarskie oszacowano na kolejne 300 milionów dolarów. (Szwajcarska Komisja Federalna ds. Bankowości, biuletyn prasowy, 6 grudnia 1999 r.)

potwierdzających, że w wielu wypadkach banki aktywnie poszukiwały zaginionych właścicieli rachunków lub ich spadkobierców, w tym ofiar Holokaustu, oraz wypłacały właściwym osobom salda na uśpionych rachunkach.

W akapicie tym stwierdzono, że „zdaniem Komisji krytykowane działania mają na tyle istotne znaczenie, że wskazane jest udokumentowanie w niniejszym punkcie tego, co potoczyło się niewłaściwie, by umożliwić raczej wyciąganie lekcji z historii, niż powtarzanie błędów przeszłości"[47].

Autorzy Raportu uznali także, że chociaż Komisji nie udało się odnaleźć wszystkich archiwów bankowych z „tego okresu" (lata 1933–1945), to zniszczenie takich archiwów w tajemnicy „byłoby trudne, o ile nie niemożliwe", oraz że „w rzeczywistości nie znaleziono dowodów na systematyczne niszczenie archiwów dotyczących rachunków w celu ukrycia dokonywanych w przeszłości czynności". Raport konkluduje, że procent odzyskanych dokumentów archiwalnych (60%) był „doprawdy nadzwyczajny" i „wyjątkowy", „szczególnie mając na uwadze fakt, że prawo Szwajcarii nie wymaga archiwizowania dokumentów przez okres dłuższy niż 10 lat"[48].

Informacje te należy jednak porównać z zamieszczonym w „New York Times" opisie ustaleń Komisji Volckera. W artykule zatytułowanym *Oszustwa banków szwajcarskich* (The Deceptions of Swiss Banks)[49] „Times" ogłosił, iż Komisja stwierdziła „brak wiążących dowodów", że banki szwajcarskie niewłaściwie postępowały z uśpionymi rachunkami Żydów. W *Raporcie* stwierdzono jednak kategorycznie „brak dowodów". W dalszym tekście „Timesa" stwierdzono, że „zgodnie z ustaleniami Komisji bankom szwajcarskim w jakiś sposób udało się zatrzeć ślady po szokująco dużej liczbie takich rachunków". W *Raporcie* stwierdzono jednak, że Szwajcarzy zachowali w archiwach „doprawdy nadzwyczajną" i „doprawdy wyjątkową" liczbę dokumentów. Na koniec „Times" stwierdził, że według Komisji

---

[47] *Raport*, Aneks 5, p. 81, par. 1 (zob. Część I, str. 13–15, par. 41–49).

[48] *Raport*, Część I, str. 6, par. 22 („brak dowodów"); Część I, str. 6, par. 23 (prawo bankowe i procentowy udział); Aneks 4, str. 58, par. 5 („doprawdy nadzwyczajne") oraz Aneks 5, str. 81, par. 3 („doprawdy wyjątkowe") (zob. Część I, str. 15, par. 47, Część I, str. 17, par. 58, Aneks 7, str. 107, par. 3, 9)

[49] *The Deceptions of Swiss Banks* [w:] „New York Times", 7 grudnia 1999.

„wiele banków w okrutny i oszukańczy sposób oddaliło członków rodzin, starających się o odzyskanie utraconych kwot". W rzeczywistości w *Raporcie* podkreślono, że tylko „niektóre" banki zachowały się niewłaściwie oraz że w takich wypadkach istniały „okoliczności łagodzące", i zaznaczono, że w „wielu wypadkach" banki aktywnie poszukiwały legalnych spadkobierców.

Raport faktycznie oskarża banki szwajcarskie o to, że nie postępowały w sposób „prostolinijny i szczery" w czasie wcześniejszych audytów w sprawie uśpionych rachunków bankowych z czasów Holokaustu. Wydaje się jednak, że niedociągnięcia związane z tymi audytami można złożyć raczej na karb czynników technicznych niż złej woli[50]. W *Raporcie* określono 54.000 rachunków mających „prawdopodobny lub możliwy związek z ofiarami nazistowskich prześladowań". Jednak, zdaniem autorów, jedynie w wypadku połowy tej liczby — 25.000 — prawdopodobieństwo jest na tyle wysokie, by uzasadniało publikację nazw tych rachunków. Obecnie wartość środków zdeponowanych na 10.000 tych rachunków, o których były dostępne informacje, wynosi 170–260 milionów dolarów amerykańskich. Oszacowanie aktualnej wartości pozostałych rachunków okazało się niemożliwe[51]. Łączna wartość rzeczywistych uśpionych rachunków bankowych z ery Holokaustu najprawdopodobniej nie przekroczy kwoty początkowo oszacowanej przez banki szwajcarskie na 32 mi-

---

[50] *Raport*, Aneks 5, str. 81, par. 2. *Raport*, Aneks 5, str. 87–88, par. 27: „Istnieją różne wyjaśnienia istotnych braków w sprawozdaniach z wcześniejszych badań, aczkolwiek niektóre z głównych przyczyn można przypisać stosowaniu przez banki szwajcarskie wąskich definicji uśpionych rachunków: wyłączaniu przez nie rachunków określonego rodzaju z przeszukiwań lub prowadzeniu niedostatecznych badań; odstąpieniu od badania rachunków z saldem poniżej określonego progu lub nieuznawaniu właścicieli rachunków za ofiary nazistowskiej przemocy czy prześladowań, dopóki rodziny nie zgłosiły tego bankowi".

[51] *Raport*, str. 10, par. 30 („możliwe lub prawdopodobne"); str. 20, par. 73–75 (istotne prawdopodobieństwo 25.000 rachunków). *Raport*, Aneks 4, str. 65–67, par. 20–26, oraz str. 72, par. 40–43 (wartości bieżące). Zgodnie z zaleceniami przedstawionymi w *Raporcie*, Szwajcarska Federalna Komisja Bankowa zgodziła się w marcu 2000 roku na publikację 25.000 nazw rachunków (biuletyn prasowy „Swiss Federal Banking Commission Follows Volcker Recommendations", 30 marca 2000 r.).

liony dolarów amerykańskich, i będzie zdecydowanie niższa od przyjętej przez WJC kwoty 7–20 miliardów dolarów. W późniejszym zeznaniu przed Kongresem Volcker zauważył, że liczba rachunków w bankach szwajcarskich, „prawdopodobnie lub możliwie" związanych z ofiarami Holokaustu, była „wielokrotnie wyższa od określonej w wyniku wcześniejszych szwajcarskich śledztw". Następnie Volcker stwierdził jednak: „podkreślam słowa «prawdopodobnie lub możliwie», ponieważ, z wyjątkiem względnie niewielkiej liczby przypadków, po upływie ponad pół wieku nie byliśmy w stanie z pewnością stwierdzić istnienia niezaprzeczalnego związku pomiędzy ofiarami a właścicielami rachunków"[52].

Najbardziej szokujące ustalenia Komisji Volckera nie zostały jednak nagłośnione przez amerykańskie środki masowego przekazu. Komisja zauważyła, że poza Szwajcarią, *także* Stany Zjednoczone zapewniały bezpieczne schronienie dla przelewanych tam środków europejskich Żydów:

> W przewidywaniu wojny i problemów gospodarczych, a także prześladowań Żydów i innych mniejszości przez nazistów przed i w czasie II wojny światowej, wiele osób, w tym ofiary tych prześladowań, przenosiło posiadane kapitały do państw uznanych za bezpieczne (w tym, co istotne, do Stanów Zjednoczonych i Wielkiej Brytanii). [...] Ze względu na granice neutralnej Szwajcarii z państwami Osi i państwami przez nie okupowanymi, banki szwajcarskie i inne szwajcarskie instytucje pośredniczące także były odbiorcami części tych środków.

W istotnym załączniku przedstawiono wykaz „preferowanych miejsc docelowych" przenoszalnych aktywów Żydów europejskich. Jako

---

[52] Przesłuchania przed Komisją Bankowości i Usług Finansowych, Izba Reprezentantów, 9 lutego 2000 roku (cytat z opracowanego zeznania Volckera). Warto porównać to stwierdzenie z zastrzeżeniami Szwajcarskiej Federalnej Komisji Bankowej, że „wszystkie wskazania na temat możliwej wartości bieżącej zidentyfikowanych rachunków w zasadzie opierają się o założenia i projekcje" oraz „jedynie w wypadku około 1200 rachunków [...] znaleziono faktyczne dowody, potwierdzone przez współczesne, krajowe źródła bankowe, że właściciele tych rachunków faktycznie byli ofiarami Holokaustu" (biuletyn prasowy, 6 grudnia 1999 r.).

główne destynacje podano Stany Zjednoczone i Szwajcarię. (Wielka Brytania zajęła „dalekie trzecie" miejsce na tej liście.)[53] Nasuwa się oczywiste pytanie: co się stało z uśpionymi rachunkami bankowymi z ery Holokaustu w bankach *amerykańskich*? Komisja ds. Bankowości Izby Reprezentantów wezwała jednego biegłego do wygłoszenia opinii w tej sprawie. Seymour Rubin, obecnie profesor American University, po II wojnie światowej był zastępcą szefa delegacji USA do negocjacji ze Szwajcarią. W latach pięćdziesiątych ubiegłego stulecia Rubin pracował także z poruczenia organizacji Żydów amerykańskich z „ grupą ekspertów w dziedzinie życia społecznego Żydów w Europie", w celu identyfikacji uśpionych rachunków z ery Holokaustu w bankach amerykańskich. Rubin zeznał przed Izbą Reprezentantów, że po przeprowadzeniu bardzo powierzchownego i podstawowego audytu w zaledwie kilku bankach nowojorskich, wartość tych rachunków oszacowano na 6 milionów dolarów. Organizacje żydowskie wnioskowały, by Kongres przekazał te kwoty na „ocalałych w trudnej sytuacji" (zgodnie z doktryną *ius caducum*, porzucone uśpione rachunki w Stanach Zjednoczonych przechodzą na własność państwa). Rubin następnie przypomniał, że:

[P]oczątkowe szacunki, opiewające na 6 milionów dolarów, zostały odrzucone przez potencjalnych, kongresowych sponsorów niezbędnego ustawodawstwa i w projekcie ustawy podano limit w wysokości 3 milionów dolarów. [...] Następnie limit w wysokości 3 milionów dolarów został ograniczony w toku przesłuchań w Kongresie do 1 miliona. Działania legislacyjne skutkowały dalszym ograniczeniem tej kwoty do 500.000 dolarów. Jednak nawet ta kwota spotkała się ze sprzeciwem Biura Budżetu, które zaproponowało dalsze ograniczenie limitu do 250.000 dolarów. Ustawodawca przyjął jednak limit w wysokości 500.000 dolarów.

Rubin zakończył swoje wystąpienie stwierdzeniem, że „Stany Zjednoczone podjęły jedynie ograniczone działania w celu zidentyfikowania mienia bezspadkowego w Stanach Zjednoczonych oraz udostępniły [...] jedynie 500.000 dolarów w przeciwieństwie do kwoty 32.000.000 dolarów uznanej przez banki szwajcarskie przed śledz-

---

[53] *Raport*, str. 2, par. 8 (zob. str. 23, par. 92); *Raport*, Załącznik S, str. A-134; bardziej szczegółowy podział — zob. A-135nn.

twem Volckera"[54]. Ujmując to innymi słowami, *historia dokonań Stanów Zjednoczonych w tej dziedzinie jest zdecydowanie gorsza od historii dokonań Szwajcarii*. Należy tutaj podkreślić, że poza zdawkową uwagą Eizenstata, nikt nie podniósł kwestii uśpionych rachunków w bankach amerykańskich podczas przesłuchań w Izbie Reprezentantów i przed Senacką Komisją ds. Bankowości dotyczących banków szwajcarskich. Ponadto, chociaż Rubin odgrywa kluczową rolę w wielu wtórnych analizach sprawy banków szwajcarskich, np. Bower poświęcił dziesiątki stron temu „krzyżowcowi z Departamentu Stanu", to w żadnej z nich nie przywołano jego zeznania przed Izbą Reprezentantów. Podczas wystąpienia przed Izbą Reprezentantów Rubin wyraził także „pewien sceptycyzm w odniesieniu do dużych kwot [na uśpionych rachunkach w bankach szwajcarskich], o których jest mowa". Oczywiście szczegółowe informacje Rubina na ten temat także zostały pieczołowicie pominięte.

Czy Kongres podniósł wrzawę na temat „perfidnych" amerykańskich bankierów? Kolejni członkowie Komisji Bankowości Senatu i Izby Reprezentantów wzywali Szwajcarię, by „w końcu zapłaciła". Nikt jednak nie wzywał do tego Stanów Zjednoczonych. W zamian jeden z członków Komisji Bankowości Izby Reprezentantów zapewniał, a przytakiwał mu Bronfman, że „jedynie" Szwajcaria „nie miała odwagi stanąć twarzą w twarz z własną historią"[55]. Nic więc dziwnego, że przemysł Holokaustu nie uruchomił kampanii na rzecz objęcia śledztwem banków amerykańskich. Audyt naszych banków, przeprowadzony w takiej skali jak w Szwajcarii, kosztowałby amerykańskiego podatnika nie miliony, a miliardy dolarów[56]. Do czasu jego

---

[54] Przesłuchania przed Komisją Bankowości i Usług Finansowych, Izba Reprezentantów, 25 czerwca 1997 roku (cytat z opracowanego zeznania Rubina). (Dodatkowe informacje — zob. Seymour J. Rubin i Abba P. Schwartz, *Refugees and Reparations*, „Law and Contemporary Problems" [Duke University School of Law 1951], 286–289.)

[55] Przesłuchania przed Komisją Bankowości i Usług Finansowych, Izba Reprezentantów, 25 czerwca 1997 r.

[56] W „badanym okresie" w latach 1933–1945 ludność Szwajcarii wynosiła 4 miliony, w porównaniu ze 130 milionami obywateli USA. Komisja Volckera zbadała każdy rachunek, otwarty, zamknięty lub uśpiony, w bankach szwajcarskich w tym okresie.

zakończenia amerykańscy Żydzi staraliby się o azyl w Monachium. Odwaga ma swoje granice.

Już pod koniec lat czterdziestych ubiegłego wieku, gdy Stany Zjednoczone naciskały na Szwajcarię, by ujawniła uśpione rachunki żydowskie, Szwajcarzy protestowali, twierdząc, że Amerykanie powinni najpierw zająć się własnymi bankami[57]. W połowie 1997 roku Gubernator Nowego Jorku Pataki ogłosił ustanowienie Stanowej Komisji ds. Odzyskania Aktywów Ofiar Holokaustu (State Commission on the Recovery of Holocaust Victims' Assets), której powierzono zadanie obsługi roszczeń wobec banków szwajcarskich. Nie zrobiło to większego wrażenia na Szwajcarach, którzy stwierdzili, że Komisja byłaby bardziej użyteczna, gdyby zajęła się roszczeniami wobec banków amerykańskich i izraelskich[58]. Bower wspomina, że po wojnie z 1948 roku izraelscy bankierzy faktycznie „odmówili ujawnienia wykazów uśpionych rachunków Żydów", a ostatnio ujawniono, że „w przeciwieństwie do państw europejskich, banki izraelskie i organizacje syjonistyczne opierają się naciskom o ustanowienie niezależnych komisji w celu ustalenia wartości majątku i liczby uśpionych rachunków posiadanych przez ocalałych z Holokaustu, oraz sposobu odnalezienia właścicieli takich środków" („Financial Times"). (Podczas Brytyjskiego Mandatu nad Palestyną europejscy Żydzi kupowali działki i otwierali rachunki bankowe w Palestynie w celu wsparcia syjonistycznych przedsięwzięć lub w ramach przygotowań do przyszłej emigracji.) W październiku 1998 roku WJC i WJRO „zdecydowały o powstrzymaniu się z zasady przed poruszaniem problemu aktywów ofiar Holokaustu w Izraelu, ponieważ sprawa ta leży w gestii rządu Izraela" („Haaretz"). Czyli nakaz urzędowy organizacji żydowskich jest skuteczny wobec Szwajcarii, ale nie wobec państwa żydowskiego. Najbardziej sensacyjne oskarżenie wysunięte wobec banków szwajcarskich dotyczy żądania okazywania świadectw zgonu przez spadkobierców ofiar nazistowskiego holokaustu. Banki izraelskie także domagały się okazywania takich

---

[57] Levin, *Last Deposit*, str. 23; Bower, *Nazi Gold*, str. 256. Bower uznał to żądanie wysunięte przez Szwajcarię za „retorykę, na którą niemożliwe jest udzielenie odpowiedzi". Niemożliwość udzielenia odpowiedzi z pewnością tak, ale co ma do tego retoryka?

[58] Rickman, *Swiss Banks*, str. 194–195.

dokumentów. Trudno jednak doszukać się jakiegokolwiek potępienia „perfidnych Izraelczyków". W celu udowodnienia, że „nie można stawiać moralnego znaku równości pomiędzy bankami w Izraelu i bankami w Szwajcarii", „New York Times" zacytował byłego członka izraelskich władz ustawodawczych: „W najgorszym wypadku mieliśmy tutaj do czynienia z zaniechaniem; w Szwajcarii to było przestępstwo"[59]. Wszelkie komentarze są tutaj zbędne.

W maju 1998 roku Kongres powierzył Prezydenckiej Komisji Doradczej ds. Majątku Holokaustu w Stanach Zjednoczonych zadanie „przeprowadzenia oryginalnych badań nad losem majątku przejętego od ofiar Holokaustu, który wszedł w posiadanie rządu federalnego USA" oraz „doradzanie Prezydentowi w sprawie polityki, jaką należałoby przyjąć w celu restytucji skradzionego mienia jego prawnym właścicielom lub ich spadkobiercom". Zdaniem Prezesa Komisji Bronfmana „prace Komisji wykazały niezbicie, że w Stanach Zjednoczonych jesteśmy gotowi spełniać te same wysokie standardy prawdy na temat majątku Holokaustu, jakich wymagamy od innych narodów". Mimo to prezydencka komisja doradcza z budżetem 6 milionów dolarów raczej różni się od wszechstronnego zewnętrznego audytu całego systemu bankowego innego państwa, przeprowadzonego za 500 milionów dolarów, i obejmującego nieograniczony dostęp do wszystkich dokumentów bankowych[60]. Dla rozproszenia wszelkich wciąż utrzymujących się wątpliwości co do wiodącej roli USA w działaniach ukierunkowanych na restytucję mienia żydowskiego skradzionego w czasie Holokaustu, prezes Komisji Bankowości Izby Reprezentantów James Leach w lutym 2000 roku dumnie ogłosił, że jedno z muzeów w stanie Północna Karolina zwróciło austriackiej rodzinie jeden obraz. „Czyn ten podkreśla poczucie odpowiedzialności

---

[59] Bower, *Nazi Gold*, str. 350–351; Akiva Eldar, *UK: Israel Didn't Hand Over Compensation to Survivors*, „Haaretz", 21 lutego 2000; Judy Dempsey, *Jews Find It Hard to Reclaim Wartime Property In Israel*, „Financial Times", 1 kwietnia 2000; Jack Katzenell, *Israel Has WWII Assets*, „Associated Press", 13 kwietnia 2000; Joel Greenberg, *Hunt for Holocaust Victims' Property Turns in New Direction: Toward Israel*, „New York Times", 15 kwietnia 2000; Akiva Eldar, *People and Politics*, „Haaretz", 27 kwietnia 2000.

[60] Informacja Komisji — zob. *www.pcha.gov* (cytat wypowiedzi Bronfmana z 21 listopada 1999 roku, biuletyn prasowy Komisji).

119

Stanów Zjednoczonych [...] i, jak sądzę, jest to coś, na co ta Komisja powinna kłaść nacisk"[61].

Dla przemysłu Holokaustu sprawa banków szwajcarskich — podobnie jak powojenne cierpienia szwajcarskiego „ocalałego z Holokaustu" Binjamina Wilkomirskiego — była tylko kolejnym dowodem na uporczywą i nieracjonalną nienawiść nie-Żydów do Żydów. Zdaniem Itamara Levina sprawa ta ujawniła ogromny brak wrażliwości nawet „liberalno-demokratycznego państwa europejskiego" wobec ludzi, którzy „nosili blizny fizyczne i emocjonalne po największej zbrodni w historii". W badaniach opublikowanych w kwietniu 1997 przez Uniwersytet w Tel Awiwie stwierdzono „wyraźny wzrost" szwajcarskiego antysemityzmu. Oczywiście ta złowieszcza zmiana nie może mieć nic wspólnego ze sposobem, w jaki przemysł Holokaustu potraktował Szwajcarię. „Żydzi nie tworzą antysemityzmu", stwierdził Bronfman. „To antysemici tworzą antysemityzm"[62].

Materialna rekompensata za Holokaust „jest największym egzaminem moralnym, wobec którego stanęła Europa pod koniec dwudziestego wieku", utrzymywał Itamar Levin. „Będzie to prawdziwy test traktowania narodu żydowskiego przez ten kontynent"[63]. Nic więc dziwnego, że przemysł Holokaustu, zachęcony powodzeniem w obskubywaniu Szwajcarów, szybko rozpoczął „testowanie" reszty Europy. Następnym przystankiem były Niemcy.

Po ugodzie ze Szwajcarią w sierpniu 1998 roku, już we wrześniu przemysł Holokaustu zastosował tę samą zwycięską strategię wobec Niemiec. Te same trzy zespoły prawników — Hausfeld-Weiss, Fagan-Swift oraz Światowa Rada Żydowskich Społeczności Ortodoksyjnych (World Council of Orthodox Jewish Communities) — wniosły grupowe pozwy przeciwko niemieckiemu prywatnemu przemysłowi z żądaniem odszkodowania w kwocie co najmniej 20 miliardów dolarów. W kwietniu 1999 roku Główny Audytor Nowego Jorku Alan G. Hevesi, strasząc zagrożeniem bojkotu ekonomicznego, rozpoczął „monitorowanie" negocjacji. Komisja Bankowości Izby Reprezentan-

---

[61] Przesłuchania przed Komisją Bankowości i Usług Finansowych, Izba Reprezentantów, 9 lutego 2000 r.

[62] Levin, *Last Deposit*, str. 223, 204; *Swiss Defensive About WWII Role*, „Associated Press", 15 marca 2000; „Time", 24 lutego 1997 (Bronfman).

[63] Levin, *Last Deposit*, str. 224.

tów rozpoczęła pierwsze przesłuchania we wrześniu tego samego roku. Kongresmenka Carolyn Maloney oświadczyła, że „upływ czasu nie może być wymówką dla niesprawiedliwego wzbogacenia się" (przynajmniej w wypadku żydowskiej pracy niewolniczej — niewolnictwo Afroamerykanów to przecież zupełnie inna historia), zaś przewodniczący Komisji Leach, czytając ten sam scenariusz, ogłosił, że „w historii nie ma przedawnień". Stuart Eizenstat poinformował Komisję, że niemieckie spółki prowadzące interesy w Stanach Zjednoczonych „cenią sobie swoją reputację [w Stanach] i będą chciały kontynuować takie same cnoty obywatelskie w Stanach Zjednoczonych i Niemczech, jakie zawsze posiadały". Odrzucając dyplomatyczne dusery, Rick Lazio wprost nakazał Komisji, by „skoncentrowała się na prywatnych spółkach niemieckich, a w szczególności tych, które prowadzą działalność w USA"[64]. Dla rozpętania publicznej histerii przeciwko Niemcom, w październiku przemysł Holokaustu wykupił całostronicowe ogłoszenia w amerykańskich dziennikach. Paskudna prawda jednak nie wystarczyła i przemysł Holokaustu wezwał na pomoc wszystkie dostępne siły. W ogłoszeniu potępiającym niemiecką korporację farmaceutyczną Bayer wspomniano Josepha Mengele, mimo całkowitego braku dowodów, jakoby firma Bayer „kierowała" jego morderczymi doświadczeniami. Niemcy szybko uznali, że niszczycielska siła przedsiębiorstwa Holokaust jest nie do odparcia, i do końca roku ustąpili, godząc się na wypłatę znaczących kwot.

Londyński „Times" przypisał tę kapitulację prowadzonej w USA kampanii „Holocash" (Holokasa). W późniejszej wypowiedzi przed Komisją Bankową Izby Reprezentantów Eizenstat oświadczył: „nie osiągnęlibyśmy porozumienia bez osobistego zaangażowania i przywództwa prezydenta Clintona, [...] a także innych wysokiej rangi urzędników rządu USA"[65].

---

[64] Przesłuchania przed Komisją Bankowości i Usług Finansowych, Izba Reprezentantów, 14 września 1999 r.

[65] Yair Sheleg, *Not Even Minimum Wage*, „Haaretz", 6 października 1999; William Drozdiak, *Germans Up Offer to Nazis' Slave Laborers*, „Washington Post", 18 listopada 1999; Burt Herman, *Nazi Labor Talks End Without Pact*, „Forward", 20 listopada 1999; *Bayer's Biggest Headache*, „New York Times", 5 października 1999; Jan Cienski, *Wartime Slave--Labour Survivors' Ads Hit Back*, „National Post", 7 października 1999;

Przemysł Holokaustu twierdził, że Niemcy mają „moralne i legalne zobowiązanie" do wypłacenia Żydom odszkodowań za pracę niewolniczą. „Ofiarom niewolniczej pracy należy się chociaż mała doza sprawiedliwości na tych ostatnich kilka lat życia, jakie im zostały", prosił Eizenstat. Już wcześniej pisałem jednak, że nieprawdą jest, jakoby osoby te nie otrzymały jakiegokolwiek odszkodowania. Praca niewolnicza Żydów była przedmiotem pierwszych porozumień z Niemcami w sprawie odszkodowań dla byłych więźniów obozów koncentracyjnych. Rząd Niemiec wypłacił żydowskim byłym więźniom obozów odszkodowania za „pozbawienie wolności" oraz za „uszczerbek na zdrowiu i zagrożenie życia". Nie wypłacono jedynie odszkodowań za zatrzymane pobory. Wszystkim osobom, które odniosły poważny uszczerbek na zdrowiu, przyznano znaczące dożywotnie renty[66]. Niemcy przyznały także Konferencji ds. Roszczeń Żydowskich kwotę około miliarda dolarów według aktualnych cen dla tych byłych żydowskich więźniów obozów koncentracyjnych, którzy otrzymali minimalne odszkodowania. Jak wykazałem wcześniej, Konferencja ds. Roszczeń naruszyła warunki porozumienia z Niemcami i przeznaczyła te kwoty na różne własne przedsięwzięcia. Komisja wyjaśniła to (nad)użycie funduszy na odszkodowania tym, że „jeszcze przed udostępnieniem niemieckich funduszy [...] zadbano o spełnienie potrzeb większości ofiar nazizmu znajdujących się w trudnej sytuacji"[67]. A jednak jeszcze pół wieku później prze-

---

Edmund L. Andrews, *Germans To Set Up $5.1 Billion Fund For Nazis' Slaves*, „New York Times", 15 grudnia 1999; Edmund L. Andrews, *Germany Accepts $5.1 billion Accord to End Claims of Nazi Slave Workers*, „New York Times", 18 grudnia 1999; Allan Hall, *Slave Labour List Names 255 German Companies*, „The Times" (Londyn) (9 grudnia 1999 r.). Przesłuchania przed Komisją Bankowości i Usług Finansowych, Izba Reprezentantów, 9 lutego 2000 roku (cytat z opracowanego zeznania Eizenstata).

[66] Sagi, *German Reparations*, str. 161. Prawdopodobnie renty takie otrzymała jedna czwarta żydowskich byłych więźniów obozów koncentracyjnych, w tym mój nieżyjący ojciec (były więzień Auschwitz). W rzeczywistości liczba żyjących byłych żydowskich więźniów obozów pracy, podana przez Konferencję ds. Roszczeń w toku negocjacji, obejmowała osoby, które już otrzymywały renty i odszkodowania od Niemiec! (Bundestag, 92. sesja, 15 marca 2000 r.)

[67] Zweig, *German Reparations and the Jewish World*, str. 98; zob. 25.

mysł Holokaustu nadal domagał się pieniędzy dla „ofiar Holokaustu w trudnej w sytuacji", które żyły w biedzie, ponieważ Niemcy jakoby nigdy nie wypłacili im odszkodowań.

Najwyraźniej bardzo trudno jest odpowiedzieć na pytanie, czym właściwie jest „uczciwe" odszkodowanie dla Żydów za pracę niewolniczą. Można jednak powiedzieć: Zgodnie z warunkami nowej ugody, żydowscy byli więźniowie obozów mają otrzymać po około 7500 dolarów. Gdyby Komisja ds. Roszczeń prawidłowo rozdysponowała pieniądze początkowo otrzymane od Niemców, to o wiele więcej żydowskich byłych więźniów obozów otrzymałoby znacznie wcześniej o wiele więcej pieniędzy.

Natomiast nadal pozostaje otwarta kwestia, czy „ofiary Holokaustu w trudnej sytuacji" w ogóle zobaczą jakiekolwiek pieniądze z Niemiec. Komisja ds. Roszczeń zamierza sporą kwotę odłożyć na swój własny „Fundusz Specjalny". Według „Jerusalem Report" Konferencja „miała wiele do zyskania przez upewnienie się, by nic nie trafiło do ocalałych". Michael Kleiner, deputowany do izraelskiego Knessetu (Herut), nazwał Konferencję „Judenratem, wykonującym robotę nazistów na inne sposoby". Kempner oskarżył Konferencję, że jest „nieuczciwą organizacją, działającą w zawodowej tajemnicy i naznaczoną paskudną korupcją publiczną i moralną, organizacją rodem z ciemności, która źle traktuje ocalałych z Holokaustu i ich spadkobierców, podczas gdy sama siedzi na stosie pieniędzy należących do osób prywatnych, ale robi wszystko, aby odziedziczyć [pieniądze] jeszcze za życia tych ludzi"[68]. W tym samym czasie Stuart Eizenstat, zeznając przed Komisją Bankową Izby Reprezentantów, nadal wychwalał „transparentny proces realizowany ponad 40 lat przez Konferencję ds. Roszczeń Żydowskich". Pod względem czystego cynizmu rabin Israel Singer nie miał jednak sobie równych. Poza stanowiskiem Sekretarza Generalnego Światowego Kongresu

---

[68] Conference on Jewish Material Claims Against Germany, *Position Paper — Slave Labor. Proposed Remembrance and Responsibility Fund*, 15 czerwca 1999. Netty C. Gross, *$5.1-Billion Slave Labor Deal Could Yield Little Cash For Jewish Claimants*, „Jerusalem Report", 31 stycznia 2000; Zvi Lavi, *Kleiner (Herut): Germany Claims Conference Has Become Judenrat, Carrying on Nazi Ways*, „Globes", 24 lutego 2000; Yair Sheleg, *MK Kleiner: The Claims Conference Does Not Transfer Indemnifications to Shoah Survivors*, „Haaretz", 24 lutego 2000.

Żydów, Singer piastował także funkcję wiceprzewodniczącego Konferencji ds. Roszczeń i był głównym negocjatorem w rozmowach z RFN o niewolniczej pracy. Po rozliczeniach ze Szwajcarami i Niemcami z niemal pobożną czcią powtarzał przed Komisją Bankową Izby Reprezentantów, że „szkoda byłoby, gdyby pieniądze z odszkodowań za Holokaust trafiły raczej do rąk spadkobierców niż ocalałych". „Nie chcemy, by pieniądze te dostali spadkobiercy. Chcemy, by te pieniądze dostały ofiary". Haaretz podał jednak, że Singer był jednym z głównych zwolenników wykorzystania pieniędzy z odszkodowań dla ofiar Holokaustu na „spełnienie potrzeb całego narodu żydowskiego, a nie tylko tych Żydów, którzy mieli szczęście przetrwać Holokaust i dożyć sędziwego wieku"[69].

Henry Friedlander, szanowany historyk nazistowskiego holokaustu i były więzień Auschwitz, w taki sposób przedstawił w publikacji wydanej przez Muzeum Pamięci Holokaustu w USA swój obraz końca wojny w liczbach:

Gdyby na początku 1945 roku w obozach było 715.000 więźniów, a przynajmniej jedna trzecia z nich — to znaczy około 238.000 — zginęła wiosną 1945 roku, to możemy założyć, że najwyżej 475.000 więźniów mogło przetrwać. Ponieważ jednak Żydzi byli systematycznie mordowani i szansę na przeżycie mieli tylko ci, którzy zostali wybrani do pracy — w Auschwitz było ich 15 procent — to musimy założyć, że Żydzi stanowili nie więcej niż 20 procent populacji obozów koncentracyjnych.

„Możemy więc założyć, że liczba ocalałych Żydów wynosiła najwyżej 100.000" stwierdził. Podana przez Friedlandera liczba Żydów jest jedną z najwyższych takich liczb podanych przez innych uczonych. W innym badaniu Leonard Dinnerstein podał, że „sześćdziesiąt tysięcy Żydów [...] opuściło obozy koncentracyjne. W ciągu tygodnia ponad 20.000 z nich zmarło"[70].

[69] Przesłuchania przed Komisją Bankowości i Usług Finansowych, Izba Reprezentantów, środa, 9 lutego 2000 r. Yair Sheleg, *Staking a Claim to Jewish Claims*, „Haaretz", 31 marca 2000.

[70] Henry Friedlander, „Darkness and Dawn in 1945: The Nazis, the Allies, and the Survivors" w *US Holocaust Memorial Museum, 1945 — The Year of Liberation*, Waszyngton 1995, str. 11–35. Dinnerstein, *America and*

W maju 1999 roku w czasie briefingu w Departamencie Stanu Stuart Eizenstat oszacował łączną liczbę nadal żyjących więźniów, którzy wykonywali niewolniczą pracę, zarówno Żydów, jak nie-Żydów, na „być może 70–90 tysięcy"[71]. Eizenstat był Głównym Wysłannikiem USA na negocjacje z RFN w sprawie niewolniczej pracy i blisko współpracował z Konferencją ds. Roszczeń[72]. Oznaczałoby to, że łączna liczba żyjących byłych żydowskich więźniów obozów koncentracyjnych wynosiła 14.000–18.000 (20 procent z 70–90 tysięcy). Mimo to, po rozpoczęciu negocjacji z RFN przemysł Holokaustu zażądał odszkodowań dla 135 tysięcy nadal żyjących Żydów, byłych więźniów obozów koncentracyjnych. Łączną liczbę nadal żyjących byłych więźniów obozów koncentracyjnych, zarówno Żydów, jak nie--Żydów, oszacowano na 250.000[73]. Ujmując to innymi słowami, liczba żydowskich byłych więźniów obozów koncentracyjnych wzrosła niemal dziesięciokrotnie w okresie od maja 1999 roku, a stosunek liczby żyjących żydowskich byłych więźniów do nie-żydowskich uległ drastycznej zmianie. W rzeczywistości, jeżeli mamy uwierzyć przemysłowi Holokaustu, więcej żydowskich byłych więźniów obozów koncentracyjnych żyje dzisiaj niż pół wieku temu. „Jaką splątaną sieć snujemy", napisał kiedyś Sir Walter Scott, „gdy naszym głównym celem jest wprowadzenie w błąd".

---

the Survivors of the Holocaust, str. 28. Izraelski historyk Shlomo Shafir napisał, że „szacunkowa liczba ocalałych Żydów pod koniec wojny w Europie waha się w przedziale od 50.000 do 70.000" (Ambiguous Relations, str. 384 prz. 1). Podana przez Friedlandera łączna liczba zarówno Żydów, jak nie-Żydów ocalałych z obozów koncentracyjnych stanowi standard; zob. Benjamin Ferencz, Less Than Slaves, Cambridge 1979 — „w obozach wyswobadzanych przez armie aliantów znaleziono około pół miliona żywych lub ledwo żywych osób" (xvii; zob. str. 240 prz. 5).

[71] Stuart Eizenstat, Podsekretarz Stanu ds. Ekonomicznych, Gospodarczych i Rolnych, Główny Wysłannik USA na negocjacje z RFN w sprawie pracy niewolniczej, briefing Departamentu Stanu, 12 maja 1999.

[72] Zob. „uwagi" Eizenstata w czasie zebrania Konferencji ds. Żydowskich Materialnych Roszczeń wobec Niemiec i Austrii (Nowy Jork, 14 lipca 1999 r.).

[73] Toby Axelrod, $5.2 Billion Slave-Labor Deal Only the Start, „Jewish Bulletin" (12 grudnia 1999 r.; cytat z „Jewish Telegraphic Agency").

W miarę jak przemysł Holokaustu gra liczbami w celu zwiększenia swoich roszczeń odszkodowawczych, antysemici ironicznie żartują z „żydowskich kłamców", którzy potrafią nawet swoich zmarłych „naciągać na pieniądze". Żonglując liczbami przemysł Holokaustu nieświadomie oczyszcza nazizm z zarzutów. Wiodący autorytet w dziedzinie nazistowskiego holokaustu, Raul Hilberg, oszacował liczbę zamordowanych Żydów na 5,1 miliona[74]. Jeżeli jednak 135.000 żydowskich byłych więźniów obozów koncentracyjnych nadal żyje, to wojnę musiało przetrwać około 600.000. To co najmniej pół miliona więcej od standardowych szacunków. Następnie należy odjąć pół miliona od 5,1 miliona zamordowanych. W rezultacie nie tylko liczba „6 milionów" staje się niemożliwa do podtrzymania, ale liczby podawane przez przedsiębiorstwo Holokaust nagle zaczynają bardzo przypominać liczby podawane przez negujących Holokaust. Warto przypomnieć, że jeden z nazistowskich przywódców, Heinrich Himmler, w styczniu 1945 roku oszacował łączną liczbę więźniów obozów koncentracyjnych na 700.000, a także że według Friedlandera do maja zamordowano około jedną trzecią tych więźniów. Jeżeli jednak Żydzi stanowili tylko 20 procent ocalałych więźniów obozów koncentracyjnych oraz — jak twierdzi przemysł Holokaustu — 600.000 żydowskich więźniów obozów koncentracyjnych przeżyło wojnę, to łącznie musiałoby przeżyć 3 miliony więźniów. W takim razie, zgodnie z tokiem myślenia przemysłu Holokaustu, warunki w obozach koncentracyjnych nie musiały być wcale tak okrutne; w rzeczywistości należałoby uznać, że charakteryzowały się one wyjątkowym przyrostem naturalnym i bardzo niską śmiertelnością[75].

---

[74] Hilberg, *The Destruction* (1985 r.), v. iii, Załącznik B.

[75] W wywiadzie dla „Die Berliner Zeitung" kwestionuję podaną przez Konferencję ds. Roszczeń liczbę 135.000, cytując Friedlandera. Konferencja ds. Roszczeń uprzejmie stwierdziła w swojej odpowiedzi, że liczbę 135.000 podano w oparciu o „najlepsze i godne najwyższego zaufania źródła, jest więc prawidłowa". Nie podano jednak ani jednego z tych źródeł. (*Die Ausbeutung jüdischen Leidens*, „Berliner Zeitung", str. 29–30 stycznia 2000 r.; *Gegendarstellung der Jewish Claims Conference*, „Berliner Zeitung", 1 lutego 2000 r.). W odpowiedzi na moją krytykę w wywiadzie dla „Der Tagesspiegel", Konferencja ds. Roszczeń utrzymywała, że około 700 tysięcy żydowskich więźniów obozów przeżyło wojnę, 350–400 tysięcy na terytorium Rzeszy i 300 tysięcy więźniów obozów w innych krajach.

Według standardowego oskarżenia Ostateczne Rozwiązanie było wyjątkowo wydajną eksterminacją prowadzoną na wzór taśmy montażowej[76]. Jeżeli jednak zgodnie z twierdzeniami przemysłu Holokaustu setki tysięcy Żydów ocalało z Zagłady, to Ostateczne Rozwiązanie nie mogło być aż tak skuteczne. Proces ten musiał przebiegać w sposób chaotyczny — dokładnie tak, jak sugerowali to negujący Holokaust. *Les extrêmes se touchent.*

W opublikowanym niedawno wywiadzie Raul Hilberg podkreślił, że liczby mają znaczenie w rozumieniu nazistowskiego holokaustu. Podane przez Konferencję ds. Roszczeń dane liczbowe po weryfikacji kwestionują jej własną wiedzę. Według przedstawionego w czasie negocjacji z Niemcami stanowiska Komisji ds. Roszczeń na temat pracy niewolniczej: „praca niewolnicza była jedną z trzech głównych metod, stosowanych przez nazistów do mordowania Żydów — pozostałe to rozstrzeliwanie i gazowanie. Jednym z celów pracy niewolniczej było zapracowywanie ludzi na śmierć. [...] W tym kontekście słowo «niewolnik» jest terminem nieprecyzyjnym. W zasadzie właściciele niewolników są zainteresowani utrzymaniem niewolników przy życiu i dobrym stanie. Naziści przyjęli jednak w stosunku do «niewolników¿ plan wykorzystania ich potencjału pracy i następnie ich eksterminacji". Poza negującymi Holokaust, nikt jeszcze nie zakwestionował, że nazizm skazywał osoby zmuszane do niewolniczej pracy na taki właśnie los. Jak można jednak pogodzić te znane fakty z twierdzeniem, że setki tysięcy Żydów zmuszanych do niewolniczej pracy przeżyło obozy koncentracyjne? Czyżby Komisja ds. Roszczeń przekroczyła granicę pomiędzy straszliwą prawdą o nazistowskim holokauście a negowaniem Holokaustu?[77]

Konferencja ds. Roszczeń mimo nacisków zdecydowanie odmówiła podania źródeł naukowych. Wystarczy jednak powiedzieć, że liczby te w ogóle nie przypominają danych z prac naukowych na ten temat. (Eva Schweitzer, *Entschaedigung für Zwangsarbeiter*, „Tagesspiegel", 6 marca 2000 r.).

[76] Hilberg zauważył, że „nigdy przedtem w historii nie mordowano ludzi w sposób zorganizowany na wzór taśmy fabrycznej". (*Destruction*, v. iii, 863). Klasyczny opis tego tematu można przeczytać w książce Zygmunta Baumana pt. *Nowoczesność i Zagłada*.

[77] Guttenplan, „Holocaust on Trial". (Hilberg) Konferencja ds. Materialnych Roszczeń Żydowskich wobec Niemiec, „Position Paper — Slave Labor", 15 czerwca 1999 r.

W całostronicowej reklamie zamieszczonej w „New York Times" luminarze przemysłu Holokaustu, tacy jak Elie Wiesel, rabin Marvin Hier i Steven T. Katz, potępili „negowanie Holokaustu przez Syrię". W tekście napiętnowano artykuł wstępny zamieszczony w syryjskiej gazecie rządowej, w którym stwierdzono, że Izrael „wymyśla historie o Holokauście" w celu „otrzymania większych kwot od Niemiec i innych zachodnich instytucji". Z przykrością należy przyznać, że syryjskie zarzuty były uzasadnione. Ironią losu jest jednak fakt, który umknął zarówno rządowi Syrii, jak zleceniodawcom tej reklamy, że już same historie o setkach tysięcy ocalałych stanowią formę negacji Holokaustu[78].

Przetrząsanie kieszeni Szwajcarów i Niemców było jednak tylko wstępem do wielkiego finału, jakim jest ograbienie Europy Wschodniej. Wraz z upadkiem bloku sowieckiego w dawnej ojczyźnie europejskich Żydów pojawiły się kuszące możliwości. Ukryty pod świątobliwą maską „ofiar Holokaustu w trudnej sytuacji", przemysł Holokaustu zaczął wymuszać miliony dolarów od tych już i tak ubo-

---

[78] *We condemn Syria's denial of the Holocaust*, „New York Times", 9 lutego 2000. W celu udokumentowania „nasilającego się antysemityzmu" w Europie David Harris z AJC podkreślił względnie silne wsparcie respondentów sondażu dla oświadczenia, że „Żydzi wykorzystują dla własnych celów pamięć o nazistowskiej eksterminacji Żydów". Harris powołał się także na „skrajnie negatywny sposób, w jaki niektóre niemieckie czasopisma opisywały Konferencję ds. Roszczeń Żydowskich [...] podczas niedawnych negocjacji w sprawie odszkodowań za pracę przymusową i niewolniczą. W licznych artykułach przypisywano Konferencji ds. Roszczeń oraz większości żydowskich prawników chciwość i egoizm, po czym rozpoczęła się dziwaczna dyskusja w mainstreamowych gazetach o tym, czy liczba ocalałych Żydów jest faktycznie tak wysoka, jak podaje Konferencja ds. Roszczeń". (Przesłuchania przed Komisją Spraw Zagranicznych, Senat Stanów Zjednoczonych, 5 kwietnia 2000 r.). W rzeczywistości stwierdziłem, że podniesienie tej sprawy w Niemczech jest prawie niemożliwe. Mimo ostatecznego przełamania tabu przez liberalny dziennik niemiecki „Die Berliner Zeitung", odwaga, jaką wykazali się jego redaktor naczelny Martin Sueskind oraz korespondent USA Stefan Elfenbein, odbiła się jedynie słabym echem w niemieckich środkach masowego przekazu, w głównej mierze ze względu na groźby prawne i moralny szantaż Konferencji ds. Żydów oraz ogólną niemiecką niechęć do otwartego krytykowania Żydów.

gich państw. Zuchwałe i bezwzględne dążenie do tego celu uczyniło z przemysłu Holokaustu głównego siewcę antysemityzmu w Europie. Przemysł Holokaustu postawił się w roli jedynego legalnego pretendenta do całego komunalnego i prywatnego majątku ludzi, którzy stracili życie podczas nazistowskiego holokaustu. Edgar Bronfman poinformował Komisję Bankowości Izby Reprezentantów o uzgodnieniach „z rządem Izraela, że mienie bezspadkowe zostanie przekazane Światowej Organizacji ds. Restytucji Minia Żydowskiego (World Jewish Restitution Organization)". Na podstawie tego „mandatu" przemysł Holokaustu wezwał państwa byłego bloku sowieckiego do zwrotu całego przedwojennego majątku lub wypłacenia rekompensaty finansowej[79]. Jednak w przeciwieństwie do roszczeń wobec Szwajcarii i Niemiec, żądania te są przedkładane bez poprzedniego nagłośnienia. Opinia publiczna, która do tej pory raczej nie sprzeciwiała się szantażowaniu szwajcarskich bankierów czy niemieckich przemysłowców, może okazać się mniej tolerancyjna wobec szantażowania głodujących polskich wieśniaków. Żydzi, którzy stracili członków rodziny podczas nazistowskiego holokaustu, także mogą niezbyt przychylnie patrzeć na machinacje WJRO. Przypisywanie sobie statusu prawnego spadkobiercy ofiar w celu przejęcia ich majątków można łatwo pomylić z okradaniem grobów. Z drugiej jednak strony, mobilizacja opinii publicznej wcale nie jest przemysłowi Holokaustu potrzebna. Przy wsparciu amerykańskich urzędników najwyższego szczebla mogą z łatwością przełamać słaby opór już bardzo osłabionych narodów.

Stuart Eizenstat oświadczył przed komisją Izby Reprezentantów, że „istotne znaczenie ma uznanie, że nasze działania, ukierunkowane na restytucję mienia komunalnego, mają integralne znaczenie dla odrodzenia i odnowy życia żydowskiego" w Europie Wschodniej. W celu rzekomego „promowania odbudowy" życia żydowskiego w Polsce Światowa Organizacja ds. Restytucji Mienia Żydowskiego żąda przekazania prawa własności do ponad 6 tysięcy przedwojennych żydowskich nieruchomości komunalnych, także tych, w których

---

[79] Przesłuchania przed Komisją Bankowości i Usług Finansowych, Izba Reprezentantów, 6 sierpnia 1998 r. J.D. Bindenagel (red.), *Proceedings, Washington Conference on Holocaust-Era Assets: 30 listopada — 3 grudnia 1998*, US Government Printing Office, Waszyngton, str. 687, 700–701, 706.

obecnie działają szpitale i szkoły. Przed wojną w Polsce mieszkało 3,5 miliona Żydów; obecnie ich liczba wynosi kilka tysięcy. Czy służenie żydowskiej społeczności naprawdę wymaga, by na każdego polskiego Żyda przypadała jedna synagoga lub szkoła? Organizacja rości sobie także prawo do setek tysięcy działek polskiej ziemi, wycenionych na dziesiątki tysięcy miliardów dolarów. „Polscy urzędnicy obawiają się, że żądania takie mogłyby spowodować bankructwo całego narodu", czytamy w „Jewish Week". Gdy polski Sejm w celu uniknięcia utraty płynności zaproponował przyjęcie limitów dla odszkodowań, Elan Steinberg z WJC potępił tę ustawę jako „fundamentalnie antyamerykańską"[80].

Przykręcając śrubę Polsce adwokaci przemysłu Holokaustu złożyli pozew zbiorowy na ręce sędziego Kormana o odszkodowania dla „starzejących się i umierających ocalałych z Holokaustu". Powojenne rządy Polski zostały oskarżone o „prowadzenie w ciągu ostatnich pięćdziesięciu czterech lat" wobec Żydów ludobójczej „polityki wypędzania i wymierania". Rada Miejska Nowego Jorku z ochotą i jednomyślnie przyjęła uchwałę wzywającą Polskę do „przyjęcia wszechstronnego ustawodawstwa zapewniającego pełną restytucję majątku Holokaustu", a 57 członków Kongresu (pod przewodnictwem kongresmena Anthony Weinera z Nowego Jorku) skierowało do Sejmu pismo, w którym domagali się „wszechstronnego ustawodawstwa, które skutkowałoby zwrotem 100% całego majątku i aktywów przejętych podczas Holokaustu". „Ponieważ ludzie każdego dnia stają się starsi, kończy się czas na zadośćuczynienie dla skrzywdzonych", głosiło pismo[81].

---

[80] Przesłuchania przed Komisją Spraw Zagranicznych, Izba Reprezentantów, 6 sierpnia 1998 roku. Binenagel, *Washington Conference on Holocaust Era Assets*, str. 433. Joan Gralia, *Poland Tries to Get Holocaust Lawsuit Dismissed*, „Reuters", 23 grudnia 1999; Eric J. Greenberg, *Polish Restitution Plan Slammed*, „Jewish Week", 14 stycznia 2000; *Poland Limits WWII Compensation Plan*, „Newsday", 6 stycznia 2000.

[81] *Theo Garb et. al. v. Republic of Poland* (Sąd Okręgowy Stanów Zjednoczonych, Wschodni Dystrykt Nowego Jorku, 18 czerwca 1999 r.). (Pozew zbiorowy został wniesiony przez Edwarda E. Kleina i Mela Urbacha, zasłużonego uczestnika rozliczeń ze Szwajcarią i RFN. „Zmienione roszczenie" złożone 2 marca 2000 roku z udziałem wielu więcej prawników pomija niektóre z bardziej egzotycznych oskarżeń wobec powojennych polskich

Zeznając przed Komisją Bankowości Senatu, Stuart Eizenstat potępił powolne tempo eksmisji w Europie Wschodniej: „W związku ze zwrotem majątków pojawiło się wiele różnych problemów. W niektórych krajach na przykład, gdy osoby lub gminy podejmowały próby odzyskania nieruchomości, zwracano się do nich z prośbą, a czasem z żądaniem [...] umożliwienia obecnym najemcom pozostania na dłuższy czas i płacenia regulowanych czynszów"[82]. Eizenstata szczególnie oburzyło stanowisko przyjęte przez Białoruś. Białoruś pozostaje „bardzo, bardzo daleko" od przekazania przedwojennych nieruchomości żydowskich, poinformował Komisję Spraw Zagranicznych Izby Reprezentantów[83]. Średni miesięczny dochód na mieszkańca wynosi na Białorusi 100 dolarów.

W celu zmuszenia krnąbrnych rządów do ustępstw przemysł Holokaustu wymachuje pałką sankcji amerykańskich. Eizenstat wezwał Kongres do nadania odszkodowaniom za Holokaust wyższej rangi, przesunięcia go na wysokie miejsce na liście wymagań wobec tych państw Europy Wschodniej, które starają się o przyjęcie do OECD, WTO, Unii Europejskiej, NATO i Rady Europy: „Jeżeli wy przemówicie, to będą was słuchać... Zrozumieją, o co chodzi". Israel Singer z WJC wezwał Kongres do „ciągłego śledzenia listy zakupów" w celu „sprawdzania" czy każde z tych państw zapłaciło, co powinno. Kongresman Benjamin Gilman z Komisji Spraw Zagranicznych Izby Reprezentantów oświadczył, że „niezmiernie istotne jest, by państwa zaangażowane w tę kwestię rozumiały, że ich reakcja [...] jest jednym z kilku standardów, na podstawie których Stany Zjednoczone oceniają swoje stosunki bilateralne". Avraham Hirschson, przewodniczący Komisji ds. Restytucji izraelskiego Knessetu i przedstawiciel Izraela

---

rządów.) *Dear Leads NYC Council in Call to Polish Government to Make Restitution to Victims of Holocaust Era Property Seizure*, „News From Council Member Noach Dear", 29 listopada 1999. (Cytat pochodzi z faktycznej uchwały nr 1072 przyjętej 23 listopada 1999 r.) „[Anthony D.] Weiner Urges Polish Government To Repatriate Holocaust Claims", Izba Reprezentantów USA (biuletyn prasowy, 14 października 1999 r.). (Cytaty z biuletynu prasowego i faktycznego pisma z 13 października 1999 r.)

[82] Przesłuchania przed Komisją Bankowości, Mieszkalnictwa i Urbanistyki, Senat USA, 23 kwietnia 1996 r.

[83] Przesłuchania przed Komisją Spraw Zagranicznych Izby Reprezentantów, 6 sierpnia 1998 r.

w Światowej Organizacji Restytucji Mienia Żydowskiego, złożył hołd współudziałowi Kongresu w tej aferze. Wspominając swoje „kłótnie" z premierem Rumunii, Hirschson opowiadał, że „w połowie kłótni poprosiłem o jedną uwagę i to natychmiast zmieniło atmosferę. Powiedziałem mu, wiecie, że za dwa dni wezmę udział w przesłuchaniach tutaj w Kongresie. Co chcecie, żebym powiedział im w czasie tego przesłuchania? Atmosfera natychmiast uległa zmianie". Światowy Kongres Żydów „stworzył cały przemysł Holokaustu", ostrzega prawnik ofiar, i ponosi „winę za promowanie [...] bardzo nieprzyjemnego odradzania się antysemityzmu w Europie"[84].

„Gdyby nie Stany Zjednoczone Ameryki", trafnie zauważył Eizenstat w swoim peanie skierowanym do Kongresu, „dzisiaj miałyby miejsce tylko nieliczne działania, o ile w ogóle jakiekolwiek". Dla uzasadnienia nacisków wywieranych na Europę Wschodnią wyjaśnił, że probierzem zachodniej moralności jest „zwrot lub wypłata odszkodowań za bezprawnie przejęte majątki osób prywatnych i gmin". Dla „nowych demokracji" w Europie Wschodniej spełnienie tej normy „byłoby równoznaczne z ich przekształceniem się z państw totalitarnych w demokratyczne". Eizenstat jest wysokiej rangi funkcjonariuszem rządu USA i prominentnym zwolennikiem Izraela. Mając jednak na uwadze podobne roszczenia wysuwane przez rdzennych Amerykanów i Palestyńczyków, przekształcenie takie nie przypadło w udziale ani USA, ani Izraelowi[85].

W swoim zeznaniu przed Izbą Reprezentantów Hirschson odegrał melancholijną scenę, w której starzejące się „ofiary Holokaustu w trudnej sytuacji" z Polski „codziennie przychodzą do mojego biura w Knessecie [...] błagając o zwrot tego, co do nich należy, [...] o zwrot domów, które zostawili, o zwrot sklepów, które tam zostały". Jednocześnie przemysł Holokaustu przystępuje do bitwy na drugim froncie. Lokalne gminy żydowskie z Europy Wschodniej odrzucają

---

[84] Przesłuchania przed Komisją Spraw Zagranicznych Izby Reprezentantów, 6 sierpnia 1998 r. Isabel Vincent, *Who Will Reap the Nazi-Era Reparations?*, „National Post", 20 lutego 1999.

[85] Przesłuchania przed Komisją Spraw Zagranicznych, Izba Reprezentantów, 6 sierpnia 1998 r. Aktualnie honorowy wiceprzewodniczący Amerykańskiej Komisji Żydowskiej, Eizenstat był pierwszym prezesem Instytutu Stosunków Żydowsko-Amerykańskich AJC.

pokrętny mandat Światowej Organizacji ds. Restytucji Mienia Żydowskiego i występują z własnymi roszczeniami do bezspadkowego mienia żydowskiego. Uprawnienia do składania takich roszczeń mają jednak wyłącznie Żydzi należący do lokalnych gmin żydowskich. Oczekiwane odrodzenie żydowskiego życia będzie więc polegać na powoływaniu się przez europejskich Żydów na ich świeżo odkryte korzenie w celu dobrania się do łupów po ofiarach Holokaustu[86].

Przemysł Holokaustu jest dumny z przeznaczania odszkodowań na cele żydowskiej dobroczynności. „O ile dobroczynność jest szlachetnym celem, to przeznaczanie na dobroczynność cudzych pieniędzy jest niewłaściwe", zauważył jeden z prawników reprezentujących prawdziwe ofiary. Jednym z ulubionych celów jest „edukacja o Holokauście", według Eizenstata „najważniejsza spuścizna po naszych wysiłkach". Hirschson jest także założycielem organizacji zwanej „Marsz Żywych", która stanowi centralny temat edukacji o Holokauście i jest głównym beneficjentem pieniędzy z odszkodowań. W tym inspirowanym przez syjonizm spektaklu z wielotysięczną obsadą, żydowska młodzież z całego świata zbiera się w obozach śmierci w Polsce, gdzie otrzymuje z pierwszej ręki instrukcje na temat niegodziwości nie-Żydów, by następnie odlecieć do Izraela po zbawienie. „Jerusalem Report" zauważył ten element kiczowatości w czasie Marszu: „«Bardzo się boję, nie mogę iść dalej, chcę już być w Izraelu», powtarzała raz za razem młoda kobieta z Connecticut. Cała dygotała. [...] Nagle jej przyjaciel wyciągnął dużą flagę Izraela. Kobieta owinęła się flagą i oboje poszli dalej". Flaga Izraela: nie wychodź bez niej z domu[87].

Przedstawiciel AJC, David Harris, w swoim przemówieniu w czasie waszyngtońskiej Konferencji o Majątku z Ery Holokaustu wygłaszał peany na cześć „przemożnego wpływu" pielgrzymek do na-

---

[86] Przesłuchania przed Komisją Spraw Zagranicznych Izby Reprezentantów, 6 sierpnia 1998 r. Marilyn Henry, *Whose Claim Is It Anyway?*, „Jerusalem Post", 4 lipca 1997; Bindenagel, *Washington Conference on Holocaust-Era Assets*, str. 705. Artykuł wstępny, *Jewish Property Belongs to Jews*, „Haaretz", 26 października 1999.

[87] Sergio Karas, *Unsettled Accounts*, „Globe and Mail", 1 września 1998; Stuart Eizenstat, *„Remarks"*, Coroczne zebranie Konferencji ds. Materialnych Roszczeń Żydowskich wobec Niemiec i Austrii (Nowy Jork, 14 lipca 1999 r.). Tom Sawicki, *6000 Witnesses*, „Jerusalem Report" (5 maja 1994).

zistowskich obozów śmierci na żydowską młodzież. „The Forward" zamieścił notatkę opisującą ze szczególnym patosem pewien epizod. W artykule zatytułowanym „Izraelskie nastolatki figlują ze striptizerkami po wizycie w Auschwitz" (Israeli Teens Frolic With Strippers After Auschwitz Visit) gazeta wyjaśniła, że uczniowie z kibucu „zatrudnili striptizerki w celu rozładowania przykrych emocji, jakie wywołała ta wycieczka". Podobne tortury ewidentnie tak wstrząsnęły żydowskimi uczniami w czasie wycieczki szkolnej do amerykańskiego Muzeum Pamięci Holokaustu, że — według „Forward" — „biegali po całym obiekcie i doskonale się bawili, obmacując się i tak dalej"[88]. Czy można więc wątpić w mądrość decyzji przemysłu Holokaustu, by przeznaczyć pieniądze z odszkodowań raczej na edukację o Holokauście, niż pozwolić na „roztrwonienie funduszy" (Nahum Goldmann) na ocalałych z nazistowskich obozów śmierci?[89]

W styczniu 2000 r. przedstawiciele niemal pięćdziesięciu państw, w tym premier Izraela Yehud Barak, wzięli udział w ważnej konferencji na temat edukacji o Holcauście w Sztokholmie. W deklaracji końcowej konferencji podkreślono „solenną odpowiedzialność" społeczności międzynarodowej za walkę ze złem ludobójstwa, czystek etnicznych, rasizmu i ksenofobii. Po konferencji szwedzki dziennikarz zapytał Baraka o uchodźców palestyńskich. Barak odpowiedział, że z zasady jest przeciwny przybyciu nawet jednego uchodźcy do Izra-

---

[88] Bindenagel, *Washington Conference on Holocaust-Era Assets*, str. 146. Michael Arnold, *Israeli Teens Frolic With Strippers After Auschwitz Visit*, „Forward", 26 listopada 1999. Kongresmenka z Manhattanu Carolyn Maloney dumnie poinformowała Komisję Bankowości Izby Reprezentantów o wprowadzonej przez nią ustawie o edukacji o Holokauście, która „zapewnia granty udzielane przez Departament Edukacji organizacjom Holokaustu na szkolenie nauczycieli i zapewnienie szkołom i gminom materiałów dla wsparcia edukacji o Holokauście". Jako przedstawicielka miasta, którego system szkolnictwa cierpi na stałe niedobory nauczycieli i podręczników, Maloney mogła przyjąć inne priorytety dla, i bez tego niewielkich, funduszy Departamentu Edukacji. (Przesłuchania przed Komisją Bankowości i Usług Finansowych, Izba Reprezentantów, środa, 9 lutego 2000 r.)

[89] Zweig, *German Reparations and the Jewish World*, str. 118. Goldmann był założycielem Światowego Kongresu Żydów i pierwszym przewodniczącym Konferencji ds. Roszczeń.

ela: „Nie możemy przyjąć odpowiedzialności moralnej, prawnej ani żadnej innej za uchodźców". Najwyraźniej konferencja zakończyła się ogromnym sukcesem[90].

Oficjalny *Przewodnik po Odszkodowaniach i Restytucji na Rzecz Ocalałych z Holokaustu* (Guide to Compensation and Restitution for Holocaust Survivors) Konferencji ds. Żydowskich Roszczeń wymienia dziesiątki stowarzyszonych organizacji. Powstała ogromna i dobrze ukorzeniona biurokracja. Pod lufą przemysłu Holokaustu znalazły się spółki ubezpieczeniowe, banki, muzea sztuki, prywatny przemysł, najemcy i rolnicy w niemal każdym państwie europejskim. Ale zdaniem „ofiar Holokaustu w trudnej sytuacji" przemysł Holokaustu, w których imieniu działa, „jedynie kontynuuje wywłaszczenia". Wiele ofiar Holokaustu złożyło pozwy przeciwko Konferencji ds. Roszczeń. Holokaust może jeszcze okazać się „największym rabunkiem w historii ludzkości"[91].

Historyk Ilan Pappé opisywał, jak na początku powojennych negocjacji między Izraelem a Niemcami w sprawie reparacji minister spraw zagranicznych Moshe Sharett zaproponował przeniesienie części palestyńskich uchodźców „w celu naprawienia tego, co nazwano małą niesprawiedliwością (tragedii Palestyńczyków) spowodowaną straszniejszą niesprawiedliwością (Holokaustem)"[92]. Nic z tej propozycji nie wynikło. Pewien prominentny izraelski uczony

---

[90] Marilyn Henry, *International Holocaust Education Conference Begins*, „Jerusalem Post", 26 stycznia 2000. Marilyn Henry, *PM: We Have No Moral Obligation to Refugees*, „Jerusalem Post", 27 stycznia 2000. Marilyn Henry, *Holocaust 'Must Be Seared in Collective Memory'*, „Jerusalem Post", 30 stycznia 2000.

[91] Konferencja ds. Roszczeń, *Guide to Compensation and Restitution of Holocaust Survivors*, Nowy Jork (b.d.); Vincent, *Hitler's Silent Partners*, str. 302 („wywłaszczenie"), zob. s. 308–309; Ralf Eibl, *Die Jewish Claims Conference ringt um ihren Leumund. Nachkommen jüdischer Sklaven...* [w:] „Die Welt", 8 marca 2000 (pozwy). Przemysł odszkodowań za Holokaust jest w Stanach Zjednoczonych tematem tabu. Na przykład strona internetowa H-Holocaust (*www2.h-net.msu.edu*) nie pozwala na krytyczne posty, nawet jeżeli są w pełni udokumentowane (osobista korespondencja z członkiem zarządu Richardem S. Levy, 19–21 listopada 1999 r.).

[92] Ilan Pappé, *The Making of the Arab-Israeli Conflict, 1947–1951*, Londyn 1992, str. 268.

zasugerował wykorzystanie części funduszy uzyskanych od banków szwajcarskich i niemieckich przedsiębiorstw na wypłacenie „zadość-uczynienia palestyńskim uchodźcom arabskim"[93]. Mając na uwadze fakt, że niemal wszystkie osoby ocalałe z nazistowskiego holokaustu już nie żyją, wydaje się, że jest to rozsądna propozycja.

Działając w stylu typowym dla WJC, 13 marca 2000 roku Israel Singer dokonał „zdumiewającego obwieszczenia", że zgodnie z treścią dokumentów niedawno odtajnionych przez USA, w posiadaniu Austrii znajdował się bezspadkowy majątek żydowski warty dodatkowych 10 miliardów dolarów. Singer ogłosił także, że „pięćdziesiąt procent wszystkich dzieł sztuki w Ameryce to zrabowane mienie żydowskie"[94]. Przemysł Holokaustu najwyraźniej do końca zwariował.

---

[93] Clinton Bailey, *Holocaust Funds to Palestinians May Meet Some Cost of Compensation*, „International Herald Tribune"; przedruk w „Jordan Times", 20 czerwca 1999.

[94] Elli Wohlgelernter, *WJC: Austria Holding $10b. In Holocaust Victims' Assets*, „Jerusalem Post", 14 marca 2000. W swoim kolejnym oświadczeniu przed Kongresem Singer podkreślił zarzuty wobec Austrii, aczkolwiek w typowy sposób dyskretnie milczał na temat oskarżeń w stosunku do USA. (Przesłuchania przed Komisją Spraw Zagranicznych Senatu Stanów Zjednoczonych, czwartek, 6 kwietnia 2000 r.)

ZAKOŃCZENIE

N a zakończenie należałoby zastanowić się nad wpływem Holokaustu na Stany Zjednoczone. Chciałbym przy tym odnieść się do krytycznych uwag Petera Novicka na ten temat. Poza memoriałami na temat Holokaustu, aż siedemnaście stanów przyjęło lub zaleca przyjęcie w szkołach programów o Holokauście, a liczne college'e i uniwersytety posiadają katedry prowadzące badania nad Holokaustem. „New York Times" niemal co tydzień publikuje duże artykuły na temat Zagłady. Liczbę badań naukowych poświęconych nazistowskiemu Ostatecznemu Rozwiązaniu szacuje się na ponad 10 tysięcy. Porównajmy to z badaniami naukowymi nad hekatombą w Kongo. W okresie od 1891 do 1911 roku około 10 milionów Afrykanów straciło życie w czasie europejskiej eksploatacji kongijskich zasobów kości słoniowej i kauczuku. Pierwszą i dotychczas jedyną pracę naukową w języku angielskim na ten temat opublikowano jednak dopiero dwa lata temu[1].

Mając na uwadze ogromną liczbę instytucji i naukowców zaangażowanych w zachowanie pamięci o Holokauście, temat ten stał się w Stanach Zjednoczonych stałym elementem życia. Novick ma jednak poważne wątpliwości, czy jest to pozytywne zjawisko. W pierwszej kolejności powołuje się na liczne wypadki czystej wulgaryzacji Zagłady. Rzeczywiście, trudno byłoby wymienić nazwę chociaż jednej kampanii politycznej, czy to w dziedzinie pro-life czy pro-choice, praw zwierząt czy praw państw, która nie powoływałaby się na Holokaust. Potępiając kiczowate cele, do których wykorzystywany jest Holokaust, Elie Wiesel oświadczył: „przysięgam unikać [...] wulgarnych spektakli"[2]. Novick pisze jednak, że „najbardziej pomysłowa i subtelna fotograficzna ustawka z Holokaustem w tle miała miejsce w 1996 roku, gdy Hillary Clinton, wówczas poddana ostrej krytyce ze względu na zarzuty popełnienia poważnych naruszeń, pojawiła się

---

[1] Adam Hochschild, *King Leopold's Ghost*, Boston 1998.

[2] Wiesel, *Against Silence*, v. iii, 190; patrz v. i, 186, v. ii, 82, v. iii, 242, oraz Wiesel, *And the Sea*, str. 18.

w galerii Izby Reprezentantów w towarzystwie córki Chelsea i Elie Wiesela, podczas gdy jej mąż wygłaszał (nadawane przez wszystkie stacje telewizyjne) orędzie o stanie narodu"[3]. Według Hillary Clinton uchodźcy z Kosowa, zmuszeni przez Serbię do ucieczki podczas bombardowań przez siły NATO, przywołali w jej pamięci sceny z Holokaustu przedstawione w filmie „Lista Schindlera". „Ludzie, którzy uczą się historii z filmów Spielberga, nie powinni nas pouczać, jak mamy żyć", skomentował to cierpko pewien serbski dysydent[4].

Novick argumentuje dalej, że „pretensje, jakoby Holokaust był amerykańskim wspomnieniem", są niczym innym jak moralnym unikiem, który „prowadzi do wykręcania się z obowiązków, które *naprawdę* spoczywają na Amerykanach w miarę ich konfrontacji z własną przeszłością, teraźniejszością i przyszłością" (nacisk jak w oryginale)[5]. Uwaga Novicka ma o tyle istotne znaczenie, że o wiele łatwiej jest potępiać zbrodnie popełniane przez innych niż zbrodnie własne. Jest też prawdą, że przy odrobinie woli moglibyśmy wiele się nauczyć z doświadczenia z nazizmem. „Objawione Przeznaczenie" (Manifest Destiny) zawierało niemal wszystkie programowe i ideologiczne elementy hitlerowskiej polityki „Lebensraumu". W rzeczywistości Hitler wzorował swoją politykę podboju Wschodu na amerykańskim podboju Dzikiego Zachodu[6]. Podczas pierwszej połowy XX wieku większość stanów USA wprowadziło ustawy o sterylizacji, na mocy których dziesiątki tysięcy Amerykanów zostało przymusowo wysterylizowanych. Naziści w szczególności odwoływali się do precedensu amerykańskiego, gdy wprowadzali w życie swoje ustawy sterylizacyjne[7]. Niesławne Ustawy Norymberskie z 1935 roku pozbawiły Żydów praw wyborczych i zakazały osobom pochodzenia żydowskiego posiadania potomstwa z nie-Żydami. Takie same ograniczenia praw dotknęły Afroamerykanów z południowych stanów USA, którzy padali także ofiarą znacznie większej spontanicznej

3 Novick, *The Holocaust*, str. 230–231.

4 „New York Times", 25 maja 1999.

5 Novick, *The Holocaust*, str. 15.

6 John Toland, *Adolf Hitler*, Nowy Jork 1976, str. 702. Joachim Fest, *Hitler*, Nowy Jork 1975, str. 214, 650. Zob. także Finkelstein, *Image and Reality*, rozdz. 4.

7 Zob. np. Stefan Kühl, *The Nazi Connection*, Oksford 1994.

i usankcjonowanej przemocy społecznej niż Żydzi w przedwojennych Niemczech[8].

Stany Zjednoczone często przywołują wspomnienia z Holokaustu dla podkreślenia zbrodni popełnianych za granicą. Najbardziej odkrywcza jest jednak kwestia, *kiedy* Stany Zjednoczone powołują się na Holokaust. Zbrodnie oficjalnych wrogów, takich jak Czerwoni Khmerowie w Kambodży, sowiecka inwazja w Afganistanie, iracka napaść na Kuwejt czy serbskie czystki etniczne w Kosowie, przypominają Holokaust; zbrodnie, w które zamieszane są Stany Zjednoczone, Holokaustu jednak nie przypominają.

W czasie, gdy Czerwoni Khmerowie popełniali swoje zbrodnie w Kambodży, wpierany przez USA rząd Indonezji wymordował jedną trzecią ludności Timoru Wschodniego. Jednak w przeciwieństwie do Kambodży, ludobójstwo w Timorze Wschodnim nie zasługiwało na porównanie do Holokaustu, co gorsza, nie zasługiwało nawet na artykuły w mediach[9]. Gdy Związek Radziecki dokonywał w Afganistanie czynów, które Centrum Szymona Wiesenthala nazwało „kolejnym ludobójstwem", Stany Zjednoczone popierały reżim w Gwatemali, który popełniał — jak nazwała to ostatnio Gwatemalska Komisja Prawdy — „ludobójstwo na rdzennej ludności Majów". Prezydent Reagan odrzucił zarzuty przeciwko rządowi Gwatemali jako fałszywe oskarżenia. Dla uhonorowania osiągnięć Jeane Kirkpatrick

---

[8] Zob. np. Leon F. Litwack, *Trouble in Mind*, Nowy Jork 1998, szczególnie rozdziały 5–6. Wychwalane tradycje zachodnie także ponoszą winę za pojawienia się nazizmu. W celu uzasadnienia eksterminacji osób upośledzonych, zwiastującej Ostateczne Rozwiązanie, nazistowscy lekarze wykorzystali koncepcję „życia nie zasługującego na życie" (*lebensunwertes Leben*). W utworze *Gorgiasz* Platon napisał, że nie warto jest żyć, jeżeli ciało jest w strasznym stanie. W *Republice* Platon sankcjonował morderstwa na upośledzonych dzieciach. Wyrażony w *Mein Kampf* sprzeciw Hitlera wobec antykoncepcji jako przeszkody dla naturalnej selekcji został wcześniej sformułowany przez Rousseau w jego *Rozprawie o pochodzeniu i podstawach nierówności*. Krótko po zakończeniu II wojny światowej Hannah Arendt wyraziła refleksję, że „podziemny strumień historii Zachodu ostatecznie wydostał się na powierzchnię i bezprawnie przypisał sobie godność naszej tradycji" (*Korzenie totalitaryzmu*, ix).

[9] Zob. np. Edward Herman i Noam Chomsky, *The Political Economy of Human Rights*, v. i: *The Washington Connection and Third World Fascism*, Boston 1979, str. 129–204.

jako głównej apologetki zbrodni popełnianych w Ameryce Środkowej przez administrację Reagana, Centrum Szymona Wiesenthala przyznało jej Nagrodę Humanitarysty Roku[10]. Szymon Wiesenthal był przed ceremonią wręczenia nagrody prywatnie proszony o odwołanie tej nominacji. Odmówił. Elie Wiesela prywatnie poproszono o wstawiennictwo w rządzie Izraela, głównego dostawcy uzbrojenia dla gwatemalskich rzeźników. On także odmówił. Administracja Cartera powoływała się na Holokaust, gdy poszukiwała bezpiecznego schronienia dla wietnamskich uchodźców, uciekających drogą wodną („boat people") przed komunistycznym reżimem. Administracja Clintona zapomniała jednak o Holokauście, gdy zmuszała do powrotu haitańskich „boat people" uciekających przed wspieranymi przez USA szwadronami śmierci[11].

Pamięć o Holokauście dała o sobie znać podczas prowadzonych przez NATO pod przewodnictwem USA bombardowań Serbii, rozpoczętych wiosną 1999 roku. Jak przekonaliśmy się wcześniej, Daniel Goldhagen przyrównał serbskie zbrodnie w Kosowie do Ostatecznego Rozwiązania, a na prośbę prezydenta Clintona Elie Wiesel jeździł do obozów uchodźców z Kosowa w Macedonii i Albanii. Zanim jednak Wiesel zaczął na dany znak ronić łzy nad losem Kosowarów, wspierany przez USA reżim indonezyjski podjął działania przerwane pod koniec lat siedemdziesiątych ubiegłego wieku i zaczął od nowa masakrować mieszkańców Timoru Wschodniego. Jednak pamięć o Holokauście zanikła, gdy administracja Clintona przyzwoliła na ten rozlew krwi. „Indonezja ma znaczenie, a Timor Wschodni nie", wyjaśnił pewien zachodni dyplomata[12].

Novick podkreśla pasywne przyzwolenie USA na katastrofy humanitarne, różniące się pod innymi względami, lecz w kategoriach skali podobne do nazistowskiej eksterminacji. Wspominając na przykład miliony dzieci zabitych podczas Ostatecznego Rozwiązania, stwierdził, że amerykańscy prezydenci ograniczają się do wyrażania słów współczucia, gdy co roku wielokrotnie więcej dzieci „umiera

---

[10] „Response", marzec 1983 i styczeń 1986.

[11] Noam Chomsky, *Turning the Tide*, Boston 1985, str. 36 (cytat z wywiadu z Wieselem dla prasy hebrajskiej). Berenbaum, *World Must Know*, str. 3.

[12] „Financial Times", 8 września 1999.

z niedożywienia i możliwych do zapobieżenia chorób"[13]. Można tutaj wspomnieć inny, istotny przykład aktywnego przyzwolenia USA. Po dewastacji Iraku w 1991 roku przez koalicję pod przewodnictwem USA dla ukarania „Saddama-Hitlera", Stany Zjednoczone i Wielka Brytania wprowadziły mordercze sankcje ONZ na ten bezbronny kraj w celu obalenia Saddama Husajna. Podobnie jak w czasie nazistowskiego holokaustu, życie stracił wtedy prawdopodobnie milion dzieci[14]. Zapytana w czasie wywiadu dla ogólnokrajowej stacji telewizyjnej Sekretarz Stanu Madeleine Albright, odpowiedziała, że „cena była tego warta".

Novick argumentował, że „już sama ekstremalność Holokaustu ogranicza jego zdolność dostarczenia lekcji, mających zastosowanie do naszego dzisiejszego świata". „Jako poziom odniesienia dla ucisku i okrucieństw" wykazuje tendencje do „trywializacji zbrodni popełnianych w mniejszym zakresie"[15]. Nazistowski holokaust może jednak uwrażliwić nas na tego rodzaju niesprawiedliwości. Patrząc przez pryzmat Auschwitz, trudno pogodzić się z tym, co kiedyś przyjmowaliśmy bez zastanowienia, jak na przykład z bigoterią[16]. W rzeczywistości to właśnie nazistowski holokaust zdyskredytował naukowy rasizm, który przed II wojną światową był wszechobecną cechą amerykańskiego życia intelektualnego[17].

Dla osób oddanych sprawie ulepszania ludzkości, miara zła nie tylko nie wyklucza porównań, lecz wręcz ich wymaga. Pod koniec dziewiętnastego wieku niewolnictwo zajmowało w moralnym uniwersum mniej więcej to samo miejsce, które dzisiaj zajmuje nazizm. Było nawet często przywoływane jako ilustracja jeszcze nie do końca rozpoznanego zła. John Stuart Mill porównał do niewolnictwa sytuację kobiet w tej najbardziej szanowanej instytucji wiktoriańskiej, jaką była rodzina. Pozwolił sobie nawet na wniosek, że pod najważniejszymi względami sytuacja kobiet była nawet gorsza. „Daleko mi do twierdzenia, że żony nie są w zasadzie lepiej traktowane od nie-

---

[13] Novick, *The Holocaust*, str. 255.

[14] Zob. np. Geoff Simons, *The Scourging of Iraq*, Nowy Jork 1998.

[15] Novick, *The Holocaust*, str. 244, 14.

[16] Zob. szczególnie Chaumont, *La concurrence*, str. 316–318.

[17] Zob. na przykład Carl N. Degler, *In Search of Human Nature*, Oksford 1991, str. 202nn.

wolników; ale żaden niewolnik nie jest niewolnikiem w takim samym zakresie, w tak pełnym znaczeniu tego słowa, jak żona"[18]. Analogie takie odrzucają jedynie osoby, dla których poziomem odniesienia zła jest nie kompas moralny, lecz pałka ideologiczna. „Nie porównuj", brzmi mantra moralnych szantażystów[19].

Amerykańskie organizacje żydowskie wykorzystywały holokaust nazistowski do odbijania fali krytyki Izraela oraz własnych polityk, moralnie niemożliwych do obrony. Realizacja tych polityk postawiła Izrael i Żydów amerykańskich w strukturalnie zbieżnej pozycji: losy obu wisiały teraz na cienkiej nitce, biegnącej do amerykańskich elit rządzących. Gdyby elity te zdecydowały, że Izrael stał się dla nich obciążeniem, lub że amerykańscy Żydzi są do zastąpienia, ta nitka może zostać zerwana. Oczywiście jest to tylko spekulacja — być może nadmiernie alarmistyczna, ale może niekoniecznie.

Przewidywanie postawy, jaką amerykańskie elity żydowskie mogłyby przyjąć w takiej sytuacji, jest dziecinnie proste. Gdyby Izrael wypadł z łask USA, wielu z tych przywódców, którzy obecnie zdecydowanie bronią Izraela, odważnie poinformowałoby o swoim niezadowoleniu z państwa żydowskiego i skarciłoby amerykańskich Żydów za przekształcenie Izraela w religię. Gdyby amerykańskie koła rządzące postanowiły zrobić z Żydów kozła ofiarnego, to nie powinno nas zdziwić, gdyby przywódcy żydowscy zaczęli zachowywać się dokładnie tak samo, jak ich poprzednicy podczas nazistowskiego holokaustu. „Nie przewidzieliśmy możliwości wprowadzenia przez Niemców elementu żydowskiego", wspominał Yitzhak Zuckerman, organizator powstania w warszawskim getcie, „tego, że Żydzi mogliby prowadzić innych Żydów na śmierć"[20].

*

* *

Podczas publicznej wymiany zdań w latach osiemdziesiątych ubiegłego wieku wielu prominentnych uczonych, zarówno niemieckich,

---

[18] John Stuart Mill, *On the Subjection of Women*, Cambridge 1991, str. 148.

[19] Nie mniej odrażające jest porównanie nazistowskiego holokaustu, jak proponuje to Michael Berenbaum, jedynie w celu „potwierdzenia stwierdzenia o wyjątkowości" (*After Tragedy*, str. 29).

[20] Zuckerman, *A Surplus of Memory*, str. 210.

jak z innych państw, opowiedziało się przeciwko „normalizacji" infamii nazizmu. Obawiano się, że normalizacja mogłaby wywołać moralne samozadowolenie[21]. Argumentacja ta przestała być przekonywująca, niezależnie od tego, jak bardzo jest uzasadniona. Do chwili obecnej poznano już zdumiewające rozmiary hitlerowskiego Ostatecznego Rozwiązania. No i czyż „normalna" historia ludzkości nie jest pełna straszliwych przykładów nieludzkich zbrodni? Zbrodnia nie musi być dziwna, by zasługiwała na pokutę. Dzisiaj stoimy przed wyzwaniem, jakim jest sprowadzenie nazistowskiego holokaustu do roli racjonalnego przedmiotu badań. Jedynie wtedy będziemy mogli wyciągnąć z niego jakieś nauki. Nienormalność nazistowskiego holokaustu nie wynika z samego wydarzenia, lecz z całego przemysłu nadużyć, jaki rozrósł się wokół niego. Przemysł Holokaustu był zawsze bankrutem. Jedyne, co pozostało, to ogłosić to publicznie. Już dawno trzeba było ogłosić jego upadłość. Najszlachetniejszym gestem wobec tych, którzy zginęli, jest zachowanie ich pamięci, wyciąganie nauk z ich cierpienia i umożliwienie im, by spoczywali w spokoju.

---

[21] Odnoszę się tutaj do *Historikerstreit* oraz do opublikowanej korespondencji pomiędzy Saulem Friedländerem i Martinem Broszatem. W obu wypadkach debata toczyła się głównie wokół absolutnego i względnego charakteru zbrodni nazistowskich; na przykład słuszności porównań z Gułagiem. Zob. Peter Baldwin (red.), *Reworking the Past*, Richard J. Evans, *In Hitler's Shadow*, Nowy Jork 1989; James Knowlton i Truett Cates, *Forever in the Shadow of Hitler?*, Atlantic Highlands, NJ 1993; oraz Aharon Weiss (red.), *Yad Vashem Studies XIX*, Jerozolima 1988.

Posłowie

DO PIERWSZEGO WYDANIA W MIĘKKIEJ OPRAWIE

I.

W trzecim rozdziale niniejszej książki opisałem „podwójne wymuszenie" wobec państw europejskich oraz Żydów ocalałych z nazistowskiego ludobójstwa. Niedawne wydarzenia potwierdziły tę analizę. Dla potwierdzenia słuszności mojej argumentacji wystarczy poddać krytycznej i szczegółowej analizie publicznie dostępne dokumenty.

Pod koniec sierpnia 2000 roku Światowy Kongres Żydów (WJC) ogłosił, że otrzyma odszkodowania za Holokaust w kwocie 9 miliardów dolarów[1]. Chociaż pieniądze te zostały wyłudzone w imieniu „ofiar Holokaustu w trudnej sytuacji", WJC wówczas utrzymywał, że należą one do „całego narodu żydowskiego" (Dyrektor Wykonawczy WJC Elan Steinberg). Tak się składa, że WJC jest samozwańczym przedstawicielem „całego narodu żydowskiego". Jednocześnie w nowojorskim Hotelu Pierre odbył się uroczysty bankiet, sponsorowany

---

[1] W odniesieniu do tego i następnego akapitu, zob. Joan Gralla, *Holocaust Foundation Set for Restiutution Funds*, „Reuters", 22 sierpnia 2000; Michael J. Jordan, *Spending Restitution Money Pits Survisors Against Groups*, „Jewish Telegraphic Agency", 29 sierpnia 2000; „NAHOS" (The Newsletter of the National Association of Jewish Child Holocaust Survivors), 1 września 2000, 6 października 2000, 6 października 2000 oraz 6 listopada 2000; Marilyn Henry, *Proposed Foundation for Jewish People' Has No Cash*, „Jerusalem Post", 8 września 2000; Joan Gralla, *Battle Brews Over Holocaust Compensation*, „Reuters", 11 września 2000; Shlomo Shamir, *Government to Set Up New Fund for Holocaust Payments*, „Haaretz", 12 września 2000; Yair Sheleg, *Burg Honored at Controversial NY Dinner*, „Haaretz", 12 września 2000; E.J. Kessler, *Hillary the Holocaust Heroine?*, „New York Post", 12 września 2000; Melissa Radler, *Survivors Get Most of Cash in Shoah Fund*, „Forward", 17 września 2000; *The WJC Defends Event Panned by „Commentary"*, „Jewish Post", 20 września 2000.

przez przewodniczącego WJC Edgara Bronfmana, na którym cele-
browano utworzenie „Fundacji Narodu Żydowskiego" (Foundation
of the Jewish People) w celu dotowania żydowskich organizacji
i „edukacji o Holokauście". (Jeden z żydowskich krytyków „kolacji
upamiętniającej Holokaust" wymyślił następujący scenariusz: „Masowe morderstwa. Straszliwe rabunki. Praca niewolnicza. Smaczne-
go!") Fundacja byłaby finansowana z „rezydualnych" odszkodowań za
Holokaust, wynoszących „prawdopodobnie miliardy dolarów" (Steinberg). Skąd jednak WJC już wtedy wiedział, że „prawdopodobnie
miliardy" pozostaną do dyspozycji, skoro żadne z odszkodowań nie
zostały jeszcze przekazane ofiarom Holokaustu? W rzeczywistości
wówczas nie było jeszcze wiadomo, ile osób będzie się kwalifikować
do otrzymania takich odszkodowań. A może przemysł Holokaustu
pobrał pieniądze z odszkodowań w imieniu „ofiar Holokaustu w trudnej sytuacji", wiedząc, że „prawdopodobnie miliardy" pozostaną bez
przydziału? Przedsiębiorstwo Holokaust stwierdziło z goryczą, że
niemieckie i szwajcarskie odszkodowania przewidywały jedynie niewielkie kwoty dla ocalałych. Nie wiadomo dlaczego „prawdopodobnie
miliardy" nie miałyby zostać wykorzystane dla uzupełnienia tych
kwot.

Ocalałe ofiary Holokaustu oczywiście zareagowały na to z wście-
kłością. (Żadna z tych osób nie była obecna przy ustanawianiu
Fundacji.) „Kto upoważnił te organizacje do podejmowania decyzji, by «pozostałości» (liczone w miliardach), uzyskane w imieniu
ofiar Shoah, zostały wykorzystane na ich ulubione przedsięwzięcia zamiast na pomoc dla WSZYSTKICH ocalałych z holokaustu,
z ich rosnącymi rachunkami za pomoc medyczną?" gniewnie pytał
autor artykułu wstępnego w biuletynie prasowym ocalałych. W konfrontacji z powszechną krytyką w mediach WJC dokonał nagłego
zwrotu. Kwota 9 miliardów dolarów była „nieco myląca", zaprotestował Steinberg. Stwierdził on także, że Fundacja „nie posiada
jakiejkolwiek gotówki ani planu dysponowania funduszami", a celem
holokaustowego bankietu nie było celebrowanie uposażenia Fundacji
pieniędzmi z odszkodowań za Holokaust, lecz raczej zbieranie funduszy dla Fundacji. Ocalałe z Holokaustu osoby w podeszłym wieku,
z którymi nikt nie konsultował tego przedsięwzięcia i których nikt
na bankiet nie zaprosił, zorganizowali pikietę przed Hotelem Pierre.

Tymczasem w Hotelu Pierre honorowano prezydenta Clintona,
który w poruszający sposób opowiadał o przewodniej roli Stanów

Zjednoczonych w „konfrontowaniu się z wstydliwą przeszłością": „Byłem w rezerwatach rdzennych Amerykanów i wiem, że wiele z traktatów, jakie podpisaliśmy, nie było uczciwych i nie było honorowanych. Byłem w Afryce [...] i wiem o odpowiedzialności Stanów Zjednoczonych za robienie z ludzi niewolników. To trudna sprawa, takie działania w celu określenia podstaw naszego humanitaryzmu". Niestety, we wszystkich przywołanych przypadkach „trudnej sprawy" nie było mowy o odszkodowaniach w twardej walucie[2].

Banki szwajcarskie ostatecznie opublikowały 11 września 2000 roku propozycję *Specjalnego Planu Alokacji i Dystrybucji Przychodów z Ugody* (Special Master's Proposed Plan of Allocation and Distribution of Settlement Proceeds). (Zwaną dalej *Planem Gribetza*)[3] Publikacja *Planu*, którego opracowanie trwało ponad dwa lata, nastąpiło tego samego dnia, co uroczysty bankiet ku czci Holokaustu, a nie w czasie dogodnym dla „umierających codziennie ofiar Holokaustu w trudnej sytuacji". Burt Neuborne, główny doradca przemysłu Holokaustu w sprawie przeciwko bankom szwajcarskim i „najgłośniejszy zwolennik planu dystrybucji" („New York Times"), chwalił ten dokument jako „drobiazgowo udokumentowany [...] z ogromnym

---

[2] „Remarks by The President During Bronfman Gala", Biuro Sekretarza ds. Prasy, Biały Dom. Dystrubucja przez Biuro Międzynarodowych Programów Informacyjnych, Departament Stanu USA, (*http://usinfo.state.gov*).

[3] Autorem *Planu* był Judah Gribetz, były przewodniczący Rady ds. Relacji Gminy Żydowskiej Nowego Jorku (Jewish Community Relations Council of New York), a obecnie członek rady Nowojorskiego Muzeum Dziedzictwa Żydowskiego — Żyjącego Pomnika Holokaustu (New York's Museum of Jewish Heritage — A Living Memorial to the Holocaust). Gribetz został powołany na stanowisko „Special Master" (urzędnik pełniący rolę quasi-sądową w złożonych procesach cywilnych — przyp. tłum.) przez sędziego Edwarda Kormana z nowojorskiego Sądu Dzielnicy Wschodniej, przewodniczącego składu sędziowskiego w pozwie zbiorowym przeciwko Szwajcarii. *Plan* został w całości opublikowany na stronie internetowej *http://www.Swissbankclaims.com* i w niniejszej książce jest nazywany *Planem Gribetza*. Sędzia Korman ogłosił 22 listopada 2000 roku „memorandum i nakaz", na mocy którego „przyjęto Proponowany Plan w całości". (*In re Holocaust Victim Assets Litigation* [United States District Court for Eastern District of New York: 22 listopada 2000], 7.)

nakładem pracy i wrażliwością"[4]. Faktycznie, wydawało się, że plan ten przeczy obawom, jakoby pieniądze te mogły zostać sprzeniewierzone przez organizacje żydowskie. „Forward" w typowy dla siebie sposób stwierdził, że „plan dystrybucji [...] proponuje, by ponad 90% szwajcarskich pieniędzy zostało wypłaconych bezpośrednio ocalałym i ich spadkobiercom". „Światowy Kongres Żydów nigdy nie poprosił o centa, nigdy nie weźmie centa i nie przyjmuje funduszy restytucyjnych", zaprotestował Elan Steinberg i nabożnie ogłosił Plan Gribetza „dokumentem niezwykle inteligentnym i pełen współczucia"[5]. Jeśli o Planie można powiedzieć, że był inteligentny, to na pewno nie był pełen współczucia. Diabeł kryje się w szczegółach, a te w Planie Gribetza przewidywały, że jedynie niewielka część szwajcarskich pieniędzy zostanie wypłacona bezpośrednio ocalałym z Holokaustu i ich spadkobiercom. Przed analizą tego problemu należy jednak zwrócić uwagę na fakt, że Plan wykazał w rozstrzygający, aczkolwiek nie do końca zamierzony sposób, że przemysł Holokaustu zastosował wobec Szwajcarii szantaż[6].

---

[4] Alan Feuer, *Bitter Fight Is Reignited On Splitting Of Reparations*, „New York Times", 21 listopada 2000 r.; *Statement of Burt Neuborne* załączony do *Planu Gribetza*; *Memorandum i nakaz* sędziego Kormana (patrz uwaga 3 powyżej) podkreśla kluczową rolę, jaką odegrał Neuborne w odpieraniu krytyki *Planu* (4, 6). Przed publikacją przesłałem moją analizę *Planu* do Neuborne'a z prośbą o jego krytyczną opinię. Neuborne odpowiedział: „Pozostawię Judah Gribetzowi przyjemność zniszczenia twoich działań, mających na celu zniekształcenie jego godnej uznania pracy, jako «obrabiającego» ofiary holokaustu". Przypominając Neuborne'owi kluczową rolę, jaką odegrał w promowaniu *Planu* i reagowaniu na krytykę, odpowiedziałem: „jeżeli zniszczenie mojej analizy obiecuje taką przyjemność, to dlaczego sam tego nie zrobisz?" Mimo wielokrotnych próśb Gribetz nigdy nie odpowiedział.

[5] Radler, *Survivors Get Most of Cash in Shoah Fund*.

[6] Istotne znaczenie ma fakt, że Raul Hilberg, największy światowy autorytet w dziedzinie nazistowskiego holokaustu, wprost oskarżył Światowy Kongres Żydowski o szantażowanie Szwajcarów: „po raz pierwszy w historii Żydzi użyli narzędzia, które można określić wyłącznie jako szantaż". W swojej deklaracji, popierającej wniosek o zatwierdzenie ugody ze Szwajcarią, Burt Neuborne, najwyraźniej zaniepokojony zarzutem stosowania szantażu („pewne osoby mogą pokusić się o niewłaściwą interpretację należnych w ramach ugody płatności, nazywając je szantażem"), wezwał sędziego

Czytelnicy zapewne pamiętają, że w maju 1996 roku banki szwajcarskie wyraziły formalną zgodę na wszechstronny audyt zewnętrzny, zwany „najszerzej zakrojonym audytem w historii" (sędzia Korman) w celu rozliczenia wszystkich jeszcze nie załatwionych roszczeń, wysuwanych przez ocalałych z Holokaustu oraz ich spadkobierców[7]. Zanim jednak komisja ds. audytu (pod przewodnictwem Paula Volckera) odbyła swoje pierwsze spotkanie, przemysł Holokaustu już wywierał naciski na zawarcie ugody finansowej. W celu przeprowadzenia działań wyprzedzających wobec Komisji Volckera, zastosowano dwa preteksty: (1) Komisja nie jest godna zaufania, (2) ofiary Holokaustu w trudnej sytuacji nie mogą czekać na ustalenia Komisji. *Plan Gribetza* kwestionuje obydwa preteksty.

W czerwcu 1997 roku Burt Neuborne złożył tzw. *Memorandum Prawa*, uzasadniające podjęcie działań wyprzedzających wobec Komisji Volckera. Wbrew wszystkim dowodom i z wyjątkową bezczelnością Neuborne zakwestionował kompetencje Komisji, nazywając ją szwajcarską inicjatywą, której celem jest skierowanie krytyki na boczny tor „prywatnej mediacji, sponsorowanej, opłacanej i opracowanej przez pozwanych"[8]. Należy tutaj zauważyć, że Neuborne miał szwajcarskim bankierom za złe nawet to, że pokryli oni rachunek na 500 milionów dolarów za narzucony im bezprecedensowy audyt. W sierpniu 1998 roku przemysł Holokaustu dokonał wymuszenia na Szwajcarach bezzwrotnej ugody na 1,25 miliarda dolarów, zanim Komisja Volckera zakończyła swoje prace[9]. Chociaż ugoda została

---

Kormana do odparcia tych zarzutów, co sędzia Korman posłusznie uczynił. (*Holocaust Expert Says Swiss Banks Are Paying Too Much*, „Deutsche Presse-Agentur", 28 stycznia 1999 r.; *Declaration of Burt Neuborne, Esq.* (5 listopada 1999 r.), par. 8; Edward R. Korman, *In re Holocaust Victim Assets Litigation* [United States District Court for Eastern District of New York: 26 lipca 2000 r.], 23–24)

[7] *In re Holocaust Victim Assets Litigation*, str. 19 (Korman).

[8] Burt Neuborne, *Memorandum of Law Submitted by Plaintiffs in Response to Expert Submissions Filed By Legal Academics Retained by Defendants*, United States District Court for Eastern District of New York, 16 czerwca 1997, str. 68 (por. 62–64). Zwane dalej: *Neuborne Memorandum*.

[9] Bezzwrotny charakter ugody finansowej — zob. *Plan Gribetza*, str. 12 prz. 18: „Należy zwrócić uwagę na fakt, że żadna część kwoty ugody w wysokości 1,25 miliarda dolarów nie zostanie zwrócona pozwanym bankom ani żadnemu innemu podmiotowi szwajcarskiemu".

zawarta pod pretekstem, że Komisja Volckera nie jest godna zaufania, *Plan Gribetza* zawiera wyrazy uznania dla Komisji i podkreśla, że ustalenia Komisji oraz mechanizm rozpatrywania roszczeń (Trybunał Rozpatrywania Roszczeń, „Claims Resolution Tribunal" — „CRT") miały i nadal mają „kluczowe znaczenie" dla dystrybucji szwajcarskich pieniędzy[10]. Entuzjastyczny stosunek przemysłu Holokaustu do Komisji w sprawie dystrybucji szwajcarskich pieniędzy obala główny pretekst dla działań wyprzedzających wobec Komisji przez zawarcie bezzwrotnej ugody.

Na podstawie ugody z przemysłem Holokaustu Szwajcarzy zostali zmuszeni nie tylko do wypłacenia uśpionych żydowskich rachunków z czasów Holokaustu, ale także do zwrotu zysków, jakie „umyślnie" osiągali ze skradzionego majątku żydowskiego i żydowskiej pracy niewolniczej na rzecz nazistów[11]. *Plan Gribetza* ujawnia również słabość tych oskarżeń. Przyznaje także, że możliwe było zidentyfikowanie „bardzo niewielu, o ile w ogóle" bezpośrednich związków, nie mówiąc już o bezpośrednich *rentownych* związkach lub rentownych *umyślnych* związkach pomiędzy Szwajcarami z jednej strony, a skradzionymi aktywami żydowskimi i pracą niewolniczą Żydów z drugiej strony. *Plan* faktycznie wyjaśnia, że całe oskarżenie w tych kategoriach zostało zbudowane na podstawie zarzutów o czyny określone jako „możliwe" lub „prawdopodobne" bądź „potencjalne"[12]. Na koniec Szwajcarzy zostali zmuszeni do zadośćuczynienia Żydom uciekającym przed nazizmem odmowy schronienia w Szwajcarii. *Plan Gribetza* wyraźnie potwierdza, chociaż tylko w stopce, „wątpliwą zasadność prawną" tego roszczenia[13]. Mimo uznania tych zarzutów

---

[10] *Plan Gribetza*, str. 11 („vital significance"), 13–14, 93, 101–104.

[11] *Neuborne Memorandum*, 3, 6–7, 11–12, 28–31, 34–35, 43, 47–48. Memorandum przyznaje, że banki szwajcarskie byłyby prawnie zobowiązane jedynie w sytuacji, gdyby „świadomie" osiągały korzyści z nieuczciwie zdobytych zysków nazistów: „Jeżeli założyć brak wiedzy ze strony pozwanych banków, to działania pozwanych nie dałyby asumptu do roszczenia o sprawiedliwy zwrot nieuczciwie osiągniętych zysków" (34).

[12] *Plan Gribetza*, str. 23, 29, 113–114, 118 prz. 345, 128–129 prz. 371, 145–148, Aneks G („The Looted Assets Class"), G–3, G–43, G–57, Aneks H („Slave Labor Class I"), H–52, H–57–58.

[13] *Plan Gribetza*, Aneks J („The Refugee Class"), J–26 prz. 85. Zauważyliśmy także ukrytą w stopce informację, że według uznanego znawcy tematu,

Plan nadal aprobuje, że „w idealnie sprawiedliwym świecie powodowie powinni byli otrzymać znacznie większą kwotę" niż 1,25 miliarda dolarów wyłudzonych od Szwajcarów[14].

W celu wymuszenia na Szwajcarach bezzwrotnej ugody, przemysł Holokaustu nie tylko zarzucał Komisji Volckera stronniczość, lecz także odwoływał się do śmiertelności ocalałych z Holokaustu. Czas miał jakoby istotne znaczenie, ponieważ „ofiarom Holokaustu w trudnej sytuacji" pozostało niewiele czasu. Po otrzymaniu pieniędzy przemysł Holokaustu nagle odkrył, że „ofiary Holokaustu w trudnej sytuacji" nagle przestały umierać. W *Planie Gribetza* znalazł się cytat z opracowania zamówionego przez Konferencję ds. Roszczeń Żydowskich, według którego „populacja ofiar nazizmu maleje w wolniejszym tempie, niż wcześniej uważano". *Plan* zawiera ogólne stwierdzenie, że „względnie znacząca liczba żydowskich ofiar nazizmu może przeżyć jeszcze co najmniej 20 lat od dnia dzisiejszego", czyli około dziewięćdziesiąt lat od końca II wojny światowej, „nadal będą żyć dziesiątki tysięcy żydowskich ofiar nazizmu"[15]. Mając na uwadze historyczne osiągnięcia przemysłu Holokaustu, byłoby dziwne, gdyby rewelacja ta nie została z czasem użyta w celu wysunięcia wobec Europy nowych roszczeń o odszkodowania. W międzyczasie służy ona spowalnianiu dystrybucji pieniędzy na

---

Seymoura J. Rubina, „Szwajcaria faktycznie przyjęła o wiele większą liczbę uchodźców w stosunku do liczby ludności niż jakiekolwiek inne państwo. W przeciwieństwie do Szwajcarii, Stany Zjednoczone nie tylko odmówiły prawa wjazdu zdesperowanym uchodźcom z St. Louis, ale systematycznie odmawiały przyjęcia imigrantów w liczbie odpowiadającej obowiązującym ograniczeniom imigracyjnym" (J–5). Chociaż Burt Neuborne przyznał, że uchodźcy, którym zakazano wjazdu do Szwajcarii podczas II wojny światowej, obecnie otrzymają odszkodowania, w magazynie „Nation" ubolewał: „mam jedynie nadzieję, że podobne sankcje zostaną nałożone na Stany Zjednoczone za identyczną odmowę przyjęcia zdesperowanych uchodźców, uciekających przed nazistowskimi prześladowaniami" (5 października 2000 r.). Jakie inne przyczyny, poza hipokryzją i tchórzostwem, mogły powstrzymać głównego doradcę przemysłu Holokaustu przed wysunięciem tego roszczenia?

[14] *Plan Gribetza*, 89. Cytat z nakazu sądowego sędziego Kormana, udzielającego ostatecznej zgody na Ugodę w sprawie roszczeń.

[15] *Plan Gribetza*, Aneks C („Demographics of «Victim or Target» Groups"), C–13.

odszkodowania. *Plan Gribetza* zaleca, by pieniądze były wypłacane w niewielkich kwotach przez jakiś czas, ponieważ „wzbudzanie oczekiwań wśród ocalałych ofiar w trudnej sytuacji będzie prawdziwie niedźwiedzią przysługą"[16].

Podczas rozpatrywania roszczeń wobec banków szwajcarskich przemysł Holokaustu utrzymywał, że średni wiek osoby ocalałej z Holokaustu wynosi 73 lata w Izraelu i 80 w pozostałych państwach. Średnia długość życia w trzech państwach, w których mieszka najwięcej ocalałych z Holokaustu, waha się w przedziale od 60 lat (w byłym Związku Radzieckim) do 77 (w Stanach Zjednoczonych i Izraelu)[17]. Trudno więc oburzać się na kwestionowanie oczekiwań, że za 35 lat będą jeszcze żyły „dziesiątki tysięcy" ocalałych z Holokaustu. Częściowym rozwiązaniem tego dylematu jest wprowadzenie przez przemysł Holokaustu ponownej zmiany definicji ocalałej ofiary Holokaustu. W przywołanym powyżej opracowaniu Konferencji ds. Roszczeń stwierdzono, iż „jedną z przyczyn względnie powolnego spadku liczebności tej populacji jest fakt, że *w wyniku przyjęcia szerokiej definicji* stwierdzono istnienie o wiele większej liczby względnie młodszych ofiar nazizmu, niż początkowo przypuszczano" (nacisk dodano)[18]. Dzięki niemal weimarskiej inflacji *Plan Gribetza* określił liczbę żyjących ocalałych z Holokaustu na niemal milion — czyli cztery razy więcej niż już zawyżona liczba 250.000 ocalałych z Holokaustu, zgłoszona podczas przetrząsania kieszeni Szwajcarom[19].

W celu zarządzania tym trudnym aktuarialnym i demograficznym przedsięwzięciem *Plan Gribetza* obecnie uważa każdego rosyjskiego Żyda, który przeżył II wojnę światową, za ocalałego

---

[16] *Plan Gribetza*, str. 135–136.

[17] *Plan Gribetza*, Aneks C, C-12, Aneks F („Social Safety Nets"), F–15.

[18] Ukeles Associates Inc., Dokument #3 (znowelizowany), *Projection of the Population of Victims of Nazi Persecution*, str. 2000–2040 (31 maja 2000 r.).

[19] *Plan Gribetza*, str. 9, Aneks C, C–8, Aneks E („Holocaust Compensation"), E–89 i E–90 prz. 282. Liczba 250.000 została wykorzystana do dystrybucji pieniędzy ze „Specjalnego Funduszu dla Ofiar Holokaustu w Trudnej Sytuacji" (Special Fund for Needy Victims of the Holocaust), ustanowionego przez Szwajcarię w lutym 1997 r.

z Holokaustu[20]. Czyli rosyjscy Żydzi, którzy od razu uciekli przed nazistami lub służyli w Armii Czerwonej, teraz kwalifikują się do grona ocalałych ofiar Holokaustu, ponieważ w wypadku schwytania groziły im tortury i śmierć[21]. Nawet jeżeli uznamy tę doprawdy nowatorską definicję ocalałych z Holokaustu, nadal nie jest jasne, dlaczego do grupy ocalałych z Holokaustu nie kwalifikują się funkcjonariusze sowieccy, którzy w porę salwowali się ucieczką przed nazistami, oraz nieżydowscy poborowi do Armii Czerwonej. Przecież im także groziły tortury i śmierć w wypadku dostania się do niewoli. W *Planie* przytoczono historię żołnierza amerykańskiego, który dostał się do niewoli, i jako Żyd został uwięziony w obozie koncentracyjnym[22]. Czy więc należy do grupy ocalałych z Holokaustu zaliczyć wszystkich amerykańskich żołnierzy żydowskiego pochodzenia, którzy walczyli w czasie II wojny światowej? Takich możliwości jest znacznie więcej. W obronie przedstawionych w *Planie Gribetza* projekcji długości życia ocalałych z Holokaustu, pewien wysokiej rangi historyk z Działu Holokaustu Brytyjskiego Imperialnego Muzeum Wojny wyjaśnił, że „w szerszym rozumieniu [...] można uwzględnić drugie i nawet trzecie pokolenie" ofiar Holokaustu, „ponieważ mogą oni cierpieć na zaburzenia psychiczne"[23]. Jedynie kwestią czasu jest przywrócenie Wilkomirskiego do łask jako ocalałego z Holokaustu, ponieważ — zgodnie z wypowiedzią Dyrektora Yad Vashem, Israela Gutmana — jego „ból jest autentyczny".

Zmieniona definicja i zwiększenie liczby ocalałych z Holokaustu przydały się przemysłowi Holokaustu z wielu różnych przyczyn. Zmiany te posłużyły do uzasadnienia złupienia nie tylko państw europejskich, ale także faktycznych ofiar Holokaustu. Przez wiele lat te właśnie ofiary Holokaustu błagały Konferencję ds. Roszczeń o przeznaczenie pieniędzy z odszkodowań na program ubezpieczeń zdrowotnych. W *Planie Gribetza* odnotowano to w „troskliwej" propozycji przedstawionej w stopce, zawierającej lamenty, że szwajcarskie od-

---

[20] *Plan Gribetza*, Aneks C, C–7, Tabela 3. *Plan* przyznaje w stopce, że „w byłym Związku Radzieckim żyje względnie mało byłych więźniów obozów koncentracyjnych, gett czy obozów pracy" (Aneks E, E–56 prz. 150).

[21] *Plan Gribetza*, str. 122–123, 125, Aneks E, E–138, Aneks F, F–4 prz. 13.

[22] *Plan Gribetza*, Aneks E, E–56.

[23] Steve Paulsson, „Re: Survivor Article", posted on *http://H-Holocaust@ N-Net.MSU.EDU* (28 września 2000 r.).

szkodowania „będą niewystarczające" do zapewnienia ubezpieczeń zdrowotnych dla „dobrze powyżej 800.000" ocalałych z Holokaustu[24].

*

* *

Poza tą trywialną liczbą *Plan Gribetza* przewiduje przeznaczenie szwajcarskich pieniędzy wyłącznie na żydowskie ofiary nazistowskiego holokaustu. Z technicznego punktu widzenia ugoda dotyczyła każdej „ofiary lub celu nazistowskich prześladowań". W rzeczywistości jednak ta pozornie inkluzyjna i „politycznie poprawna" definicja jest wybiegiem lingwistycznym, użytym w celu wykluczenia ofiar innych niż Żydzi. Zgodnie z tą arbitralną definicją, „ofiarą lub celem nazistowskich prześladowań" mogą być jedynie Żydzi, Romowie, Świadkowie Jehowy, homoseksualiści oraz osoby upośledzone lub niepełnosprawne. Z nigdy nie wyjaśnionych przyczyn definicja nie obejmuje osób prześladowanych, reprezentujących inne opcje polityczne (jak na przykład komuniści i socjaliści) czy grupy etniczne (jak na przykład Polacy i Białorusini). Pod względem liczebności są to duże grupy ofiar; grupy określone w *Planie Gribetza* jako „ofiary lub cele nazistowskich prześladowań" są — z wyjątkiem Żydów — znacznie mniejsze. W praktyce oznacza to, że niemal wszystkie pieniądze z odszkodowań otrzymają Żydzi. *Plan* obejmuje więc 170.000 byłych żydowskich ofiar pracy niewolniczej, podczas gdy spośród pełnego 1.000.000 nieżydowskich ofiar pracy niewolniczej jedynie 30.000 spełnia definicję „ofiar lub celów nazistowskich prześladowań". W podobny sposób *Plan* przeznacza 90 milionów dolarów

---

[24] *Plan Gribetza*, 135. Należy zwrócić uwagę na fakt, że liczba ocalałych z Holokaustu w początkowym ujęciu także przechodziła w *Planie Gribetza* radykalne zmiany w górę. *Plan* stwierdza, że około 170.000 żydowskich byłych więźniów zmuszanych do pracy niewolniczej aktualnie otrzymuje renty od Niemiec. (*Plan Gribetza*, Aneks H [„Slave Labor Class I"], H-5–6) Szacuje się, że tylko jeden na czterech byłych żydowskich więźniów zmuszanych do pracy niewolniczej otrzymał niemiecką rentę. Oznaczałoby to, że łączna liczba jeszcze żyjących, byłych żydowskich więźniów zmuszanych do pracy niewolniczej jest bliska 700.000, a łączna liczba takich więźniów w momencie zakończenia wojny wynosiła 2.800.000. Standardowo podawana w opracowaniach naukowych liczba żydowskich ofiar pracy niewolniczej żyjących po zakończeniu wojny wynosiła około 100.000, z których jeszcze żyje być może kilka tysięcy osób.

amerykańskich na żydowskie ofiary nazistowskich rabunków i tylko 10 milionów na ofiary nieżydowskie. Podział ten jest częściowo uzasadniony zastosowaniem podobnych proporcji we wcześniejszych umowach o odszkodowaniach. Mimo to *Plan* sugeruje jednak, że w przeszłości ofiary nieżydowskie miały nieproporcjonalnie mały udział w wypłacanych odszkodowaniach. Czy plan rozdziału pieniędzy nie powinien jednak naprawić dawne nierówności zamiast je kontynuować?[25]

Plan Gribetza przeznaczył aż 800 milionów dolarów amerykańskich ze szwajcarskich odszkodowań w kwocie 1,25 miliarda dolarów na pokrycie uzasadnionych roszczeń z tytułu uśpionych rachunków bankowych z ery Holokaustu. Tekst *Planu* wraz z aneksami i tabelami liczy setki stron i powyżej tysiąca przypisów. Jedyną osobliwością *Planu* jest brak jakiejkolwiek próby rzetelnego uzasadnienia tej jakże kluczowej alokacji. *Plan* stwierdza jedynie, że „na podstawie analizy Raportu Volckera oraz Prawomocnego Zatwierdzenia oraz po konsultacjach z przedstawicielami Komisji Volckera, Special Master szacuje wartość wszystkich rachunków bankowych, jakie zostaną spłacone, na kwotę rzędu 800 milionów dolarów"[26]. Kwota ta wydaje się jednak znacznie zawyżona. Faktyczna kwota wypłacona z tytułu uśpionych rachunków bankowych prawdopodobnie nie przekroczy niewielkiego ułamka tych 800 milionów dolarów[27]. Pozostałość tej kwoty, czyli to co pozostanie z 800 milionów dolarów po rozlicze-

---

[25] *Plan Gribetza*, 7, 25–27, 83–84, 118–119, 138–139, 149, 154 oraz „Summary of Major Holocaust Compensation Programs". *Plan* nie tylko ustanawia precedens, ale tautologicznie uzasadnia ten sposób rozdziału pieniędzy według „aktualnych danych demograficznych, ponieważ żydowskie ofiary stanowią obecnie ogromną większość «ofiar lub celów nazistowskich prześladowań»" (119). Żydzi stanowią „ogromną większość" ze względu na sposób zdefiniowania „ofiar lub celów". Zastrzeżenia zgłaszane przez Romów w sprawie *Planu* — patrz *Romani Comments and Objections to the Special Master's Proposed Plan of Allocation and Distribution* (Ramsey Clark et al., *In re Holocaust Victim Assets Litigation* [United States District Court for the Eastern District of New York, listopad 2000 r.].

[26] *Plan Gribetza*, str. 15. To samo oświadczenie zostało dosłownie powtórzone na str. 98–99.

[27] Komisja Volckera zaleciła publikację nazw części spośród 25.000 rachunków bankowych, w wypadku których prawdopodobieństwo związku z ofiarami prześladowań nazistowskich jest największe. Łączna „godziwa

niu wszystkich uprawnionych roszczeń, ma zostać rozdysponowana
albo bezpośrednio na rzecz osób ocalałych z Holokaustu, albo zostanie przekazana organizacjom żydowskim, prowadzącym działalność
związaną z Holokaustem[28]. W ostatecznym rozrachunku pozostałość

wartość bieżąca" 10.000 takich rachunków, dla których dostępne są pewne
informacje, wynosi 150–230 milionów dolarów. Projekcja tych danych szacunkowych na 25.000 rachunków daje kwotę 375–575 milionów dolarów.
Mając na uwadze wcześniejsze doświadczenia Trybunału ds. Rozstrzygania Roszczeń, uzasadnione roszczenia zostaną złożone w odniesieniu do
zaledwie połowy z tych 25.000 rachunków bankowych i połowy pieniędzy
zdeponowanych na tych rachunkach o łącznej wartości 188–288 milionów dolarów. Ponadto wykaz 25.000 rachunków bankowych w większości
zawiera rachunki nie tyle uśpione, co *zamknięte*, prowadzone wcześniej
na nazwiska pasujące do nazwisk ofiar Holokaustu. Komisja Volckera
stwierdziła „brak dowodów [...] potwierdzających zorganizowane działania
podejmowane w celu wyprowadzenia w niewłaściwych celach środków należących do ofiar nazistowskich prześladowań". Stąd można bezpiecznie
założyć, że niemal wszystkie zamknięte rachunki, uwzględnione w wykazie
25.000 rachunków bankowych, zostały prawidłowo zamknięte przez faktycznych posiadaczy, ich legalnych spadkobierców lub przez osoby wyposa-
żone w prawomocne i wiarygodne pełnomocnictwa, oraz że CRT potwierdzi
jedynie kilka roszczeń dotyczących takich zamkniętych rachunków. Łączna
wartość potwierdzonych roszczeń w odniesieniu do 25.000 rachunków bankowych najprawdopodobniej będzie znacznie niższa od szacunkowej kwoty
188–288 milionów dolarów, określonej przy założeniu, że wszystkie rachunki były uśpione i roszczenia co do połowy z nich były uzasadnione. (*Plan
Gribetza*, str. 94 przyp. 298, 96–97, 105–106 przyp. 326; Niezależna Komisja
Prominentnych Osób, *Report on Dormant Accounts of Victims of Nazi Persecution in Swiss Banks* [Berno 1999], 13, par. 41[a].)

[28] *Plan Gribetza*, str. 12, 19–20. Na stronie 12 *Planu* stwierdzono, że
„pozostałość Funduszu Odszkodowawczego zostanie rozdzielona pomiędzy
inne [...] kategorie roszczeń" — tzn. „skradzione aktywa", „uchodźcy" oraz
„ofiary pracy niewolniczej". Jak wykazano poniżej, pieniądze przydzielo-
ne na kategorię „skradzione aktywa" nie zostaną wypłacone bezpośrednio
ocalałym z Holokaustu, lecz raczej na rzecz organizacji żydowskich, zaangażowanych w działania związane z Holokaustem. Na stronach 19–20 *Plan*
stwierdza, że „istnieje także możliwość alokowania części pozostałej kwoty
Funduszu Odszkodowawczego na niektóre z proponowanych przedsięwzięć
związanych z kulturą, pamięcią czy edukacją, które zostały przedłożone
Special Masterowi."

tej kwoty niemal na pewno trafi do rąk organizacji żydowskich nie tylko ze względu na przysługujące przemysłowi Holokaustu ostatnie słowo w tej sprawie, ale także dlatego, że pieniądze te będą wypłacane za wiele lat, gdy nieliczne ofiary ocalałe z Holokaustu będą jeszcze wśród nas[29].

Poza kwotą 800 milionów dolarów na rachunki bankowe z ery Holokaustu, zgodnie z *Planem Gribetza* około 400 milionów dolarów przeznaczono głównie na kategorie: „skradzione aktywa", „praca niewolnicza" oraz „uchodźcy". *Plan* przewiduje jednak istotne zastrzeżenie, mianowicie by żadne z tych kwot nie zostały wypłacone do momentu „wyczerpania wszystkich apelacji złożonych w tym postępowaniu". Uznając, że „proponowane płatności nie mogą rozpocząć się jeszcze przez jakiś czas", *Plan* powołuje się na kluczowy precedens, w którym proces apelacji trwał trzy i pół roku[30]. Sytuacja ta jest nie do wygrania dla leciwych ofiar Holokaustu, a dla przemysłu Holokaustu jest gwarancją sukcesu. *Plan Gribetza* oburzył wiele ocalałych ofiar Holokaustu, które niewątpliwie będą składać apelacje; oznacza to jednak, że tylko niewiele z tych osób dożyje chwili, gdy zostaną beneficjentami, nawet jeżeli wygrają apelację. Przemysł Holokaustu, który już jest głównym beneficjentem *Planu Gribetza*, może jedynie zyskać na procesie apelacji, w wyniku którego jeszcze

---

[29] Zgodnie z literą *Planu*, dystrybucja kwot pozostałych z początkowych 800 milionów nie może się rozpocząć do czasu rozpatrzenia wszystkich roszczeń w stosunku do 25.000 rachunków bankowych. CRT potrzebował aż trzy lata na rozpatrzenie 10.000 roszczeń dotyczących wcześniejszej, oddzielnej listy 5.600 szwajcarskich rachunków bankowych. Według planu liczba roszczeń, jakie prawdopodobnie zostaną zgłoszone w sprawie wykazu 25.000 rachunków, prawdopodobnie przekroczy 80.000. Ponadto *Plan* przewiduje, że wszystkie roszczenia muszą zostać zweryfikowane nie tylko w odniesieniu do wykazu 25.000 rachunków bankowych, ale także w odniesieniu do milionów innych szwajcarskich rachunków bankowych, w sposób oczywisty nie związanych z ofiarami Holokaustu. Z tej przyczyny proces CRT z pewnością potrwa jeszcze wiele lat, nawet jeżeli zostanie usprawniony. (*Plan Gribetza*, str. 91, 94 prz. 299, 105–106 prz. 126.) Poza ofiarami Holokaustu posiadającymi uśpione rachunki bankowe, *Plan* zawiera jedynie zdawkowe i wąskie postanowienia dotyczące spadkobierców. (18–19, oraz Aneks D [„Heirs"])

[30] *Plan Gribetza*, str. 16–17.

więcej pieniędzy popłynie do jego skarbca w miarę zgonów ocalałych ofiar.

Zgodnie z *Planem Gribetza*, po zakończeniu apelacji kwota 400 milionów dolarów zostanie przeznaczona na następujące kategorie:

1. W kategorii „skradzione aktywa" kwota 90 milionów dolarów zostanie przeznaczona nie na bezpośrednie płatności na rzecz ocalałych z Holokaustu, lecz dla żydowskich organizacji obsługujących „szeroko zdefiniowane" społeczności związane z Holokaustem. Największa kwota trafi do Konferencji ds. Roszczeń, której *Plan Gribetza* wielokrotnie przypisuje „niezrównaną wiedzę fachową w spełnianiu potrzeb ofiar nazizmu"[31]. *Plan* przewiduje odłożenie kwoty 10 milionów dolarów na „Fundację Listy Ofiar (Victim List Foundation), której celem będzie skompilowanie i udostępnienie szerokiemu ogółowi, dla celów związanych z badaniami naukowymi i pamięcią, nazwisk wszystkich Ofiar lub Celów Nazistowskich Prześladowań". *Plan* zaleca także, by Fundacja rozpoczęła swoje prace od „niemożliwych do zastąpienia danych zawartych w Kwestionariuszach Wstępnych" dla ofiar Holokaustu. Typową reakcją na tego rodzaju „niemożliwe do zastąpienia dane" jest informacja, że tylko jedna na sześć ofiar żydowskich (71.000/430.000) rościła sobie prawa do szwajcarskiego rachunku bankowego przed II wojną światową. Czy jedna na sześć osób jest także właścicielem Mercedesa lub górskiej daczy w Szwajcarii?[32]

2. W kategorii „praca niewolnicza" każda z prawdopodobnie wciąż żyjących 170.000 żydowskich ofiar pracy niewolniczej otrzyma symboliczną płatność w dwóch ratach: 500 dolarów po rozpatrzeniu

---

[31] *Plan Gribetza*, str. 25–26, 120–121, 119–138.

[32] *Plan Gribetza*, str. 18, 27, 116, Aneks C, C-10, Załącznik 3 do Aneksu C, 1. („Wstępne Kwestionariusze" (Initial Questionnaires) zostały przekazane „Ofiarom i Celom Nazistowskich Prześladowań" po zatwierdzeniu przez sędziego Kormana ugody ze Szwajcarią.) Raul Hilberg, który uciekł jako dziecko wraz z rodzicami z Austrii, wspominał w niedawnym wywiadzie, w którym odrzucał wygórowane roszczenia przemysłu Holokaustu wobec banków szwajcarskich: „W latach trzydziestych ubiegłego wieku Żydzi byli ubodzy. Moja rodzina należała do klasy średniej, ale nie mieliśmy rachunku bankowego w Austrii, nie mówiąc już o Szwajcarii". („Berliner Zeitung", 4 września 2000)

wszystkich apelacji i „najwyżej" dodatkowych 500 dolarów po rozpatrzeniu wszystkich roszczeń dotyczących uśpionych rachunków bankowych[33]. W rzeczywistości jednak podana powyżej liczba 170.000 jest poważnie zawyżona i jest mało prawdopodobne, by zbyt wiele żyjących obecnie żydowskich ofiar pracy dożyło chwili, gdy będą mogli otrzymać chociaż pierwszą z tych symbolicznych płatności. Wnioski będą rozpatrywane przez Konferencję ds. Roszczeń, która jako główny beneficjent kwot pozostałych po zaspokojeniu roszczeń będzie bogacić się na każdym odrzuconym wniosku.

3. W kategorii „uchodźców" osoby składające uzasadnione roszczenia otrzymają płatności w wysokości od 250 do 2500 dolarów w takich samych dwóch ratach, jak osoby przypisane do kategorii „pracy niewolniczej"[34]. W oparciu o „niemożliwe do zastąpienia dane zawarte we Wstępnych Kwestionariuszach" około 17.000 Żydów zwróciło się o zaliczenie ich do tej kategorii. Jest raczej prawdopodobne, że jedynie nieliczne z tych 17.000 osób złożą uzasadnione roszczenia (Konferencja rozpatruje wnioski), a jeszcze mniej dożyje wypłaty odszkodowań.

Szczegółowa analiza *Planu Gribetza* potwierdza więc główne argumenty, przedstawione w Rozdziale 3 niniejszej książki. Z analizy wynika też, że preteksty, na które powołuje się przemysł Holokaustu w celu wymuszenia od banków szwajcarskich bezzwrotnych odszkodowań, były fałszywe, oraz że nieliczne ocalałe ofiary nazistowskiego holokaustu skorzystają bezpośrednio — lub raczej pośrednio — ze szwajcarskich pieniędzy. Analiza porównawcza innych rozliczeń przemysłu Holokaustu prawdopodobnie przyniosłaby podobne wyniki. W rzeczywistości *Plan Gribetza* kryje w sobie gwarancję niezłej sumki na czarną godzinę dla przemysłu Holokaustu. Większość szwajcarskich pieniędzy najprawdopodobniej nie zostanie rozdysponowana do czasu, gdy przy życiu zostanie tylko garstka ocalałych ofiar Holokaustu. A gdy ocalałych z Holokaustu zabraknie, pieniądze popłyną szerokim strumieniem na konta organizacji żydowskich. Nic więc dziwnego, że przemysł Holokaustu jednomyślnie wychwalał *Plan Gribetza* pod niebiosa.

*
* *

---

[33] *Plan Gribetza*, str. 29–31, 154–156.
[34] *Plan Gribetza*, str. 35–39, 172–175.

Wkrótce po publikacji *Planu Alokacji i Dystrybucji* przystąpiłem do wymiany poglądów z Burtem Neuborne'em na łamach magazynu „Nation". Potępiając cynizm przemysłu Holokaustu, podkreślałem w szczególności zawarte w *Planie* stwierdzenie, jakoby żył jeszcze prawie milion Żydów ocalałych z nazistowskiego holokaustu[35]. W swojej odpowiedzi Neuborne odrzucił wprost zarzut podania takiej liczby żyjących żydowskich ofiar nazistowskiego holokaustu (mimo że sam był „najgłośniejszym zwolennikiem" *Planu Gribetza* („New York Times") i w specjalnym oświadczeniu załączonym do *Planu Gribetza* wychwalał swoje ustalenia jako „drobiazgowo udokumentowane"). Neuborne stwierdził, że liczba prawie jednego miliona „miała uwzględniać wszystkie żyjące ofiary, a nie samych Żydów" oraz że podzielił podaną przez siebie liczbę nadal żyjących ofiar na „około 130.000 ocalałych Żydów i blisko 900.000 nie-Żydów"[36]. Obok przedstawiłem właściwą stronę *Planu* (dodałem zaznaczenie). Czy ktokolwiek może jeszcze wątpić, że Neuborne prawidłowo podał tę liczbę?

Jako czołowy doradca przemysłu Holokaustu Burt Neuborne opracowywał „teorie prawne", wykorzystane do ograbienia banków szwajcarskich. Był też głównym zwolennikiem *Planu Alokacji i Dystrybucji*, wykorzystanego do ograbienia ofiar nazistowskich prześladowań. W opublikowanej korespondencji w rażący sposób wypaczył treść dokumentu o kluczowym znaczeniu. Wyobraźcie sobie, co by się stało, gdyby banki szwajcarskie były winne takich przewinień. Czy Neuborne nie wezwałby pierwszy do odebrania im uprawnień?[37]

---

[35] „Nation", 18 grudnia 2000 r.

[36] „Nation", 25 grudnia 2000 r.

[37] Poza ograbieniem Szwajcarów Neuborne odegrał istotną rolę w negocjacjach z Niemcami w sprawie pracy niewolniczej. Za to ostatnie zlecenie zarobił aż 5.000.000 dolarów — zdaniem Neuborne'a „niezbyt wysokie honorarium", szczególnie w porównaniu do przyznanej przez Niemców kwoty odszkodowania w wysokości 7.500 dolarów na osobę. (Jane Fritsch, *$52 Million for Lawyers' Fees in Nazi-Era Slave Labor Suits*, „New York Times" [15 czerwca 2001 r.]; Daniel Wise, *$60 Million in Fees Awarded To Lawyers Who Negotiated $5 Billion Holocaust Fund*, „New York Law Journal" [15 czerwca 2001 r.]; Gerald Locklin, *Lawyers Get Millions, Victims Get Thousands From Holocaust Deal*, „National Post" [18 czerwca 2001 r.])

Plan Gribetza, Aneks C, C–8

In Re POSTĘPOWANIE SĄDOWE W SPRAWIE AKTYWÓW OFIAR HOLOCAUSTU (Banki Szwajcarskie)
PROPOZYCJA SPECIAL MASTERA, 11 września 2000 roku

C. Ocalałe żydowskie ofiary nazistowskich prześladowań

Special Master rozpatrzył różne informacje dotyczące populacji ocalałych żydowskich ofiar nazizmu, w tym szacunki dotyczące liczebności populacji ocalałych ofiar żydowskich, ich rozkład geograficzny, średni wiek i oczekiwaną długość życia, a także liczbę ocalałych Żydów, którzy otrzymali płatności od Szwajcarskiego Funduszu na rzecz Ofiar Holokaustu/Shoa w trudnej sytuacji (tzw. „Szwajcarski Fundusz Humanitarny" („Swiss Humanitarian Fund"))[14].

1. Liczba ocalałych Żydów

Według Ukelesa brak jest obecnie „wiarygodnych i uzgodnionych danych statystycznych na temat liczebności żydowskich ofiar nazizmu, żyjących obecnie na całym świecie"[15]. Szacunkowe liczby mieszczą się w przedziale od 832.000 do 960.000 ocalałych Żydów.

Według raportu opracowanego przez Komisję Spanica[16] i cytowanego w Notice

---

[14] Szwajcarski Fundusz Humanitarny został utworzony w marcu 1997 roku jako gest humanitarny, całkowicie oddzielnie od postępowania w tej sprawie, w celu świadczenia pomocy dla ofiar nazistowskich prześladowań znajdujących się w trudnej sytuacji. Chociaż liczba ocalałych, którzy otrzymali płatności od Szwajcarskiego Funduszu Humanitarnego, jest pouczająca w odniesieniu do analizy demograficznej, liczba ocalałych, kwalifikujących się do świadczeń ze Szwajcarskiego Funduszu Humanitarnego może różnić się istotnie od liczby ocalałych, kwalifikujących się do świadczeń przewidzianych postanowieniami Porozumienia, między innymi z następujących przyczyn: (1) Szwajcarski Fundusz Humanitarny stosował węższą definicję „ocalałych" od zaproponowanej w niniejszym dokumencie; oraz (2) niektóre grupy prześladowane przez nazistów, takie jak Świadkowie Jehowy i inne ofiary prześladowań na tle politycznym, mogły zakwalifikować się do świadczeń ze Szwajcarskiego Funduszu Humanitarnego jedynie w wypadku, gdy były internowane w „obozach koncentracyjnych uznanych przez społeczność międzynarodową" i urodziły się do roku 1921 włącznie. Szczegółowa dyskusja na temat Szwajcarskiego Funduszu Humanitarnego, *patrz* Aneks K („Szwajcarski Fundusz Humanitarny").

[15] Ukeles, 2–2.

[16] Komisja Spanica została zorganizowana przez Urząd Premiera Izraela w składzie: E. Spanic, Przewodniczący; H. Factor; oraz W. Struminsky. Komisja podjęła wszechstronne działania w celu oszacowania liczby ocalałych żydowskich ofiar nazizmu według obszarów geograficznych w okresie od maja do lipca 1997 roku. Opracowane przez Komisję dane szacunkowe zostały w niewielkim stopniu skorygowane w maju 1998 roku przez H. Factora i W. Struminsky'ego. *Patrz* Ukeles, Załącznik 1.1, 2–13.

C–8

II.

W maju 1998 roku Kongres powierzył Prezydenckiej Komisji Doradczej ds. Majątku Holokaustu zadanie „przeprowadzenia oryginalnych badań nad losem majątku przejętego od ofiar Holokaustu, który wszedł w posiadanie rządu federalnego USA" oraz „doradzanie Prezydentowi w sprawie polityki, jaką należałoby przyjąć w celu restytucji skradzionego mienia jego prawnym właścicielom lub ich spadkobiercom"[38]. W grudniu 2000 r. Komisja pod przewodnictwem Edgara Bronfmana (który zorganizował napaść na banki szwajcarskie) opublikowała długo oczekiwany raport zatytułowany *Plunder and Restitution: The U.S. and Holocaust Victims' Assets*[39]. Celem raportu było udowodnienie, że „Stany Zjednoczone oczekiwały od siebie nie mniej, niż oczekiwały od społeczności międzynarodowej"[40]. Po uważnym przeczytaniu tego dokumentu pojawia się jednak wręcz przeciwny wniosek: *chociaż Stany Zjednoczone były winne wszystkich przestępstw, które zarzucały Szwajcarii, wobec Stanów Zjednoczonych nie wysunięto żadnych żądań o restytucję związaną z Holokaustem*[41].

Komisja Prezydencka przeciwstawia „nieustępliwość szwajcarskich banków" podejmowanym przez Stany Zjednoczone „nadzwyczajnym wysiłkom" w celu zwrotu majątków utraconych w czasie

---

[38] Więcej informacji — patrz powyżej 119. Komisja została utworzona w okresie szczytowych nacisków USA na banki szwajcarskie oraz w obliczu szwajcarskiej krytyki, że USA także nie były bez winy w sprawie odszkodowań za Holokaust.

[39] Washington, DC. (Zwany dalej: *P&R*) Został podzielony na dwie części: „Findings and Recommendations" oraz „Staff Report". Numery stron Staff Report oznaczono jako „SR".

[40] *P&R*, 5.

[41] Zawiera uwagę, że raport ten aż roi się od hiperboli, typowych dla publikacji przemysłu Holokaustu. Stąd Holokaust został uznany za „największy masowy przekręt w historii". (*P&R*, SR–3) Całe Stany Zjednoczone zbudowano na ziemi zrabowanej rdzennej ludności, a rozwój przemysłu USA był przez stulecia napędzany darmową pracą Afroamerykanów przy uprawie i przetwarzaniu bawełny. Czy Komisja uwzględniła te kradzieże w swoich kalkulacjach?

Holokaustu[42]. W pierwszej kolejności pragnę porównać oskarżenia wysuwane przeciwko Szwajcarom z dokonaniami Amerykanów zgodnie z informacjami zawartymi w raporcie Komisji.

Odmowa dostępu do aktywów z ery Holokaustu

Przemysł Holokaustu zarzucał bankom szwajcarskim, że systematycznie odmawiały ocalałym z Holokaustu i ich spadkobiercom dostępu do ich rachunków bankowych po zakończeniu II wojny światowej. Komisja Volckera stwierdziła, że poza nielicznymi wyjątkami oskarżenia te były bezpodstawne[43]. Z drugiej jednak strony Komisja Prezydencka ustaliła, że po wojnie „liczne" ofiary ocalałe z Holokaustu i ich spadkobiercy nie mogli odzyskać swoich środków w Stanach Zjednoczonych ze względu na „koszty i trudności w zgłaszaniu" roszczeń. (Od 1941 roku rząd federalny blokował lub przejmował aktywa wszystkich obywateli państw okupowanych przez nazistów.)[44] Podobnie jak w wypadku banków szwajcarskich, w niektórych wypadkach rząd federalny szukał legalnych właścicieli[45].

Niszczenie archiwów z ery Holokaustu

Przemysł Holokaustu zarzucał bankom szwajcarskim systematyczne niszczenie istotnych dokumentów w celu zatarcia śladów. Komisja Volckera uznała, że poza nielicznymi wyjątkami oskarżenia te były bezpodstawne[46].

Z drugiej jednak strony Stany Zjednoczone faktycznie niszczyły kluczowe „surowe dane". Po przystąpieniu USA do wojny Departament Skarbu zażądał, by amerykańskie instytucje finansowe

---

[42] *P&R*, 4, 5.

[43] Zob. powyżej 112–113.

[44] *P&R, 11–12;* SR-167–168. W raporcie stwierdzono także: „Żadne odczuwalne łagodzenie zasad lub procedur nie ułatwiało zgłaszania roszczeń ofiar. [...] Spadkobiercy stawali wobec większej liczby wyzwań niż posiadacze rachunków imiennych. Wiele przykładów świadczy o tym, że zgłaszający roszczenia umierali podczas procesu rozpatrywania roszczeń. W takich wypadkach [...] dalsze śledztwo [...] opóźniało przebieg sprawy."

[45] *P&R*, SR-170. Zob. powyżej 112.[VolckerRaportB].

[46] Zob. powyżej 113.

przedstawiły szczegółowe opisy wszystkich zdeponowanych u nich zagranicznych środków. Komisja stwierdziła, że wszystkie te formularze — łącznie 565.000 — „zostały zniszczone, a przeprowadzone przez personel badania nie wykryły jakichkolwiek ich duplikatów. W konsekwencji oszacowanie wartości środków należących do ofiar i zdeponowanych w Stanach Zjednoczonych w 1941 roku jest niemożliwe". Komisja zachowuje dziwne milczenie w kwestii, gdzie i kiedy te dokumenty zostały zniszczone[47].

Sprzeniewierzenie aktywów z ery Holokaustu

Przemysł Holokaustu słusznie oskarżył Szwajcarię o wykorzystanie pieniędzy należących do ofiar Holokaustu z Polski i Węgier jako rekompensatę za szwajcarskie dobra znacjonalizowane przez te rządy[48]. Komisja Prezydencka ujawniła jednak, że to samo miało miejsce w Stanach Zjednoczonych: „[Z]adośćuczynienie za utracone w Europie amerykańskie aktywa miało pierwszeństwo w stosunku do zagranicznych aktywów zamrożonych w Stanach Zjednoczonych. Kongres uznał zamrożone aktywa niemieckie za źródło, z którego może spłacić amerykańskie roszczenia za szkody poniesione przez amerykańskie firmy i osoby prywatne [...]. Z tej przyczyny amerykańskie roszczenia wojenne zostały spłacone częściowo z niemieckich aktywów, w których skład prawdopodobnie wchodziły także aktywa ofiar"[49].

Handel kradzionym złotem nazistów

Przemysł Holokaustu słusznie oskarżył Szwajcarię o nabycie nazistowskiego złota, zrabowanego ze skarbców banków centralnych w Europie[50]. Komisja Prezydencka ujawniła jednak, że Stany Zjednoczone miały to samo na sumieniu. W rzeczywistości handel zrabowanym przez nazistów złotem był oficjalną polityką USA, do czasu gdy wypowiedzenie wojny przez Niemcy uniemożliwiło kontynuowanie tej praktyki. Należy tutaj zacytować w całej rozciągłości odpowiedni fragment raportu Komisji:

---

47 *P&R*, SR–4, SR–213–214.

48 Zob. powyżej 100.

49 *P&R*, str. 12; SR–6, SR–170.

50 Zob. powyżej 99–100, 110.

Po napaści Niemiec na Francję, Belgię i Holandię w maju 1940 roku niejaki pan Pinsent, Radca Finansowy Ambasady Wielkiej Brytanii, poczuł się zobowiązany do wysłania do Departamentu Skarbu notatki, zawierającej zapytanie do pana Morgenthau [Sekretarza Skarbu], „czy był przygotowany do kontroli importu złota pod kątem odrzucenia złota, co do którego zachodziło podejrzenie, że pochodzi z Niemiec", ponieważ Pinsent wyraźnie obawiał się, że prywatne zapasy belgijskiego i holenderskiego złota mogą wpaść w ręce Niemiec. W notatce z 4 czerwca 1940 roku Harry Dexter White [szef działu Badań Monetarnych (Division of Monetary Research)] wyjaśnił, dlaczego Skarb USA nie zadawał pytań na temat pochodzenia „niemieckiego" złota [...]. White argumentował, że najskuteczniejszym wkładem USA w zachowanie złota jako międzynarodowego środka płatniczego będzie „utrzymanie jego nienaruszalności oraz niekwestionowanej akceptacji złota jako środka płatniczego do rozliczeń międzynarodowych". Sześć miesięcy później White drwiąco pisał o swoim „nieugiętym sprzeciwie wobec poważnego rozpatrzenia propozycji składanych przez ludzi, którzy nie bardzo znają się na rzeczy, w sprawie wstrzymania naszych zakupów złota, czy wstrzymania naszych zakupów złota od jakiegokolwiek konkretnego państwa za to, czy za tamto, czy z jakiejkolwiek konkretnej przyczyny". Na początku 1941 roku ponownie zwrócono się do White'a w formie wewnętrznej notatki Departamentu Skarbu o rozpatrzenie kwestii, „czyje złoto kupujemy?", ale z jego notatek wyraźnie wynika, że odpowiedzią jest „akceptacja złota bez zadawania pytań"[51].

Przemysł Holokaustu słusznie oskarżył Szwajcarię o kupowanie nazistowskiego złota zrabowanego ofiarom Holokaustu. (Brak jednak dowodów, że Szwajcarzy kupowali „złoto ofiar", wiedząc o jego pochodzeniu; wartość tego złota według dzisiejszych cen szacuje się na około milion dolarów.)[52] Komisja Prezydencka także ustaliła, iż „możliwe jest, że złote sztabki i monety, nabywane przez Departament Skarbu poprzez Bank Rezerw Federalnych w Nowym Jorku

---

[51] *P&R*, SR-51.

[52] Zob. powyżej 99–100, 111–112.

podczas wojny i po niej, zawierały śladowe ilości złotych przedmiotów, zrabowanych ofiarom nazizmu"[53].

Komisja Prezydencka ujawniła w swoim raporcie, że Stany Zjednoczone były winne popełnienia takich samych czynów, o jakie przemysł Holokaustu oskarżał Szwajcarię.

*

* *

Przemysł Holokaustu zmusił banki szwajcarskie do przeprowadzenia wyczerpującego zewnętrznego audytu, który kosztował pół miliarda dolarów, w celu zlokalizowania wszystkich aktywów z ery Holokaustu, po które nikt się nie zgłosił. Zanim jednak audyt się zakończył, przemysł Holokaustu wymusił na Szwajcarii ugodę na 1,25 miliarda dolarów[54]. Komisja Volckera ujawniła jednak, że podobnie jak Szwajcaria, także Stany Zjednoczone stanowiły jedną z głównych bezpiecznych przystani dla żydowskich aktywów w Europie[55]. Przyjrzyjmy się teraz żądaniom wobec Stanów Zjednoczonych.

Jak podano powyżej, celem Komisji Prezydenckiej było udowodnienie, iż jej „prace [...] wykazały, że Stany Zjednoczone oczekiwały od siebie nie mniej, niż oczekiwały od społeczności międzynarodowej". Komisja nie wszczęła jednak wszechstronnego badania w sprawie aktywów z ery Holokaustu w Stanach Zjednoczonych, po które nie zgłosili się właściciele. W raporcie stwierdzono, że uprawnienia Komisji nie pozwalały „mechanistycznie określić ilość czy wycenić w dolarach historycznych nieprawidłowości w opracowywaniu lub wprowadzaniu w życie polityki USA"[56]. Komisja rzekomo nie mogła podejmować takich czynności ze względu na „konieczny kompromis pomiędzy celami badań i dostępnymi zasobami potrzebnymi do ich ukończenia" a „niedostatkiem i nierównomierną jakością dokumentacji przekazanej do jej dyspozycji"[57]. W niezrozumiały sposób Szwajcaria potrafiła rozwiązać te problemy, podczas gdy Stany Zjednoczone jakoś sobie z nimi nie poradziły. (Co mogło uniemożliwić

---

53 *P&R*, SR-214.
54 Szczegóły — patrz powyżej 92–120 *passim*.
55 Zob. powyżej 115–116.
56 *P&R*, 7.
57 *P&R*, str. 19; SR–212–213.

wypełnienie luki w dokumentacji przez przeznaczenie większych „zasobów i czasu" czy wdrożenie audytu w szwajcarskim stylu?)[58] W podobnym stylu twierdzono, że prawidłowe rozliczenie zwrotu aktywów z ery Holokaustu mogłoby wymagać przeprowadzenia „systematycznych badań, które przekraczały możliwości"[59] Komisji — chociaż wcale nie przekraczały możliwości banków szwajcarskich.

Komisja stwierdziła w raporcie, że organizacja o nazwie Jewish Restitution Successor Organization (JRSO) jedynie „z ociąganiem zaakceptowała" odszkodowanie w kwocie 500.000 dolarów zaoferowane przez rząd USA za bezpańskie aktywa z ery Holokaustu[60].

---

[58] Komisja przeprowadziła jedynie „projekt pilotowy, polegający na dopasowaniu nazwisk z ograniczonej listy ofiar Holokaustu do wykazu spadków bezdziedzicznych, prowadzonym przez stan Nowy Jork. [...] Procedura ta [...] skutkowała dopasowaniem 18 nazwisk ofiar do uśpionych rachunków bankowych w stanie Nowy Jork [...] wartość tych rachunków wahała się w przedziale od kilku dolarów do pięciu tysięcy dolarów". (Zgodnie z doktryną spadku bezdziedzicznego, amerykańskie banki mają obowiązek przekazywania porzuconych uśpionych kont odpowiednim władzom stanowym.) Ponadto Komisja osiągnęła porozumienie z największymi bankami, „definiujące sugerowane najlepsze praktyki do stosowania przez banki w poszukiwaniu aktywów z ery Holokaustu". Zgodnie z tym porozumieniem, banki dobrowolnie uczestniczące w procedurze miały prowadzić „własne badania" właściwych ewidencji i informować funkcjonariuszy stanowych o wszelkich znalezionych przez nie uśpionych rachunkach z ery Holokaustu. Opisane powyżej „sugerowane najlepsze praktyki" dzieli prawdziwa przepaść od wyczerpującego zewnętrznego audytu, narzuconego bankom szwajcarskim. Co istotne, porozumienie stanowi nawet, że współpracujące banki nie mają obowiązku publikacji „tożsamości właścicieli rachunków" w odniesieniu do „jakiegokolwiek zidentyfikowanego rachunku". (*P&R*, 3, 15–17)

[59] *P&R*, SR–184 prz. 249.

[60] *P&R*, SR–138. JRSO odpowiadała za odzyskiwanie po wojnie bezspadkowych aktywów z ery Holokaustu. Interesujący jest fakt ujawnienia przez Komisję, że JRSO przejęła dla siebie majątek należący do osób ocalałych z Holokaustu i ich spadkobierców:

> Osoby prywatne czasem odkrywały, że JRSO składała roszczenia do ich majątku i zwracały się następnie do tej organizacji o restytucję; do 1955 roku JRSO rozpatrzyła ponad 4800 takich roszczeń. Po przeprowadzeniu wewnętrznej dyskusji JRSO wyraziła zgodę na zwrot takim osobom ich majątku, nawet jeżeli organizacja już nabyła tytuł do

Chociaż przedstawione w raporcie ustalenia potwierdzają gniewny zarzut Seymoura Rubina, że kwota 500.000 dolarów była „bardzo niska"[61], Komisja oczywiście utrzymywała, że nędzne odszkodowanie nie „wynikało ze złych motywów ze strony jakiegokolwiek urzędnika, agenta czy instytucji Stanów Zjednoczonych"[62]. Raport nie zawiera ani jednej propozycji, by Stany Zjednoczone wypłacały wyż-

takich aktywów [...]. Dla pokrycia kosztów organizacja żądała jednak opłat za swoje usługi w sprawie zmarłych wnioskodawców. Wysokość opłaty zależała od stopnia pokrewieństwa pomiędzy wnioskodawcą a byłym właścicielem oraz od wyceny majątku. W wypadku, gdy JRSO faktycznie odzyskała majątek, organizacja powiększała swoje koszty o dziesięcioprocentowy narzut (aczkolwiek organizacja zmniejszała ten narzut do pięciu procent, w sytuacji gdy wnioskodawca był ubogi). Jedna z wnioskujących osób ostro skrytykowała władze USA za „przyznanie" jej majątku JRSO. Kobieta argumentowała, że nie posiadała wiedzy o terminie składania roszczeń do czasu jego wygaśnięcia, po czym odkryła: „należy mi się kara, ponieważ armia okupacyjna, za którą mój mąż i ja drogo zapłaciliśmy, uważa za właściwe przejęcie mojego majątku i oddanie go nie wiadomo komu". Frustracja i gniew wyrażone w tym liście prawdopodobnie odzwierciedlały uczucia wielu innych wnioskodawców, którzy przegapili termin; osoby prywatne obrzuciły JRSO „protestami" i „żądaniami" niezwłocznego zwrotu ich własności. (*P&R*, SR–156)

Pół wieku później Konferencja ds. Roszczeń Żydowskich (następczyni JRSO) realizuje identyczną strategię okradania prawowitych żydowskich spadkobierców z ich własności w byłej Niemieckiej Republice Demokratycznej (patrz podane powyżej odniesienia 90 prz. 11 oraz Netty Gross, *Time is Running Out*, „Jerusalem Report" [7 maja 2001 r.]).

[61] *P&R*, SR-171. Cytowane zdanie pochodzi z oświadczenia Seymoura Rubina z 1969 roku (Rubin — zob. powyżej 116–117). Według Rubina JRSO ostatecznie zaakceptowała tę liczbę, ponieważ ocalałe ofiary Holokaustu stały już nad grobem: „dla tych ludzi czas się już kończy". Widzieliśmy, że przemysł Holokaustu nadal powoływał się na ten „kończący się czas" podczas okradania Szwajcarii. Można byłoby przypuszczać, że pół wieku później czas ten faktycznie się skończył. Sugestywne dowody na to, że łączna wartość bezpańskich aktywów z ery Holokaustu jest znacznie wyższa, przedstawiono w *P&R*: SR–6, SR–166–167, SR–172, SR–214–215.

[62] *P&R*, 7.

sze odszkodowania, nie mówiąc już o kwotach porównywalnych do 1,25 miliarda dolarów wymuszonych od Szwajcarów. Komisja Prezydencka załączyła wykaz szlachetnych zaleceń[63]. Pod koniec wojny amerykańscy żołnierze stacjonujący w Europie brali udział w zakrojonych na ogromną skalę rabunkach[64]. Jedno z zaleceń wzywa rząd federalny do „opracowania wspólnie z organizacjami weteranów programu promowania dobrowolnego zwrotu ofiarom ich własności, która mogła zostać odebrana im przez byłych żołnierzy sił zbrojnych jako pamiątki z wojny." Bez wątpienia weterani już stają w kolejkach, by zwrócić swoje łupy wojenne. Zalecenie końcowe wzywa Stany Zjednoczone do „kontynuowania przodownictwa w promocji zaangażowania społeczności międzynarodowej w rozwiązywanie problemów związanych z restytucją majątków." Czy po takim raporcie ktokolwiek może zakwestionować amerykańskie przodownictwo?

Norman G. Finkelstein
Czerwiec 2001 r.
Nowy Jork

---

[63] *P&R*, str. 21–26.
[64] *P&R*, SR–117nn.

Posłowie

DO DRUGIEGO WYDANIA W MIĘKKIEJ OPRAWIE

Od publikacji pierwszego wydania *Przedsiębiorstwa Holokaust* w miękkiej oprawie wiele wydarzyło się w sprawie przeciwko bankom szwajcarskim: (1) zakończenie procesu przed I Trybunałem ds. Rozstrzygania Roszczeń (CRT-I), (2) ustanowienie i całkowita reorganizacja CRT-II, (3) publikacja Raportu Końcowego Komisji Bergiera oraz wykorzystanie go do zdyskredytowania ustaleń Komisji Volckera. W niniejszym posłowiu przedstawię ocenę tych wydarzeń[1]. Dla wyjaśnienia dalszego tekstu, poniżej przedstawiłem w formie tabelarycznej różnice pomiędzy rachunkami, w sprawie których złożone zostały roszczenia w ramach CRT-I i CRT-II:

CRT-I	CRT-II
1. jedynie rachunki uśpione	1. zarówno uśpione, jak zamknięte rachunki
2. wszystkie opublikowane oznaczenia właścicieli rachunków	2. opublikowano niektóre oznaczenia właścicieli rachunków
3. rachunki zarówno ofiar Holokaustu, jak osób nie będących ofiarami Holokaustu	3. jedynie rachunki ofiar Holokaustu

(Rachunki uśpione to rachunki, na których bank nadal przechowuje fundusze w imieniu i na rzecz posiadacza rachunku).

---

[1] Niniejsza ocena powstała w oparciu o wywiady z głównymi uczestnikami sprawy, z których kilka osób zażądało anonimowości. Jytte Kjærgaard z duńskiej gazety „B.T." przeprowadziła wywiady z Michaelem Bradfieldem i Burtem Neuborne'em, autor przeprowadził wywiad z sędzią Edwardem R. Kormanem, a David Ridgen z Canadian Broadcasting Corporation przeprowadził rozmowę z Raulem Hilbergiem. Bradfield, Neuborne i Korman otrzymali pierwsze wersje niniejszej oceny wraz z prośbą o wskazanie błędnie podanych faktów w celu ich skorygowania. Żadna z tych trzech osób nie wskazała jakichkolwiek błędów. Wszystkie numery spraw dotyczą Sądu Okręgowego Stanów Zjednoczonych dla Dzielnicy Wschodniej w Nowym Jorku, numer sprawy 96-CV-4849.

1. Zakończenie procesu CRT-I

We wrześniu 2001 roku CRT-I zakończył swoją działalność, polegającą na rozpatrywaniu roszczeń napływających z całego świata w sprawie uśpionych rachunków w bankach szwajcarskich. W dniu 11 października 2001 roku przewodniczący CRT-I prof. Hans Michael Riemer opublikował biuletyn prasowy, podsumowujący główne ustalenia Trybunału[2]. Po publikacji biuletynu Riemer został zawieszony ze skutkiem natychmiastowym przez Michaela Bradfielda, który nadzorował pracę administracji Trybunału. (Wcześniej Bradfield pracował na stanowisku głównego doradcy Komisji Volckera i był de facto dyrektorem generalnym audytu.) Bradfield podobno wpadł w szał, ponieważ w oświadczeniu dla prasy znalazła się informacja, że z tytułu roszczeń złożonych na ręce CRT-I banki szwajcarskie były winne ofiarom Holokaustu zaledwie 10 milionów dolarów[3]. Bradfield twierdził, że Riemer został zwolniony za „niedostateczne" informowanie, iż CRT-I był zaledwie pierwszym etapem dwuetapowego procesu[4]. Lektura biuletynu prasowego zdecydowanie jednak przeczy twierdzeniom Bradfielda. Profesor Riemer opracował także szczegółowy raport końcowy z prac CRT-I[5]. Raport ten zasłużył na bezgraniczną wdzięczność arbitrów CRT-I. Bradfield ukrył raport i ogłosił, że jest on „nieistotny", oskarżając jednocześnie Paula Volckera i rabina Israela Singera o wstrzymywanie jego publikacji. (Wchodzą oni w skład Rady Powierników

---

[2] „Trybunał ds. Rozpatrywania Roszczeń zakończył swoją wstępną misję" (biuletyn prasowy, Zurych, 11 października 2001 r.).

[3] To ostateczne zestawienie wywołało zaledwie szczątkowe zainteresowanie zagranicznych mediów. Jedynym wartym uwagi wyjątkiem była publikacja w londyńskim „Timesie" artykułu autorstwa Adama Sage'a i Rogera Boyesa pt. *Swiss Holocaust cash revealed to be myth* (13 października 2001 r.).

[4] Wywiad z Michaelem Bradfieldem, 22 lipca 2002 r. O ile nie zostanie wskazane inaczej, cytaty z wypowiedzi Bradfielda i parafrazy pochodzą z przywołanego powyżej wywiadu. Zob. także wymianę korespondencji pomiędzy Paulem Volckerem a prof. Riemerem z 29 października 2001 r. oraz 7 listopada 2001 r. (numery sprawy 1087 i 1092).

[5] *Final Report on the Work of the Claims Resolution Tribunal for Dormant Accounts in Switzerland* (5 października 2001 r.).

Niezależnej Fundacji ds. Rozpatrywania Roszczeń, która nadzorowała prace CRT-I.) Sędzia Korman twierdzi dobitnie, że nigdy nie czytał raportu końcowego CRT-I, podczas gdy Bradfield utrzymuje, że Korman raport ten przeczytał[6]. Pod koniec lipca 2002 roku Stowarzyszenie Bankierów Szwajcarskich (Swiss Bankers Association, SBA) podjęło decyzję o opublikowaniu raportu Riemera na swojej witrynie internetowej.

Kluczowe dane statystyczne i ostateczne zestawienia z raportu CRT-1 podano poniżej[7]:

Dane statystyczne i ostateczne zestawienie CRT-I

- opublikowano 5.500 oznaczeń właścicieli rachunków (w tym zarówno ofiar Holokaustu, jak osób nie będących ofiarami Holokaustu)

- złożono 10.000 roszczeń w odniesieniu do 2.300 takich rachunków

- odrzucono 6.000 roszczeń (60% wszystkich roszczeń) po wstępnym przeglądzie i w następnej kolejności odrzucono dodatkowo 1.000 roszczeń (10% wszystkich roszczeń)

- zatwierdzono 3.000 roszczeń (30% wszystkich roszczeń) w stosunku do 1.000 rachunków, z których 200 należało do ofiar Holokaustu

- łączna kwota wypłacona na rzecz 3.000 osób, których roszczenia potwierdzono w stosunku do 1.000 rachunków = 40 milionów dolarów amerykańskich

- łączna kwota wypłacona w odniesieniu do 200 rachunków ofiar Holokaustu = 10 milionów dolarów amerykańskich

---

[6] Wywiad z sędzią Kormanem z 5 lipca 2002 r. O ile nie wskazano inaczej, wszystkie cytaty z wypowiedzi Kormana i parafrazy pochodzą z przywołanego powyżej wywiadu. (Raportu końcowego CRT-I nigdy nie opatrzono numerem sprawy).

[7] Wszystkie dane liczbowe przedstawione w niniejszej ocenie zostały zaokrąglone do dziesiątek, setek lub tysięcy, zależnie od rzędu wielkości.

173

Zastanówmy się teraz nad dostępnymi danymi dotyczącymi CRT-II oraz projekcjami dla CRT-II na podstawie ustaleń CRT-I:

Dostępne dane dotyczące CRT-II

- 36.000 oznaczeń rachunków, posiadających prawdopodobny lub możliwy związek z ofiarami Holokaustu (opublikowano 21.000 oznaczeń rachunków, 15.000 nie opublikowano)
- złożono 32.000 roszczeń w sprawie 36.000 opublikowanych i nieopublikowanych rachunków
- 12.000 roszczeń jest zgodnych z oznaczeniami rachunków opublikowanych i nieopublikowanych[8]

Liczba 12.000 roszczeń, w których nazwisko pasuje do oznaczenia rachunku, jest bardzo zbliżona do liczby 10.000 roszczeń rozpatrywanych przez CRT-I, tzn. w obu wypadkach roszczenia dotyczą konkretnych oznaczeń rachunków.

Projekcje CRT-II w oparciu o CRT-I

- 8.400 roszczeń (70% z 12.000 roszczeń dopasowanych) zostanie ostatecznie odrzuconych
- 3.600 roszczeń (30% z 12.000 roszczeń dopasowanych) zostanie ostatecznie przyjętych
- kwoty wypłacone 3.600 osobom, których roszczenia zostały potwierdzone, wynoszą 50 milionów dolarów amerykańskich[9]

Na podstawie danych dostępnych dla CRT-II i projekcji opartej o dane statystyczne i zestawienia końcowe dla CRT-I można stwierdzić, że banki szwajcarskie zarobiły na ofiarach Holokaustu i ich spadkobiercach kwotę 60 milionów dolarów amerykańskich (10 milionów dolarów z CRT-I + 50 milionów dolarów z CRT-II). Kwota ta jest jednak zdecydowanie niższa nie tylko od kwoty 1,25 miliarda dolarów, wypłaconej przez banki szwajcarskie w ostatecznym rozliczeniu, ale

---

[8] Zob. list Burta Neuborne'a do sędziego Kormana z 26 lutego 2002 r. i załączona deklaracja (numery sprawy 1171 i 1172).

[9] Projekcja oparta o kwotę 40 milionów wypłaconą na zaspokojenie 3.000 potwierdzonych roszczeń w CRT-I (kwota około 10 milionów dolarów zostanie wypłacona na zaspokojenie 600 potwierdzonych roszczeń).

tym bardziej od kwoty 7–20 miliardów dolarów, żądanej podczas kampanii przeciwko bankom szwajcarskim.

Nawet projekcja w wysokości 60 milionów dolarów jest być może zdecydowanie wyższa od faktycznych zysków banków szwajcarskich. Proces CRT-I dotyczył wyłącznie rachunków uśpionych, natomiast proces CRT-II polegał na rozpatrywaniu roszczeń, dotyczących przede wszystkim zamkniętych rachunków związanych z Holokaustem[10]. Komisja Volckera stwierdziła jednak „brak dowodów [...] na skoordynowane wysiłki w celu sprzeniewierzenia funduszy ofiar prześladowań nazistowskich na niewłaściwe cele"[11]. Chociaż więc projekcja 50 milionów dolarów dla CRT-II została przedstawiona w oparciu o roszczenia dotyczące rachunków uśpionych i większości rachunków zamkniętych, brak jest dowodów, by banki szwajcarskie osiągnęły znaczące zyski z rachunków zamkniętych. Z rachunkami tymi wiąże się szereg nierozwiązanych, a być może nierozwiązywalnych pytań dotyczących liczby żydowskich posiadaczy rachunków w okupowanej przez nazistów Europie, którzy pozamykali swoje rachunki ze względu na zagrożenie, wartości rachunków zamkniętych pod przymusem oraz odpowiedzialności banków szwajcarskich za niepodjęcie właściwych środków ostrożności przy realizacji zleceń wypłaty. Komisja Volckera stwierdziła jedynie, że „banki przelały zawartość około 400 rachunków na władze nazistowskie (w niektórych wypadkach banki wiedziały, lub powinny były wiedzieć, że przelewy te zostały zlecone przez posiadaczy rachunków pod przymusem)"[12].

---

[10] Decyzja o rozszerzeniu audytu banków szwajcarskich o rachunki zamknięte została podjęta przez Volckera pod wpływem „upartych nacisków" wywieranych przez Bradfielda. Zob. John Authers i Richard Wolffe, *The Victim's Fortune*, Nowy Jork 2002, str. 356.

[11] Independent Committee of Eminent Persons, *Report on Dormant Accounts of Victims of Nazi Persecution in Swiss Banks*, Berno 1999, str. 13, pkt 41 (a).

[12] Ibid., str. 82, pkt 4; zob. str. 86–87, pkt 22–25. W odniesieniu do tej złożonej kwestii były sędzia CRT odnotował: „Pamiętam przynajmniej jedną sprawę związaną z CRT-II, gdy posiadacz rachunku został poinformowany przez władze nazistowskie, że może wraz z rodziną opuścić Niemcy pod warunkiem, że przedtem przeniesie wszystko, co zdeponował w banku szwajcarskim, do banku kontrolowanego przez nazistów. W tamtym wypadku posiadacz rachunku oczywiście potwierdził swoją wolę dokonania

Sprawy te odbiegają jednak od początkowego zarzutu, że banki szwajcarskie kierowane chciwością (i antysemityzmem) wzbogaciły się kosztem ofiar Holokaustu i ich spadkobierców.

2. Ustanowienie i późniejsza reorganizacja CRT-II[13]

Zgodnie z ugodą zawartą w sprawie pozwu zbiorowego, CRT-I zebrał się ponownie po wprowadzeniu drobnych zmian już jako CRT-II w listopadzie 2001 roku, i w styczniu 2002 roku rozpoczął szczegółowe rozpatrywanie roszczeń[14]. Paul Volcker i Michael Bradfield, piastujący godność „Special Masters" CRT-II, zaproponowali zasady proceduralne, które zostały zatwierdzone przez sędziego Kormana. Podtrzymano w mocy złagodzone zasady postępowania dowodowego, stosowane przez CRT-I, natomiast procedura została usprawniona w celu przyspieszenia rozpatrywania roszczeń. W odniesieniu do rachunków zamkniętych przyjęto nowe zasady, przyznające powo-

---

takiego przelewu i nikt nie sugerował, że w takich okolicznościach bank «ponosił winę» za realizację instrukcji posiadacza rachunku. O ile sobie przypominam, w tamtym wypadku — za zgodą Nowego Jorku — spadkobiercy posiadacza rachunku mogli odzyskać majątek od Funduszu Rozliczeniowego" — tzn. roszczenie wobec banków szwajcarskich zostało ostatecznie przyjęte (prywatna korespondencja).

[13] Najważniejszym źródłem w tym rozdziale jest pismo Robertsa B. Owena z 11 czerwca 2002 roku, liczące dziewięć gęsto zapisanych stron, wysłane do jego kolegów z CRT-II, zawierające szczegółowy przegląd i ocenę opisywanych tutaj wydarzeń. Owen był Amerykaninem, który piastował stanowisko Wiceprezesa CRT-I i CRT-II, i był jedynym czynnym sędzią wysokiej rangi w CRT-II. Za namową Paula Volckera (który miał wgląd w projekt pisma) Owen nie rozesłał tego pisma do swoich kolegów, lecz wysłał je do Volckera, Bradfielda, Singera i sędziego Kormana, który udostępnił autorowi kopię pisma. (Dokumentu tego nigdy nie opatrzono numerem sprawy.) (Zwany dalej: *Pismo Owena*.)

[14] Prace nad budżetem CRT-II rozpoczęły się już w lutym 2000 roku, a faktyczne rozpatrywanie roszczeń przez CRT-II rozpoczęto w maju 2001 roku, przy czym ta wstępna faza, tocząca się od początku roku, okazała się nieskuteczna (byli pracownicy CRT-II przypisali winę za ten falstart Bradfieldowi).

dom maksymalne domniemanie słuszności ich roszczeń[15]. Chociaż z technicznego punktu widzenia CRT-I był organem arbitrażowym (powodów wobec banków), a CRT-II już nim nie był (po wyrażeniu w styczniu 1999 roku zgody na zapłatę bezzwrotnej kwoty 1,25 dolarów banki zostały skutecznie usunięte z postępowania), to oba te organy miały ten sam podstawowy cel: „określenie praw osób składających roszczenia do rachunków w bankach szwajcarskich" (*Zasady*, 1). Zasadniczą ciągłość wskazano w art. 11 *Zasad*, który stanowił, że „Przewodniczący i Arbitrzy" CRT-I „mogą także działać odpowiednio jako Przewodniczący Trybunału oraz wysokiej rangi Sędziowie CRT-II. W kwietniu 2002 roku dwóch szwajcarskich prawników zrezygnowało z uczestnictwa w CRT-II i wkrótce potem sześciu zagranicznych uczestników — w tym trzech żydowskiego pochodzenia — poproszono o rezygnację (otrzymali dwadzieścia cztery godziny na opuszczenie siedziby sądu). Zasłużony amerykański członek CRT opisał tę szóstkę jako «dobrych, ciężko pracujących prawników, wykonujących polecenia i robiących, co do nich należało»... Jedyne, co można powiedzieć na temat tych osób, to że miały dosyć zdrowego rozsądku, by zadawać trudne pytania na temat widocznych słabych stron programu kierowanego (a właściwie ręcznie zarządzanego) przez Bradfielda." Inny wysokiej rangi członek CRT nazwał zwolnienie tych osób „żenującym czynem". Do czerwca z CRT-II odeszła jedna trzecia obsady, w tym Sekretarz Generalny Veijo Heiskanen z Finlandii. Zgodnie z wiarygodnymi artykułami w szanowanych czasopismach szwajcarskich „Weltwoche" i „NZZ am Sonntag", głównym źródłem niezgody były silne naciski wywierane przez Bradfielda na personel w celu wymuszenia zwiększenia liczby uznanych roszczeń, przy jednoczesnym naruszaniu zasad proceduralnych i zniekształcaniu faktów. Ponadto odeszło wszystkich szesnastu wysokiej rangi sędziów, w tym tylko część na własne życzenie. Piętnastu z tych sędziów już zostało całkowicie odsuniętych od czynności CRT-II, a wielu z nich było niezadowolonych z wykorzystywania ich nazwisk i dorobku zawodowego jako listka figowego dla budzącego rosnące

---

[15] Nowe zasady dotyczące zamkniętych rachunków — zob. art. 34 *Zasad procesu rozstrzygania roszczeń*. (Zwanych dalej: *Zasady*.)

wątpliwości procesu, w którym ani nie brali udziału, ani nie mieli nic do powiedzenia[16]. Spośród 32.000 roszczeń złożonych do CRT-II, 20.000 nie spełniało warunku zgodności z nazwiskami w wykazie rachunków możliwych lub prawdopodobnych ofiar Holokaustu. Jeszcze przed zwolnieniem licznych członków personelu CRT-II rozpatrzono pierwszych 2.800 z pozostałych 12.000 roszczeń. Nawet przy zastosowaniu złagodzonych zasad postępowania dowodowego i założeniu maksymalnej słuszności roszczeń powodów, trudno było znaleźć wystarczające dowody na uznanie zaledwie 400 — lub 15% — z tych 2.800 roszczeń. Na tej podstawie można przypuszczać, że jedynie 1.800 z łącznej liczby 32.000 roszczeń mogłoby zostać uznane przez CRT-II[17]. Jeżeli więc uznane przez CRT-I roszczenia w liczbie 3.000 przyniosły 40 milionów dolarów, to 1.800 roszczeń uznanych przez CRT-II mogłoby prawdopodobnie skutkować odszkodowaniami w kwocie 20 milionów dolarów. Można więc uznać, że banki szwajcarskie wzbogaciły się na rachunkach ofiar Holokaustu o 30 milionów dolarów według cen bieżących (10 milionów dolarów z CRT-I + 20 milionów dolarów z CRT-II). Dobrze poinformowani byli pracownicy CRT sugerują, że w ostatecznym rozrachunku kwota ta

---

[16] Zob. artykuły Hanspetera Borna, *Awarding the millions, eyes closed*, „Weltwoche", 23 maja 2002, oraz *The Claims Resolution Tribunal without a Judge*, „Weltwoche", 6 czerwca 2002, a także *Hitler had Switzerland in his pocket*, „NZZ am Sonntag", 9 czerwca 2002; *$800 Million Dollars, Rough Justice* oraz *If Too Little is Known, Then Speculate*, „NZZ am Sonntag", 16 czerwca 2002. Kwestie poruszane w tych artykułach zostały potwierdzone licznymi wywiadami i obszerną korespondencją pomiędzy zaangażowanymi stronami. W odniesieniu do „good hard-working lawyers..." oraz „shameful act", a także dalszych szczegółów — zob. *Pismo Owena*.

[17] 15-procentowy udział roszczeń uznanych — zob. *Pismo Owena* oraz *$800 Million Dollars, Rough Justice*, „NZZ am Sonntag", 9 czerwca 2002. Należy zwrócić uwagę na fakt, że przewidywania Bradfielda dotyczące CRT-II okazały się bardzo przesadzone. Na przykład 26 grudnia 2000 roku w notatce skierowanej do sędziego Kormana („Draft Proposed Budget, January 2001 — June 2003, for CRT") przewidywał liczbę złożonych roszczeń na 100.000, z których (najwyraźniej) 85.000 mogłoby przejść pierwsze analizy, a 12.750 (15% z 85.000) mogłoby zostać uznanych (dokument nr 1064).

byłaby nieco wyższa[18]. Jednak nawet przy założeniu, że kwota ta byłaby dwukrotnie wyższa, ostateczna kwota odszkodowań byłaby zbliżona do kwoty 30 milionów dolarów, wstępnie proponowanej przez szwajcarskich bankierów jako podstawa do negocjacji w sprawie odszkodowań za rachunki bankowe ofiar Holokaustu. Oszczercza kampania prowadzona przeciwko bankom szwajcarskim zmusiła je do przeprowadzeniu audytu, który kosztował 500 milionów dolarów, oraz do zawarcia ugody na kwotę 1,25 miliarda dolarów. Gdyby CRT-II miał możliwość przeprowadzenia swojego postępowania do końca, to jego wyniki mogłyby okazać się bardzo kłopotliwe dla przeprowadzających atak na banki szwajcarskie.

Najważniejsi uczestnicy procesu CRT-II — Special Master Michael Bradfield[19], sędzia Edward Korman oraz Główny Doradca ds. Rozliczeń (Lead Settlement Counsel) Burt Neuborne — podają następujące dwie główne przyczyny zwolnień członków personelu:

(1) *Należało przyspieszyć proces rozpatrywania roszczeń.* Byli pracownicy CRT twierdzili jednak zgodnie, że powolne tempo prac CRT-I wynikało przede wszystkim z długiego czasu oczekiwania na ostateczne przedstawienie przez Bradfielda zasady proceduralnej, dotyczącej szacowania aktualnej wartości uznanych roszczeń (stracono przez to cały rok), a także że proces CRT podlegał „uciążliwym" zasadom, jakie Bradfield przyjął w odniesieniu do rozpatrywania roszczeń[20]. W każdym wypadku nie bardzo wiadomo, w jaki sposób zwolnienie wysokiej rangi i najbardziej doświadczonych pracowników oraz zastąpienie ich wątpliwej jakości kierownictwem i zdemoralizowaną obsługą, mogło w jakikolwiek sposób przyspieszyć ten

---

[18] Na przykład program komputerowy, wstępnie zastosowany do dopasowywania roszczeń do nazw rachunków, zaniżał liczbę dopasowań z powodu problemów związanych z wczytywaniem danych.

[19] Chociaż Paul Volcker oficjalnie także sprawował funkcję „Special Master", najwyraźniej nie brał w tym czynnego udziału.

[20] Szczegóły — zob. *Pismo Owena*. Owen zauważył, że Bradfield nie tylko ustanowił dla CRT-I „uciążliwy, nadmiernie szczegółowy mechanizm arbitrażowy", który nie tylko okazał się nieskuteczny, mimo błagań kierownictwa CRT-II o wprowadzenie reform w działaniu CRT-II, ale także zaczął „wprowadzać dodatkowe, uciążliwe wymagania".

proces[21]. Korman i Bradfield twierdzą, że prace CRT-I ciągnęły się przez pięć lat, podczas gdy faktycznie trwały trzy i pół roku od otrzymania pierwszego roszczenia w marcu 1998 roku do rozpatrzenia ostatniego roszczenia we wrześniu 2001 roku[22]. W ciągu pierwszych siedmiu miesięcy pracy CRT-II rozpatrzył mniej więcej jedną czwartą wiarygodnych roszczeń w sprawie rachunków ofiar Holokaustu. Pracując w takim tempie, CRT-II potrzebowałby do dwóch lat na zakończenie swojej misji. Jednak po reorganizacji CRT-II stwierdzono, że nowy personel będzie na to potrzebował kolejnych przynajmniej dwóch lat[23]. Przyjęty przez sędziego Kormana cel usprawnienia prac CRT-I trudno pogodzić z jego udawaną obojętnością wobec wyjątkowego sprawozdania prof. Riemera, w którym analizuje on swoje doświadczenia z pracy w CRT-I. (Korman oświadczył, że przeczytałby to sprawozdanie wyłącznie w sytuacji, gdyby zostało mu ono przesłane.) Należy także zwrócić uwagę na fakt, że — czy to z powodu ignorancji, czy zakłamania — nawet najbardziej podstawowe informacje na temat procesu CRT dostarczane przez Bradfielda, Kormana i Neuborne'a bywają niezbyt dokładne. Bradfield często twierdził, że w procesie CRT-II złożono sześć razy więcej roszczeń niż w procesie CRT-I, podczas gdy w rzeczywistości było ich tylko trzy razy więcej (30.000 i 10.000). Sędzia Korman utrzymywał, że kwoty odszkodowań obliczano w ramach CRT-II w sposób identyczny, jak w ramach CRT-I, podczas gdy na początku czerwca wprowadzono istotną zmianę w tym zakresie. Neuborne oświadczył w lutym 2002 roku, że „prawdopodobna i możliwa" liczba rachunków związanych z ofiarami Holokaustu, rozpatrywanych w procesie CRT-II, wynosiła 46.000, podczas gdy w rzeczywistości wynosiła 36.000[24].

---

[21] W odniesieniu do wątpliwej jakości kwalifikacji nowego kierownictwa, w tym „młodego prawnika z Nowego Jorku, z zaledwie trzyletnią praktyką w zawodzie i nie posiadającego żadnego doświadczenia w rozpatrywaniu roszczeń zbiorowych" oraz „młodego prawnika ze Szwecji, który jeszcze nie zrobił aplikacji" — zob. *Pismo Owena*.

[22] *Notes from phone call from Judge Korman to CRT on 6 June 2002*. Przez trzy i pół roku — zob. *Pismo Owena*.

[23] Yair Sheleg, *A long and winding road to compensation*, „Haaretz", 8 lipca 2002; cytat z wypowiedzi rabina Singera.

[24] Pismo Neuborne'a do sędziego Kormana z 26 lutego 2002 r. oraz załączona deklaracja (numery akt 1171 i 1172). Niezwykle trudno jest

(2) *Personel CRT-II nie rozumiał swojej funkcji.* Sędzia Korman twierdzi, że wyższej rangi sędziowie „nigdy nie byli częścią procesu CRT-II, nigdy nie mieli nimi być, a ich rezygnacje stanowiły element

znaleźć jakiekolwiek publiczne oświadczenie członków tej trójcy, które nie byłoby fałszywe czy wprowadzające w błąd. Przyjrzyjmy się wypowiedziom Neuborne'a. Neuborne wielokrotnie powtarzał, że jego usługi związane z odszkodowaniami za Holokaust były świadczone *pro bono*. Chociaż w wypadku sprawy szwajcarskiej tak faktycznie było (aczkolwiek przez cały ten czas był zatrudniony na pełen etat przez Uniwersytet Nowego Jorku), to na pewno nie było tak w wypadku późniejszych rozliczeń z Niemcami, za udział w których zgarnął 5 milionów dolarów. Zob. *The Victim's Fortune*, str. 250, 374, a także pismo Sama Dubbina, adwokata zatrudnionego przez zawiedzione ofiary Holokaustu, z 12 września 2002 r. do Burta Neuborne'a: „Powiedz mojemu klientowi [...] że «pracowałeś nieodpłatnie» [w odniesieniu do sprawy przeciwko bankom szwajcarskim]. Nie informujesz jednak, [...] że wraz z innymi adwokatami, którzy «odmówili przyjęcia honorariów w tej sprawie», zebraliście 20 milionów dolarów z «pieniędzy ocalałych» za rolę, jaką odegraliście w osiągnięciu ugody z Niemcami bez publicznego ujawnienia świadczonych przez was usług (łącznie z tym, że w tym wypadku żądaliście płatności za pracę przy sprawie przeciwko bankom szwajcarskim), zapisów czasu pracy, myśli przewodnich czy objaśnienia wartości waszej pracy, jaką podobno wnieśliście do sprawy. Na podstawie waszego oświadczenia mój klient ma fałszywe wrażenie, że reprezentujecie ocalałych w sposób bezinteresowny i z wielkim osobistym poświęceniem" (nr akt 1379). W rzeczywistości w „Memorandum" do sędziego Kormana słusznie stwierdzono, iż: „Wysoki Sąd doskonale zdaje sobie sprawę z tego, że grupa doradców, których prof. Neuborne z czasem zebrał w celu przejęcia postępowania sądowego [przeciwko bankom szwajcarskim] pod pozorem, że będą oni pracować *pro bono* [...]. Mieli oni nadzieję, że przez przejęcie kontroli nad sprawą przeciwko bankom szwajcarskim będą mogli kontrolować wszelkie inne postępowania sądowe w sprawie Holokaustu, za które będą mogli żądać honorariów" (nr akt 1197). Co też uczynili. Neuborne podkreślał także, że ugoda w sprawie banków szwajcarskich „przyniosła korzyści nie tylko Żydom, ale także innym ofiarom lub celom nazistowskich prześladowań". Zob. pismo do „The Nation" z 5 października 2000 r. W rzeczywistości takie „inne ofiary" nie tylko otrzymały grosze, ale to sam Neuborne dołożył wszelkich starań, by zminimalizować wypłaty dla nie-Żydów. Zob. str. 162 w tym tomie *The Victim's Fortune*, 354.

działań ukierunkowanych na wywoływanie negatywnych opinii"[25].
Zasady CRT-II, opracowane przez Bradfielda i zatwierdzone przez
Kormana, wyraźnie jednak wymagały od arbitrów CRT-I, by działali w charakterze wyższej rangi sędziów i w listopadzie 2001 roku
Volcker i Bradfield zaprosili (a Fundusz Rozliczeń za to zapłacił)
wszystkich szesnastu wysokiej rangi sędziów CRT-II do udziału
w „Konwentyklu Sędziów" w Zurychu, oczekując, że będą oni odgrywać główną rolę w CRT-II. Burt Neuborne utrzymuje, że wysokiej
rangi sędziowie CRT-II „mieli ogromne trudności ze zmianą trybu
działania, poczucia, kim są oraz na czym polegała ich misja, ponieważ nie byli już tylko sędziami, byli też prowadzącymi śledztwo...
Zachowywali się, jak gdyby byli sędziami". Nigdy jednak nie zasugerowano, by wyższej rangi sędziowie pracowali jako „śledczy" (wszystkie konieczne badania były prowadzone przez wchodzących w skład
obsady adwokatów) oraz — poza Amerykaninem Robertsem B. Owenem — wyższej rangi sędziowie nie mogli odczuwać „trudności"
z dostosowaniem się, nie mówiąc już o występowaniu w charakterze
sędziów, ponieważ żadnego z nich w ogóle nie poproszono o podjęcie
jakichkolwiek działań podczas czynności CRT-II. W rzeczywistości
mętne wyjaśnienia Neuborne'a nie miały nic do rzeczy: czyż CRT-I
i CRT-II nie działały w oparciu o ten sam, fundamentalny mandat
w celu weryfikacji zasadności roszczeń dotyczących szwajcarskich
rachunków bankowych? Dla uzasadnienia niszczenia standardów
postępowania dowodowego w CRT-II (tzn. stosowania coraz niższych
„poziomów prawdopodobieństwa") Neuborne przeciwstawia CRT-I —
który działał jako „organ sądowy" pomiędzy powodami a bankami
— CRT-II, którego działania były ograniczone do ofiar Holokaustu,
tworzących „rodzinę"[26]. Czy jednak głównym celem procesu CRT
nie było określenie, kto był, a kto nie był członkiem tej „rodziny"?
Przecież każde niesłusznie uznane roszczenie oznacza uszczuplenie
funduszu przeznaczonego na program ochrony zdrowia ofiar Holokaustu[27] — lub, cytując Bradfielda — „w zakresie, w jakim rozdaje

---

[25] „Notatki z rozmowy telefonicznej sędziego Kormana z CRT z 6 czerwca
2002 r.".

[26] Wywiad z Burtem Neuborne'em z 25 lipca 2002 r. O ile nie wskazano
inaczej, cytaty i parafrazy Neuborne'a pochodzą z tego wywiadu.

[27] Neuborne zalecił, by kwota pozostała z 800 milionów dolarów, przeznaczonych na odszkodowania za rachunki ofiar Holokaustu, została prze-

się pieniądze ludziom do tego nieuprawnionym, postępuje się nieuczciwie w stosunku do członków grupy". Bradfield powtarza za Neuborne'em, że „zwolnieni pracownicy odziedziczyli różne podejścia i postawy z CRT-I, które trzeba było zmienić", i podkreślił, że zreorganizowany CRT-II będzie działać w oparciu o — jak to nazwał — „nową kulturę"[28]. Dokładne znaczenie tego wyrażenia objaśnił sędzia Korman w swoim przemówieniu motywacyjnym do personelu odtworzonego CRT-II. Korman wyjaśnił, że od momentu utworzenia CRT-I „ludzie zaangażowani w jego działania byli nastawieni na odrzucanie roszczeń"[29]. To wyjątkowe stwierdzenie wymaga jednak bliższej analizy. Sekretariat CRT-I składał się ze 125 prawników, personelu prawnego, księgowych itd., z dwudziestu pięciu różnych państw. Członkowie Rady Powierniczej — Paul Volcker i rabin Israel Singer (ze Światowego Kongresu Żydów) — zatwierdzili siedemnastu prominentnych arbitrów, pochodzących z siedmiu różnych państw, w tym po czterech z Izraela i Stanów Zjednoczonych, podczas gdy Bradfield zarządzał administracją. Zasady postępowania CRT-I wyraźnie przewidywały możliwość kwestionowania niezależności czy uczciwości arbitrów, a sami arbitrzy ustanowili oddzielne procedury wykluczające możliwość pojawienia się jakiejkolwiek stronniczości. Trybunał otrzymał tylko jedno formalne zgłoszenie o stronniczości arbitra, a składający roszczenia odwołali się od niewielkiego procenta podjętych decyzji. Raport Końcowy Riemera aż roi się od przykładów, świadczących o uczciwym traktowaniu powodów (zob. 31, 51–53). Warto też wspomnieć o tym, że sam Korman zatwierdził przedłużenie okresu działania CRT-I i jego przekształcenie w CRT-II na podstawie pozytywnych doświadczeń CRT-I, a sposób stosowania standardów postępowania dowodowego stosowanego przez CRT-I był — według wszelkich relacji — ściśle przestrzegany także w CRT-II. Jednak, według Kormana, personel Trybunału został zaangażowany w wielki spisek „odrzucania roszczeń". Neuborne przebił Kormana, twierdząc, że za decyzjami CRT o odrzuceniu roszczeń kryją

---

znaczona na plan opieki zdrowotnej. Zob. „NAHOS: The Newsletter of the National Association of Jewish Child Holocaust Survivors", 16 października 2001.

[28] Born, „Awarding the millions, eyes closed."

[29] „Notatki z rozmowy telefonicznej sędziego Kormana z CRT z 6 czerwca 2002 r.".

się szwajcarscy bankierzy, „grający w grę public relations. Oni nie chcą, by w ostatnim zdaniu tego rozdziału napisano, że rozdali 800 milionów dolarów posiadaczom rachunków bankowych; oni chcą oświadczyć, że znaleźli jedynie kilku [uprawnionych do składania roszczeń]" oraz że szwajcarscy bankierzy padli ofiarą „szantażu"[30]. Jednak zgodnie z treścią raportu końcowego Riemera na temat CRT-I, „po wyjaśnieniu początkowych nieporozumień udział banków był w zasadzie ukierunkowany na współpracę i komunikacja z nimi była konstruktywna", zaś Bradfield kategorycznie stwierdził, że banki szwajcarskie nie odegrały (a zdaniem samego Neuborne'a same zdecydowały, że nie odegrają) jakiejkolwiek roli w CRT-II.

Prawdziwa gra „public relations" odbyła się jednak pomiędzy Bradfieldem, Kormanem i Neuborne'em. Najwyraźniej w obawie, że w ostatecznym rozrachunku zostaną oskarżeni o szantaż wobec banków szwajcarskich, przejęli oni całkowitą kontrolę nad nowym CRT-II. Korman wyrażał uznanie dla Neuborne'a jako „wspaniałego uczonego i adwokata", zaś Neuborne chwalił Kormana, który jego zdaniem był „jednym z najbardziej szanowanych i najbardziej sprawiedliwych wśród amerykańskich sędziów. Naprawdę wspaniałym, nadzwyczajnym człowiekiem."[31] Ten wzajemny szacunek jest naprawdę wzruszający, ale czy ktoś sprawdzał jego wiarygodność? Zasady proceduralne CRT-II zostały zmienione w celu wyeliminowania wszystkich niezależnych sędziów z procesu rozpatrywania roszczeń, a nowy personel składał się głównie z młodych amerykańskich prawników, ręcznie dobieranych przez Bradfielda. Korman uzasadnia tę praktykę jako spowodowaną faktem, że „to właśnie

---

[30] John Authers i William Hall, *Judge angers Swiss on Holocaust cash*, „Financial Times", 12 czerwca 2002.

[31] „Final Approval Order", 26 lipca 2000; *In re Holocaust Victim Assets Litigation* 96 Civ. 4849 (ERK) (MDG). Sędzia Korman korzystał z każdej okazji, by publicznie chwalić „błyskotliwość" Neuborne'a. Zob. np. jego *Memorandum* z 29 lipca 2002 r. (nr akt 1308). Należy jednak pamiętać, że w czasie postępowania przeciwko bankom szwajcarskim ci dwaj członkowie towarzystwa wzajemnej adoracji działali odpowiednio jako przewodniczący składu sędziowskiego i główny przedstawiciel powodów.

dzięki młodym Amerykanom każdy bałagan w Europie był porządkowany przez ten kraj"[32].

Korman miał ostatnie słowo w sprawie zasad proceduralnych, a wszystkie decyzje w sprawie roszczeń były przez niego ostatecznie zatwierdzane. Dla uprzedzenia wszelkich oskarżeń o szantaż sędzia Korman nie cofał się przed nowelizowaniem tych zasad i zatwierdzaniem roszczeń do momentu osiągnięcia pożądanej liczby zatwierdzonych roszczeń i pożądanej kwoty odszkodowań w przeliczeniu na każde uznane roszczenie. W zasadzie to właśnie było jego głównym celem. W skierowanym do sędziego Kormana piśmie z lutego 2002 roku Neuborne oświadczył w sprawie CRT-II, że „przy obecnym tempie wypłaty osiągną, a może nawet przekroczą kwotę 800 milionów dolarów, przeznaczoną na kategorię depozytów". Jeżeli Neuborne naprawdę w to uwierzył, to trudno nie zastanowić się, dlaczego pod koniec kwietnia 2002 roku namawiał sędziego Kormana, by jeszcze bardziej złagodził standardy postępowania dowodowego. Jak się później okazało, gorliwość Neuborne'a w tym wypadku okazała się całkiem zbędna, bowiem proponowane przez niego łagodzenie zasad już zostało wprowadzone do zasad CRT-II, działających na korzyść powodów[33]. Jednak na początku czerwca Bradfield zalecił, a Korman zatwierdził istotną poprawkę: od tego momentu zdecydowanie większe kwoty miały być wypłacane w sprawach dotyczących rachunków z niewielkimi saldami. (Podwyżka ta została przyjęta odrębnie od bardzo hojnych odszkodowań za odsetki i opłaty bankowe, wypłacanych na rzecz wszystkich uznanych roszczeń.) Bradfield uzasadnił tę zmianę zasad, twierdząc, że niewielkie saldo na rachunku ofiary

---

[32] „Notatki z rozmowy telefonicznej sędziego Kormana z CRT z 6 czerwca 2002 r.".

[33] Zob. pismo Burta Neubornea do sędziego Kormana z 26 lutego 2002 r. wraz z załączoną deklaracją, oraz pismo Neuborne'a do sędziego Kormana z 11 kwietnia 2002 r. (nr akt 1171, 1172 oraz 1205). Zasady CRT-II uwzględniające zalecenie Neuborne'a — zob. pismo Rogera M. Wittena do sędziego Kormana z 16 maja 2002 r. (Temu bardzo odkrywczemu listowi Wittena, prawnika działającego na rzecz banków szwajcarskich, nigdy nie nadano numeru akt.) Założenia proponowane przez Neuborne'a w imieniu powodów już zostały uwzględnione w art. 34 *Zasad*.

Holokaustu musiało wynikać z „manipulacji banku"[34]. Kiedy po raz pierwszy zaproponował tak uzasadnioną zmianę zasad we wrześniu 2001 roku, personel CRT wyraził na nie zgodę, odrzucając jednak jego hipotezę, jakoby „bez jakiejkolwiek podstawy racjonalnej czy faktycznej (wielu depozytariuszy opróżnia swoje rachunki, przez co salda na nich są niskie)"[35]. Faktycznie, jak stwierdzono powyżej, Komisja Volckera nie znalazła jakichkolwiek dowodów na to, by banki szwajcarskie systematycznie okradały rachunki ofiar Holokaustu. W okresie działalności CRT-I średnie kwoty wypłacane z tytułu zweryfikowanego rachunku ofiary Holokaustu wynosiły 50.000 dolarów. Obecnie ta średnia wynosi 115.000[36]. Ponadto do chwili obecnej nawet jedno z tych 32.000 roszczeń złożonych w ramach CRT-II nie zostało oficjalnie odrzucone.

W piśmie do personelu CRT-II z lipca 2002 roku Bradfield oświadczył, że Konferencja ds. Roszczeń Żydowskich (pod przewodnictwem Israela Singera) zostaje dopuszczona do udziału w celu udzielenia pomocy w rozpatrywania roszczeń[37]. Niektóre z jej „istotnych" obowiązków obejmowały powtórne rozpatrzenie 20.000 roszczeń, w których nie dopasowano nazwisk powodów do oznaczeń rachunków ofiar Holokaustu, przy czym nawet Neuborne założył, że zostaną one „niemal na pewno" odrzucone, jeżeli nie zostaną dostarczone dodatkowe informacje. Neuborne stwierdził, że pomoc Komisji ds. Roszczeń pozyskano ze względu na jej „błyskotliwą" dotychczasową pracę w zakresie identyfikowania i zapewniania odszkodowań dla 105.000 żydowskich ofiar pracy niewolniczej, z prawdopodobieństwem uznania w niedługim czasie 40–45 tysięcy kolejnych

---

[34] *Memorandum* Michaela Bradfielda skierowane do sędziego Kormana, *Comparison of CRT-I and CRT-II Rules* z 16 lipca 2002 r. (bez nr akt). Nową metodę obliczeń wprowadzono na mocy art. 35 *Zasad*.

[35] *Pismo Owena.*

[36] Zob. oficjalny raport Bradfielda złożony na ręce Sądu w dniu 28 listopada 2002 r. (nr akt 1487). „Łączna kwota wszystkich przyznanych odszkodowań wynosi 50.352.616,14 dolarów amerykańskich".

[37] Pismo do „Członków Personelu Trybunału ds. Rozpatrywania Roszczeń" z 12 lipca 2002 r. (bez numeru akt). Budzące odrazę dokonania Konferencji ds. Roszczeń Żydowskich — zob. Rozdział 3 niniejszej książki.

roszczeń[38]. W rzeczywistości Komisja dokonała prawdziwego cudu. Według Raula Hilberga, uznanego za światowy autorytet w dziedzinie nazistowskiego holokaustu, łączna liczba żydowskich byłych ofiar pracy niewolniczej, żyjących w maju 1945 roku, wynosiła „zdecydowanie mniej niż 100.000"[39]. Nawet Światowy Kongres Żydów uznał, że nie więcej niż 20% ocalałych z Holokaustu, żyjących w maju 1945 roku, nadal pozostaje przy życiu[40] — czyli najwyżej 20.000 żydowskich byłych ofiar pracy niewolniczej. Jeżeli Konferencja ds. Roszczeń jest w stanie znaleźć 150.000 nadal żyjących żydowskich byłych ofiar pracy niewolniczej, to czy można wątpić, że będzie w stanie sprawić, by 20.000 roszczeń, które „niemal na pewno" zostaną odrzucone, ostatecznie uznano? (Nazwiska tych 150.000 domniemanych żydowskich byłych ofiar pracy niewolniczej zostały przedłożone „protokolarnie przez Konferencję ds. Roszczeń na ręce Sądu" — co oznacza, że nikt się już nie dowie, kim są ci ludzie oraz czy w ogóle kiedykolwiek istnieli.)[41]

---

[38] Według swojego raportu, zatytułowanego *Report and Recommendations* (Sprawozanie i Zalecenia), z 22 sierpnia 2002 r. Konferencja ds. Roszczeń twierdzi, że dokonała wypłat na rzecz 115.199 żydowskich ofiar pracy niewolniczej (nr akt 1353).

[39] Wywiad z Raulem Hilbergiem z 22 kwietnia 2002 r. Cieszący się szacunkiem naukowcy, jak Henry Friedlander, doszli do tej samej liczby (zob. 85 w niniejszej książce).

[40] *The Victim's Fortune*, 368.

[41] Cytowane zdanie „złożone protokolarnie [...]" jest wyrażeniem stosowanym z zasady w każdym wniosku skierowanym do Komisji ds. Roszczeń o wypłatę ze funduszu szwajcarskiego rekompensaty na rzecz żydowskich ofiar pracy niewolniczej. Zob. np. *Report and Recommendations of the Conference on Jewish Material Claims Against Germany, Inc. for the Fifth Group of Slave Labor Class I Claims* (Raport w sprawie Zaleceń Konferencji ds. Materialnych Roszczeń Żydowskich wobec Niemiec, Inc. dla Roszczeń w ramach Piątej Grupy Kategorii I Ofiar Pracy Niewolniczej) w *In re Holocaust Victims Assets Litigations (Swiss Banks)* z 11 marca 2002 r. (nr akt 1180). Konferencja ds. Roszczeń oszacowała, że najwyżej 170.000–180.000 żydowskich ofiar pracy niewolniczej zostanie zidentyfikowanych. Zob. pismo Grega Schneidera do sędziego Kormana z 18 stycznia 2002 r. (nr akt 1140). Ta ostatnia liczba właściwie obejmuje 30.000 Żydów zmuszanych w czasie wojny do pracy niewolniczej, uznanych za żydowskie ofiary pracy niewolniczej w planie dystrybucji szwajcarskich pieniędzy.

Zdaniem Neuborne'a sędzia Korman „będzie jedynie przeglądać uznania szybko i całymi partiami". Dziwne byłoby, gdyby zrobił nawet tyle. Do chwili obecnej Korman zatwierdził wszystkie zalecenia Bradfielda w sprawie zaleceń, niezależnie od tego, jak nieuzasadniona była leżąca u ich podstaw argumentacja[42]. Wbrew wszystkim dostępnym dowodom w każdym z przywołanych wypadków, w jednym uznanym roszczeniu stwierdzono, że banki szwajcarskie odmówiły ofierze Holokaustu dostępu do czynnego rachunku, a w drugim uznanym roszczeniu stwierdzono, że oryginalny posiadacz rachunku nie pobrał jeszcze należnych mu kwot, zaśnowane, w trzecim uznanym roszczeniu stwierdzono, że banki szwajcarskie obrabowały rachunek bankowy[43].

[42] Korman zatwierdzał także automatycznie wszystkie wnioski Bradfielda o pokrycie wydatków administracyjnych CRT, które ostatnio wynosiły średnio ponad *milion dolarów na miesiąc*, a które były potrącane z liczącego 1,2 miliarda dolarów funduszu na odszkodowania. W sprawie tych ekspertów — zob. pismo Grega Schneidera do sędziego Kormana z 17 września 2002 r. (nr akt 1402). W sprawie administracyjnego marnotrawstwa wysuwane były poważne zarzuty, jednak autor tej książki nie jest w stanie niezależnie ocenić kwoty tych wydatków. Przynajmniej w jednym wypadku przedstawiciel powodów wyraźnie zakwestionował koszty administracyjne. Zaniepokojony złożonym przez Konferencję ds. Roszczeń wnioskiem uzupełniającym o niemal milion dolarów, Robert Swift skierował 2 listopada 2001 następujące pismo do sędziego Kormana: „Sądzę, że najwyższy czas jest zbadać podstawy dla tego [...] wniosku i określić, czy ponoszone w przeszłości wydatki zostały prawidłowo rozdysponowane oraz czy przyszłe wydatki są uzasadnione" (nr akt 1096). Konferencja ds. Roszczeń odrzuciła oskarżenia Swifta, a Korman spełnił wniosek Konferencji. Zob. pismo Jeana M. Geoppingera do sędziego Kormana z 20 listopada 2001 r. oraz „Decyzja" sędziego Kormana z 28 listopada 2001 r. (nr akt 1099 i 1098). W wysłanym wcześniej piśmie do sędziego Kormana w sprawie przydziału 2 milionów dolarów Konferencji ds. Roszczeń Swift zalecił „zatrudnienie księgowego [...] w celu zapewnienia, [...], że fundusz odszkodowawczy jest wydatkowany w sposób przemyślany, a praca jest efektywnie wykonywana" (9 marca 2001; bez numeru sprawy), co Konferencja ds. Roszczeń niezwłocznie odrzuciła: „Nie ma absolutnie żadnych podstaw potwierdzających słabo zawoalowane oskarżenia pana Swifta" (pismo z 4 kwietnia 2001 r.; nr akt 982).
[43] Zob. *www.crt-ii.org*, odpowiednio pod „Awards", in re Rachunek Hedwig Wetzlar (roszczenie nr 205408), in re Rachunki Ivo Hermana (rosz-

3. Publikacja *Raportu Końcowego* Komisji Bergiera oraz wykorzystanie tego Raportu do zdyskredytowania ustaleń Komisji Volckera

Na początku 2002 r. komisja międzynarodowa działająca na podstawie dekretu rządu Szwajcarii z 1996 pod przewodnictwem szwajcarskiego historyka, Jean-François Bergiera opublikowała dokument pt. *Raport Końcowy, Szwajcaria, Narodowy Socjalizm i Druga Wojna Światowa*[44]. W liczącym 600 stron dokumencie podsumowano i przedstawiono w szerszym kontekście historycznym wyniki specjalistycznych badań ujęte w dwudziestu pięciu tomach akt. Utrzymany w tonie polemicznym *Raport Końcowy* Komisji Bergiera przedstawia szwajcarskie elity polityczne i biznesowe jako robiących wrażenie

czenie nr 207328/HM), oraz in re Rachunek Illes Fillenz (roszczenie nr 206733/MBC). W swoim piśmie Owen wspomina: „Po tym, jak Bradfield opisał pewne praktyki, stosowane przez niektóre banki szwajcarskie podczas II wojny światowej, zażądał ode mnie, bym w każdej pozytywnej decyzji o odszkodowaniu uwzględnił opis takich praktyk, po czym *założył*, że dany bank w danym wypadku zastosował takie praktyki wobec danego posiadacza rachunku, nawet jeżeli nie istniały jakiekolwiek dowody takiego zachowania przez dany bank i nawet jeżeli nie było to konieczne dla przyznania odszkodowania" (nacisk jak w oryginale). Owen odmówił, a Bradfield z czasem „wycofał się". Pewien adwokat CRT o nieposzlakowanej opinii tak skomentował często powtarzane przez Bradfielda stwierdzenie, że „Właściciele Rachunków i ich spadkobiercy nie otrzymaliby dostępu do rachunków po wojnie" (zob. np. jego pismo do sędziego Kormana z 1 października 2002 r., nr akt 1416): „To nie ma żadnych podstaw. Prawdą jest, że banki często (zbyt często) nie dopuszczały spadkobierców (często stosując zbyt wąską interpretację ustaw o tajemnicy bankowej — ale takie było obowiązujące prawo). Jest też prawdą, że banki często odmawiały pomocy Właścicielom Rachunków, których rachunki zostały skonfiskowane przez nazistów [...], uniemożliwiając w ten sposób byłym Właścicielom Rachunków składanie roszczeń o odszkodowanie od Niemiec. Nie ma jednak żadnych dowodów na to, by w sytuacji, gdy rachunek pozostawał czynny po wojnie i właściciel rachunku przeżył wojnę, banki odmówiły uznania właściciela rachunku" (prywatna korespondencja). Komisja Volckera doszła do tego samego wniosku (patrz poniżej).

[44] Zurich 2002.

wysokich standardów odpowiedzialności etycznej i prawnej. Należy jednak tutaj zauważyć, że niezależnie od tych pretensji, chłostanie banków szwajcarskich przez szwajcarskich naukowców raczej nie wymagało zbytniej odwagi, zapewniało natomiast istotne korzyści instytucjonalne. (Amerykańscy naukowcy zasiadający w komisji wykazali się jeszcze mniejszą odwagą cywilną, za to zebrali o wiele większe korzyści.) Podobnie jak wiele innych polemik, Raport Końcowy jest pogrążony w nadmiernej retoryce. Na przykład wojenne dokonania Szwajcarii określono jako „niewyobrażalne" (493), a sam Raport jest pełen przesady, pominięć i zniekształceń. Raport słusznie potępia szwajcarskie elity za odmowę wjazdu dla „kilku tysięcy" Żydów uciekających przed nazistowskimi prześladowaniami, ale w zdecydowanie przesadził, oświadczając, że przyjęta przez Szwajcarię polityka w sprawie uchodźców odegrała „instrumentalną" rolę w Ostatecznym Rozwiązaniu (168). W Raporcie podkreślono fakt zakupu przez banki szwajcarskie złota zrabowanego ofiarom Holokaustu przez nazistów, będącego „najwyraźniejszym powiązaniem szwajcarskiego sektora bankowego z nazistowskim ludobójstwem" (249–250), pomijając jednak kluczowe wyniki specjalistycznych badań Komisji Bergiera, z których wynikało, że banki szwajcarskie *nie posiadały wiedzy*, że przedmiotem prowadzonych przez nie transakcji zakupu złota było „złoto ofiar"[45] W raporcie słusznie potępiono fakt, że po wojnie Szwajcaria od czasu do czasu zapewniała schronienie lub stanowiła punkt przerzutowy dla uciekających nazistów, by później stwierdzić, że ta polityka była „sprzeczna z powojennymi strategiami zwycięskich aliantów" (387), nie wspominając jednak o celowej i zakrojonej na szeroką skalę rekrutacji członków nazistowskich elit (w tym wyższych oficerów SS), uznanych za przydatnych dla amerykańskich przedsięwzięć[46]. Raport słusznie rozlicza się z wszechobecnego antysemityzmu w przedwojennej Szwajcarii, po czym stwierdza, że ponieważ wrogość ta miała charakter „głównie werbalny" i była „pozbawiona przemocy", była „tym bardziej niebez-

---

[45] Independent Commission of Experts, Switzerland — Second World War, *Switzerland and Gold Transactions in the Second World War, Interim Report*, Berno 1998, IV.

[46] Zob. na przykład Tom Bower, *The Paperclip Conspiracy*, Londyn 1987 r., oraz Christopher Simpson, *Blowback*, Londyn 1988, i *The Splendid Blond Beast*, Nowy Jork 1993.

pieczna, gdyż nie wywoływała jakiegokolwiek poczucia winy wśród ludności" (496–497). Czy naprawdę byłoby lepiej, gdyby Szwajcarzy mordowali Żydów? W zakończeniu Raportu wymieniono liczne powody dla odnowionego zainteresowania wojennymi dokonaniami Szwajcarii i powojennymi dokonaniami w sprawie odszkodowań dla ofiar Holokaustu, ale ani razu nie wspomniano ogromnej kampanii prowadzonej przez amerykańskie organizacje żydowskie i administrację Clintona przeciwko Szwajcarii (493–498)[47]. Zaprawdę, to *Hamlet* bez księcia Danii.

W odniesieniu do oskarżeń przeciwko bankom szwajcarskim, Komisja Volckera stwierdziła, że „nie istnieją dowody systematycznej dyskryminacji, utrudniania dostępu, sprzeniewierzania czy naruszenia wymogów dotyczących archiwizacji dokumentów przewidzianych prawem Szwajcarii" ani „dowody systematycznego niszczenia archiwów w celu ukrycia podejmowanych w przeszłości działań"[48]. Korman i Neuborne utrzymują obecnie, że *Raport Końcowy* Komisji Bergiera obala te główne ustalenia Komisji Volckera. Według Kormana „jedyna historia, która ma znaczenie [...], znajduje się w Raporcie Bergiera [...], historia o tym, jak banki utrudniały życie ocalałym", natomiast Neuborne twierdzi, że *Raport Końcowy* wykazuje „systematyczne wprowadzanie w błąd, praktykowane przez banki, oraz świadome wykorzystanie niszczenia dokumentów w celu ukrycia wykroczenia"[49]. W swoim nowym wybiegu Bradfield argumentuje zarówno iż „Raport Bergiera wyraźnie wykazuje, że banki szwajcarskie aktywnie prowadziły wielowątkową politykę opierania się roszczeniom ofiar nazizmu", jak i że Komisja Volckera przedstawiła „podobne ustalenia"[50]. Zanim przyjrzymy się bliżej tym stwierdzeniom, warto omówić następujące dwie anomalie:

---

[47] W jednym tylko miejscu zamieszczono ogólne odniesienie do „niedawnej krytyki międzynarodowej" (494).

[48] *Report on Dormant Accounts*, Aneks 5, str. 81; Część I, str. 6.

[49] Pismo Neuborne'a do sędziego Kormana z 11 kwietnia 2002 r. (nr akt 1205).

[50] Pismo Bradfielda do sędziego Kormana z 10 maja 2002 r. (nr akt 1224). Bradfield przypisuje *Końcowemu Raportowi* Komisji Bergiera uzasadnianie nowelizacji *Zasad* CRT-II. Jeżeli jednak Komisja Bergiera przedstawiła „podobne ustalenia" jak Komisja Volckera, to dlaczego Bradfield nie wprowadził tej nowelizacji po publikacji Raportu Volckera?

(1) Przed publikacją *Raportu Końcowego* Neuborne i Korman utrzymywali, że audyt Volckera potwierdził oskarżenia wysuwane przeciwko bankom szwajcarskim. Korman oświadczył Trybunałowi: „znaczenie raportu Komisji Volckera polega na tym, że zapewnił on legitymację prawną i moralną roszczeń złożonych" przez powodów[51]. Neuborne także stwierdził, że „audyt Volckera zweryfikował kluczowe zarzuty leżące u podstaw postępowania sądowego przeciwko bankom szwajcarskim"[52]. Pogrzebawszy raport Volckera w orwellowskim dole pamięci, Neuborne i Korman posługują się obecnie *Raportem Końcowym*, by uzasadnić atak na banki szwajcarskie.

(2) Przeprowadzone przez Komisję Volckera badanie było zdaniem Kormana „najszerzej zakrojonym audytem w historii", który kosztował 500 milionów[53]. Głównymi siłami sprawczymi tego audytu byli Paul Volcker i Michael Bradfield. Jeżeli zgodnie z twierdzeniem Kormana *Raport Końcowy* Komisji Bergiera obala kluczowe ustalenia Komisji Volckera, to Volcker i Bradfield musieli popełnić kolosalne błędy w swoich badaniach. Trudno więc zrozumieć, dlaczego Korman nadal utrzymuje Volckera i Bradfielda na stanowiskach „Special Master" w CRT-II.

Najważniejszym dowodem przywoływanym z *Raportu Końcowego* Komisji Bergiera jest spotkanie z maja 1954 roku, w czasie którego, słowami Neuborne'a, „szwajcarski sektor bankowy przyjął wspólne praktyki w celu utrudniania działań ukierunkowanych na prześledzenie funduszy, które zostały w nieprawidłowy sposób przekazane nazistom"[54]. Fragment *Raportu Końcowego* wskazany przez Neuborne'a został wyselekcjonowany ze specjalistycznego opracowania Komisji Bergiera na temat uśpionych rachunków w bankach szwajcarskich (tom 15) przez Barbarę Bonhage, Hanspetera Lussy i Marca Perrenouda[55]. *Raport Końcowy* został napisany w typowy,

---

[51] *Final Approval Order*, 26 lipca 2000.

[52] Pismo do „The Nation", 19 lutego 2002.

[53] „Final Approval Order", 26 lipca 2000.

[54] Pismo Neuborne'a do sędziego Kormana z 11 kwietnia 2002 r. (nr akt 1205).

[55] *Nachrichtenlose Vermogen bei Schweizer Banken Depots, Konen und Safes von Opfen des nationalsozialistischen Regimes und Restitutionsprobleme in der Nachkriegszeit.* Veroffentlichunger der UEK Band 15, Zurich 2001.

pełen przesady sposób: o ile tom opracowany przez Bonhage i zespół zawiera zdawkową uwagę na temat zebrania „przedstawicieli prawnych *niektórych* dużych banków" (288), to w *Raporcie Końcowym* wyraźnie wskazano na ten fakt jako zebranie „przedstawicieli prawnych *dużych* banków" (446; moje podkreślenie). Co gorsza, Neuborne zniekształcił fragment tekstu *Raportu Końcowego*, który odnosi się nie do „funduszy [...] nieprawidłowo przelanych przez nazistów", lecz raczej do „aktywów ofiar, po które nikt się nie zgłosił". Specjalistyczne badania Komisji Bergiera, przeprowadzone przez Bonhage i zespół, wyraźnie potwierdzają kluczowe ustalenia Komisji Volckera (33). Mimo zastosowanych w nim hiperboli, *Raport Końcowy* Bergiera nigdy nie odrzucił ustaleń Komisji Volckera. Było raczej odwrotnie. Chociaż *Raport Końcowy* często feruje krytyczne oceny na temat wcześniejszych badań nad istotnymi sprawami (31, 246), w żadnym miejscu nawet nie wspomniał o zastrzeżeniach w sprawie ustaleń Volckera. *Raport Końcowy* raczej zakłada, że jego bardziej „ogólne" oceny opierają się w całości na audycie Volckera (34) oraz że w ostatecznym rozrachunku jego wnioski „wynikają z ustaleń Komisji Volckera" (456). *Raport Końcowy* w szczególności odrzuca oskarżenie, jakoby banki szwajcarskie „w systematyczny i skoordynowany sposób podejmowały czynności w celu zatarcia śladów swoich działań" przez niszczenie archiwów, twierdząc, że jest to „teoria spiskowa wynikająca ze złej woli" (40)[56]. Barbara Bonhage podkreśliła fakt, że jej badania potwierdziły ustalenia Volckera i stwierdziła: „szkoda, że Raport Bergiera został poddany takiemu nadużyciu", oraz że ustalenia Komisji Volckera i Komisji Bergiera

---

[56] W licznych materiałach składanych na ręce sądu Bradfield utrzymywał w sprawie zamkniętych rachunków, że banki szwajcarskie „ponosiły odpowiedzialność za prowadzenie kompletnych ewidencji" oraz że „nie prowadziły one prawidłowej ewidencji dysponowania rachunkami". Zob. np. pismo sędziego Kormana z 15 sierpnia 2002 r. (nr akt 1358). Jednak zgodnie z przepisami prawa szwajcarskiego banki nie mają obowiązku przechowywania dokumentów dotyczących zamkniętych rachunków przez okres dłuższy niż dziesięć lat. Należy też pamiętać, że w tamtych czasach nie stosowano jeszcze komputerów, więc jakakolwiek archiwizacja oznaczała przeznaczenie ogromnej powierzchni na przechowywanie dokumentów papierowych. Przechowanie przez banki czegokolwiek na temat zamkniętych rachunków wykraczało poza wymogi obowiązującego prawa.

„uzupełniają się nawzajem — więc jednej z nich nie należy rozgrywać przeciwko drugiej"[57].

*
* *

Niemal od samego początku Raul Hilberg stale powtarzał, że banki szwajcarskie padły ofiarą „szantażu". Burt Neuborne, najwyraźniej wstrząśnięty oskarżeniem o szantaż, wezwał sędziego Kormana do odparcia tego zarzutu, co sędzia posłusznie uczynił[58]. Gdy rozpatrywanie roszczeń wobec banków szwajcarskich zagroziło potwierdzeniem oskarżeń Hilberga (którego echa teraz znajdujemy nawet w mainstreamowych mediach)[59], raport końcowy CRT-I został utajniony, personel CRT-II wyrzucony z pracy, a ustalenia *Raportu Końcowego* Komisji Bergiera zostały opacznie zinterpretowane. Czy Bradfield, Korman i Neuborne trwonią teraz szwajcarskie pieniądze przeznaczone dla ofiar Holokaustu na nieuzasadnione roszczenia dla ochrony własnej reputacji? Wygląda na to, że zabezpieczyli się przed tym pod każdym względem. Szwajcarski strażnik bankowy Christopher Meilli, który zarzucił bankom szwajcarskim niszczenie najważniejszych dokumentów, został w Stanach Zjednoczonych (swojej nowej ojczyźnie) ogłoszony męczennikiem i bohaterem. Meilli szybko jednak rozczarował swoich nowych dobroczyńców, gdy wielokrotnie potępił korupcję wśród atakujących banki szwajcarskie[60]. Na siódmej stronie pisma do sędziego Kormana z lutego 2002 roku

---

[57] „Tages Anzeiger", 1 czerwca 2002. (Niewłaściwe) wykorzystanie przez Bradfielda badań Bonhage i zesp. w celu uzasadnienia zmian obowiązujących zasad — zob. pismo do sędziego Kormana z 23 maja 2002 r. (nr akt 1245).

[58] Źródła — zob. 86 prz. 5 w niniejszej książce oraz wywiady z Raulem Hilbergiem opublikowane na stronie *www.NormanFinkelstein.com* w zakładce „The Holocaust Industry." Autor niniejszej książki doszedł samodzielnie do tych samych wniosków, co Hilberg (zob. Rozdział 3 w niniejszym wydaniu).

[59] Sheleg (*A long and winding road...*) zauważył, że niewielka liczba rachunków ofiar Holokaustu znalezionych w bankach szwajcarskich „mogła oznaczać, że przedstawiciele żydowscy będą postrzegani jako wywołujący międzynarodową batalię o kwotę o wiele wyższą, niż należna do zapłaty".

[60] *The Victim's Fortune*, str. 32–36. Niesmak ten został przekazany w osobistej korespondencji zainicjowanej przez Meilliego z autorem.

Burt Neuborne nagle zalecił płatność w wysokości jednego miliona dolarów jako „specjalną wypłatę prawników" dla Meilli'ego „za straty, jakie poniósł, usiłując wyjawić prawdę", a w marcu 2002 roku Korman zatwierdził tę płatność[61]. W ramach ugody wynegocjowanej przez Neuborne'a z niemieckimi przemysłowcami, każdy ocalały z Auschwitz otrzymał 7500 dolarów.

---

[61] Pismo Neuborne'a do sędziego Kormana z 26 lutego 2002 roku i załączona deklaracja oraz *Decyzja* (Order) sędziego Kormana z 15 marca 2002 r. (nr akt 1171, 1172 i 1186). Zgodnie z zaleceniem Neuborne'a Korman nakazał, by Meilli niezwłocznie otrzymał wstępną płatność w wysokości 775.000 dolarów.

ZAŁĄCZNIK

DO DRUGIEGO WYDANIA W MIĘKKIEJ OPRAWIE

NIESPRAWIEDLIWOŚĆ DOSKONAŁA

Odpowiedź na Stuarta E. Eizenstata
*Sprawiedliwość Niedoskonała: Zrabowane aktywa, praca
niewolnicza i niedokończony biznes II wojny światowej*[1]

Wierzę, że najbardziej trwałą spuścizną działań, którym przewodziłem, było po prostu ujawnienie prawdy... (346)

I.

Prezydentura Billa Clintona zbiegła się z interesującym rozdziałem w kronikach dyplomacji amerykańskiej: kampanią o odszkodowania za Holokaust. Działając wspólnie z siecią potężnych organizacji Żydów amerykańskich i samych Żydów, administracja Clintona wyciągnęła od państw europejskich miliardy dolarów, rzekomo zrabowanych ofiarom Holokaustu podczas II wojny światowej. Kluczową rolę w tej inicjatywie Clintona odegrał Stuart Eizenstat, który piastował liczne wysokie stanowiska w administracji Clintona, ale najwyraźniej większość swojego czasu w służbie prezydenta poświęcił odszkodowaniom za Holokaust. (Poprzednio, jako główny doradca Białego Domu ds. polityki krajowej za prezydentury Jimmy'ego Cartera, zalecił i prowadził mediacje w sprawie utworzenia Amerykańskiego Muzeum Holokaustu w celu złagodzenia furii Żydów wywołanej uznaniem przez prezydenta Cartera „uzasadnionych praw" Palestyńczyków oraz sprzedażą uzbrojenia Arabii Saudyjskiej.)[2]

---

[1] Nowy Jork, Public Affairs, 2003. Wszystkie odniesienia w tekście ujęte w nawiasy dotyczą książki Eizenstata.

[2] Amerykańskie Muzeum Holokaustu (US Holocaust Museum) — zob. str. 77–83 w niniejszej książce (zwanej dalej *PH*).

W *Sprawiedliwości niedoskonałej* Eizenstat przedstawia autorytatywny opis negocjacji z rządami i prywatnymi przedsiębiorcami państw europejskich oraz wywieranych na nich nacisków, widziany oczami człowieka wtajemniczonego. Opis ten zawiera zarówno kluczowe rewelacje, jak kluczowe pominięcia, potwierdza jednak, że kampania w sprawie odszkodowań za Holokaust w rzeczywistości sprowadziła się do „podwójnego przetrząśnięcia kieszeni" państw europejskich i ofiar Holokaustu, a jej najbardziej trwałą spuścizną było zatrucie pamięci o nazistowskim holocauście kolejnymi kłamstwami i hipokryzją.

Eizenstat nie przywiązywał większej wagi do bezstronności i wyraźnie zdradzał skłonności do nadskakiwania władzy, więc jego opisy głównych uczestników gry o odszkodowania za Holokaust są pełne podziwu i uznania. Edgar Bronfman — multimiliarder i spadkobierca fortuny firmy Seagram's oraz przewodniczący Światowego Kongresu Żydów (WJC) „prezentował się doskonale — był wysoki, przystojny i czarujący" (52). W oświadczeniu przed Kongresem ten sprzedawca wysokoprocentowych alkoholi, który przeistoczył się w ogarniętego megalomanią dyplomatę, rościł sobie prawo do reprezentowania Żydów z całego świata, zarówno żywych, jak umarłych[3]. Rabin Israel Singer, przyjaciel Bronfmana i dyrektor wykonawczy WJC, był „czarujący, chociaż trochę szelmowski [...], błyskotliwy, szybko mówiący, utalentowany mówca o magnetycznej osobowości" (53). Inni ze zdecydowanie mniejszą rewerencją wspominali tego cynicznego prostaka z przekrzywioną czarną jarmułką na głowie. Wstrzemięźliwych z natury bankierów szwajcarskich jego zachowanie bardzo dziwiło. „To niesłychane, jak on się do nas odzywa, jakim tonem i w jaki sposób" (134). Nawet jeden z wiodących prawników przemysłu Holokaustu, specjalizujący się w roszczeniach grupowych, stwierdził kiedyś, że Singerowi „prawda zdarza się raczej rzadko" (226). Dyrektor krajowy Ligi Przeciwko Zniesławieniu Abraham Foxman, specjalizujący się w zniesławianiu osób, gdy akurat nie jest wplątany w jakiś inny skandal[4], został opisany jako „powszechnie podziwiany" (125); znany z korupcji senator z Nowego

---

[3] *PH*, str. 93.

[4] Zob. *PH*, str. 35, 72; *Anti-Defamation League (ADL) Letter to Georgetown University*, *www.NormanFinkelstein.com* (zakładka „The real «Axis of Evil»"), oraz opisany poniżej skandal Marca Richa.

Jorku Alfonse D'Amato zdobył uznanie z powodu swojej „podziwu godnej energii, werwy i wrodzonego instynktu politycznego"; zaś Lawrence Eagleburger, wyciągający rocznie 360.000 dolarów (za średnio jeden dzień pracy w tygodniu) jako szef Międzynarodowej Komisji ds. Roszczeń Ubezpieczeniowych Ery Holokaustu, zdobywał punkty z tytułu swojego „poczucia obowiązku" (62, 267). Z drugiej strony Eizenstat ostro krytykuje prezydenta Białorusi Aleksandra Łukaszenkę, jako rządzącego „żelazną ręką" dyktatora (37). W rzeczywistości głównym grzechem Łukaszenki w oczach ludzi takich jak Eizenstat było to, że „nie przyjmował rozkazów" z Waszyngtonu czy od przemysłu Holokaustu, który bezskutecznie starał się szantażem zmusić Białoruś do zapłacenia odszkodowań za Holokaust[5].

Pełna półprawd i hiperboli, książka Eizenstata nosi także znamiona publikacji przemysłu Holokaustu. Eizenstat przywołuje „zamordowanie w 1941 roku 1600 Żydów w [polskiej] wsi Jedwabne" (42), chociaż łączna liczba zamordowanych (wystarczająco tragiczna) była niemal na pewno bliższa kilkuset osób[6], oraz retorycznie oświadcza, że „podobnie jak sam Holokaust, wydajność, brutalność i skala rabunku przez nazistów dzieł sztuki nie miała precedensu w historii" (187)[7]. Książka zawiera również bezkry-

---

[5] Zob. John Laughland, *The Prague racket*, „Guardian", 22 listopada 2002, oraz *PH*, str. 131.

[6] Zob. *The final findings of the investigation regarding the events in Jedwabne on July 10, 1941*, 9 lipca 2002, *http://www.ipn.gov.pl*.

[7] W typowym dla przemysłu Holokaustu stylu Michael J. Bazyler rozpoczął swoją książkę o odszkodowaniach za Holokaust od deklaracji, której ani nie uzasadnił, ani nie udokumentował, że „Holokaust był zarówno największym mordem, jak największą kradzieżą w historii". W innym miejscu pisze on, że „nazistowski program konfiskaty dzieł sztuki" podczas Holokaustu był „największym przemieszczeniem dzieł sztuki w historii ludzkości", a Hitler „wydawał więcej na dzieła sztuki [sic!] niż ktokolwiek inny w historii świata" (cytat z innego historyka przemysłu Holokaustu). (Michael J. Bazyler, *Holocaust Justice* [Nowy Jork 2003], xi, 202.) W swojej wnikliwej pracy zatytułowanej *The Language of the Third Reich* (Nowy Jork 2002) Victor Klemperer wspomina szowinistyczną manię stosowania przez nazistów „superlatyw" i podobnych przydawek, typu „wyjątkowy" (110, 214, 215–224). Analiza „odwróconego" szowinizmu lingwistycznego przemysłu Holokaustu („największa zbrodnia", „unikatowa zbrodnia") — zob. *PH*, str. 51–58.

tyczne opisy niepotwierdzonych roszczeń ocalałych z Holokaustu, dotyczące depozytów na rachunkach w bankach szwajcarskich, w tym na przykład zarzut przywódcy słowackich Żydów, jakoby jego matka „tak bardzo chciała zapomnieć o swoich wojennych przeżyciach, że wyrzuciła potwierdzenie o saldzie na jej osobistym rachunku" (36), oraz nigdy niepotwierdzone zeznania kluczowych świadków w sprawie przeciwko bankom szwajcarskim, jak Greta Beer (4, 46–48; odnośnie do 183 Eizenstat stwierdził, że „prawda nigdy nie zostanie ujawniona" w odniesieniu do tak naprawdę absurdalnej historii, zrelacjonowanej przez Beer). Na koniec Eizenstat powtarza oklepane banały przedsiębiorstwa Holokaustu, jak np. że „ironią losu jest, iż [szwajcarskie] przepisy dotyczące tajemnicy bankowej były stosowane wobec rodzin poszukujących swoich rachunków, skoro te przepisy zostały przyjęte w 1934 roku w celu zapewnienia nazistom bezpiecznej przystani" (48) — podczas gdy głównym celem ustaw z 1934 roku „nie była [...] ochrona depozytów żydowskich klientów przed konfiskatą przez nazistowski reżim"[8].

W celu wyjaśnienia nagłego zainteresowania opinii publicznej Holokaustem w połowie lat dziewięćdziesiątych, Eizenstat początkowo utrzymywał, że „osoby ocalałe z Holokaustu [...] zaczęły opowiadać swoje długo tłumione wspomnienia i teraz żądają sprawiedliwości za to, co zostało im odebrane" (4). „Zaczęły opowiadać [...]" — można tutaj zastanowić się, gdzie był Eizenstat w czasie największego boomu przemysłu Holokaustu w ciągu ostatniego ćwierćwiecza. Dalej Eizenstat twierdził jednak, że „Edgar Bronfman, miliarder i przewodniczący Światowego Kongresu Żydów, miał ważne powiązania polityczne i był ważnym zwolennikiem prezydenta i pierwszej damy. Namawiał ich, by [...] osobiście zainteresowali się zapewnieniem spóźnionej sprawiedliwości dla ocalałych z Holokaustu" (5), oraz że Bronfman był „jednym z najważniejszych darczyńców na rzecz kampanii prezydenckiej Billa Clintona" i że administracja Clintona działała „pod naciskami politycznymi Edgara Bronfmana" o „przywrócenie skonfiskowanych majątków żydowskich" (57, 25). Bronfman faktycznie należał do pięciu największych darczyńców indywidualnych (i być może wpłacił najwięcej pieniędzy) na

---

[8] Independent Commission of Experts, *Final Report, Switzerland, National Socialism and the Second World War*, Zurich 2002, str. 261. (Zwany dalej: *Raport Końcowy* Bergiera.)

rzecz krajowego Komitetu Demokratycznego w wyborach z 1996 roku, w czasie gdy „powszechnie uważano, że «żydowskie pieniądze» stanowiły około połowę finansowania kampanii prezydenckiej Demokratów — i nawet niewiele więcej w wypadku kandydatów cieszących się dużą popularnością wśród Żydów, jak Bill Clinton"[9]. Kampania o odszkodowania za Holokaust była tak blisko związana z potężnymi interesami amerykańskich Żydów, że jedna z głównych konferencji na temat zrabowanego złota nazistów została celowo zorganizowana w Londynie, „by nie dawać asumptu do przypuszczeń, że wszystkie działania restytucyjne były wyłącznie amerykańskim pomysłem, realizowanym przez społeczność amerykańskich Żydów" (112).

Eizenstat dobitnie zaprzecza jednak, by administracja Clintona kierowała się wyłącznie interesownością. Stwierdził on, że chociaż „własny interes polityczny i ekonomiczny, realpolitik, są głównymi źródłami europejskiej polityki zagranicznej, to w Stanach Zjednoczonych tak nie jest. Nawet najbardziej wyrafinowani Europejczycy nie doceniają faktu, że amerykańska polityka zagraniczna stanowi unikatową i złożoną mieszaninę moralności i interesowności" (5; zob. 272). Czy można jednak podejrzewać Clintona o etyczne motywy działania? Podczas ostatnich godzin swojej prezydentury Clinton ułaskawił miliardera Marca Richa, działającego na giełdzie towarowej, który uciekł do Szwajcarii w 1983 roku, by uniknąć procesu karnego, w którym postawiono mu pięćdziesiąt jeden zarzutów unikania płacenia podatków oraz wymuszania i pogwałcenia sankcji handlowych nałożonych na Iran. Rich kontynuował w swoim szwajcarskim azylu budowę wielomiliardowego imperium i został głównym darczyńcą na rzecz organizacji żydowskich i izraelskich, które jednocześnie z idealną synchronizacją kultywowały swoje lukratywne związki z rosyjską mafią. Beneficjenci hojnych darów Richa, w tym między innymi szef ADL Abraham Foxman (który zainicjował działania w celu ułaskawienia przez prezydenta) a także

---

[9] Informacje na temat Bronfmana pochodzą od Douglasa Webera z Centrum Polityki Responsywnej (*www.opensecrets.org*) (Center for Responsive Politics); informacje na temat zamożności Bronfmana — zob. *http://www.motherjones.com/coinop_congress/97mojo_400/profile5.html*. J.J. Goldberg, *Jewish Power*, Reading, MA 1996, str. 275–276 („żydowskie pieniądze"). (Goldberg jest redaktorem naczelnym „The Forward", głównej żydowskiej gazety narodowej.)

przewodniczący Amerykańskiego Muzeum Holokaustu rabin Irving Greenberg oraz Ehud Barak, Shimon Peres i być może Elie Wiesel, lobbowali później u Clintona na rzecz ułaskawienia Richa. Jedynie niezbyt skomplikowani Europejczycy mogli jednak wątpić, by to miłosierdzie kryło się za niemal „bezprecedensowym w historii Ameryki" (Clinton) impetem działań na rzecz ułaskawienia[10].

II.

Centralnym punktem relacji Eizenstata jest sprawa banków szwajcarskich, która rozpoczęła kampanię szantażu i służyła jako wzorzec dla jej dalszych odsłon. Przemysł Holokaustu utrzymywał, że banki szwajcarskie odmówiły po wojnie ofiarom Holokaustu i ich spadkobiercom dostępu do ich rachunków bankowych[11]. Eizenstat pisał, że w czasie pierwszego spotkania głównych protagonistów, które odbyło się we wrześniu 1995 roku, Edgar Bronfman przysiągł, iż „nie był zainteresowany ryczałtowym rozliczeniem, lecz ustanowieniem wiarygodnego procesu sprawdzenia, co właściwie znajdowało się na tych rachunkach, i wypłaty tych depozytów ich legalnym właścicielom", a bankierzy szwajcarscy wyrazili w zasadzie zgodę na tę propozycję (59); że w grudniu 1995 roku Światowa Organizacja ds. Restytucji Żydowskich (World Jewish Restitution Organization, WJRO, wyodrębniona z WJC) oraz Stowarzyszenie Banków Szwajcarskich (SBA) „ustaliły ogólny zarys ugody", na mocy której „banki otworzą swoje archiwa w celu przeprowadzenia przeglądu uśpionych rachunków, a strona żydowska przeprowadzi ich inspekcję z zachowaniem poufności" (63); że przed senacką debatą senatora D'Amato w kwietniu 1996 roku na temat banków szwajcarskich SBA „przefaksowało do

---

[10] Niles Latham, *Marc Rich Was „A Mossad" Spy for Israel*, „New York Post", 5 lutego 2001 (multimiarder); Mathew E. Berger, *Did Pollard Pay For Efforts to Pardon Rich?*, „Jewish Telegraphic Agency", 13 lutego 2001 (Wiesel); Melissa Radler, *Foxman: I „Probably" Shouldn't Have Asked for Rich Pardon*, „Jerusalem Post", 22 marca 2001; Alison Leigh Cowan, *Supporter of Pardon For Fugitive Has Regrets*, „New York Times", 24 marca 2001; P.K. Semler, *Marc Rich Was „A Mossad" Spy For Israel*, „Washington Times", 21 czerwiec 2002 (mafia rosyjska); Andrew Silow-Carroll, *The Featherman File*, „Forward", 24 sierpnia 2001 („bezprecedensowy").
[11] Informacje ogólne — zob. *PH*, str. 92–120.

Singera propozycję przeprowadzenia niezależnego audytu" i „wy-słało do D'Amato oferty niezależnego audytu" (66); oraz że przed-stawiciel SBA w czasie przesłuchań przed Senatem „robił co mógł, by wykazać, że banki szwajcarskie podejmą starania, by wyszu-kać więcej uśpionych rachunków, i ogłosił wolę banków wyrażenia zgody na niezależny audyt" (68)[12]. W maju 1996 roku niezależny audyt został sformalizowany w „Memorandum Porozumienia" po-między SBA a przedstawicielami żydowskimi i mimo narastających nacisków ze strony przemysłu Holokaustu, by zarzucić ten pomysł, bankierzy szwajcarscy uparcie popierali audyt „w celu odzyskania naszego honoru i zaufania do banków przez odparcie zarzutów" (153; zob. 119). Eizenstat chciał dowieść krnąbrności Szwajcarów i w tym celu wielokrotnie zniekształcał chronologię i dynamikę tych negocja-cji. Stwierdził na przykład, że gdyby banki szwajcarskie od początku były bardziej „zgodne co do [...] niezależnego audytu, to cała ta spra-wa mogłaby się w tym momencie zakończyć" (59) — mimo wyrażenia przez nie zgody na audyt od pierwszego spotkania z Bronfmanem; że to przesłuchanie prowadzone przez D'Amato „przyspieszyło [...] koncepcję audytowania wojennych rachunków" (69) — mimo że banki szwajcarskie wyraziły zgodę na audyt jeszcze przed przesłuchaniem; że wsparcie dla audytu, udzielone przez banki szwajcarskie w czasie przesłuchania, „było postrzegane wyłącznie jako odzwierciedlenie linii partyjnej banków" (68) — jak gdyby to banki żądały audytu, a nie przemysł Holokaustu, oraz że banki szwajcarskie obawiały się audytu „w świetle ich powojennej taktyki odmawiania dostępu i traktowania przez nie sprawy uśpionych rachunków" (65) — mimo ich zdecydowanego poparcia dla przeprowadzenia audytu wbrew opozycji ze strony przemysłu Holokaustu.

*
* *

---

[12] Niniejsza dyskusja nie dotyczy publikowanych w prasie błahostek ani całych książek pełnych sensacyjnych opisów domniemanej odmowy przez szwajcarskich bankierów powierzenia Bronfmanowi funkcji przewodniczą-cego ich pierwszego spotkania we wrześniu 1995 roku; odpowiedź na ten zarzut — zob. pismo dr. Georga F. Krayera, przewodniczącego Stowarzysze-nia Bankierów Szwajcarskich, do Edgara Bronfmana (13 marca 1997 r.; źródło prywatne).

„Do końca lata 1996 roku kontrowersje związane z bankami szwajcarskimi zostały rozwiązane", pisał Eizenstat. „Komisja Volckera rozpoczęła już swoje działanie i wkrótce rozpocznie się niezależny audyt rachunków w bankach szwajcarskich — cel WJC i rządu USA" (74). Oczywiste pytanie brzmi: dlaczego sprawa nie zakończyła się w tym miejscu? Odpowiedź Eizenstata była prosta: „Prawnicy przejęli spór z bankami szwajcarskimi" (75). Wyjaśnienie to jest jednak wysoce nieprawdopodobne. Pod koniec 1996 roku kilka zespołów prawników, specjalizujących się w roszczeniach zbiorowych, złożyło pozwy o wielomiliardowe odszkodowania w oparciu o zarzuty, że poza odnoszeniem korzyści z uśpionych rachunków żydowskich, banki szwajcarskie zarabiały także na pracy niewolniczej Żydów i na zrabowanych im majątkach. Eizenstat potwierdził, że „prawnicy nie są od szukania prawdy historycznej", lecz raczej że „większość z nich robi to dla pieniędzy" (77), i wielokrotnie podkreślał słabości tych nowych zarzutów: „mocno naciągane" (116), „brak dokumentacji dowodowej" (118), „dla utwardzenia ruchomych piasków, na jakich budowano zarzuty prawne, zaczął on [Weiss, jeden z prawników specjalizujących się w pozwach zbiorowych] organizować zewnętrzne naciski na Szwajcarów" (122–123), „w rzeczywistości nie dysponowali oni żadnymi dowodami potwierdzającymi ich żądania" (141), „Hausfeld [kolejny prawnik specjalizujący się w pozwach zbiorowych] przyznał, że nie mógł przedstawić związku, który nie upadłby w sądzie" (143), „Ostrzegałem powodów, że [...] musi istnieć jakiś możliwy do przyjęcia związek, uzasadniający wysokie płatności dokonywane przez banki; nie może to po prostu wyglądać tak, jak gdyby ugięli się przed naciskami" (144), „Hausfeld zdawał sobie sprawę ze słabości swojej argumentacji prawnej i nie chciał się narażać na dociekliwości Szwajcarów" (168) i tak dalej[13]. Z drugiej jednak strony SBA „atakowało pozwy jako pozbawione jakichkolwiek podstaw prawnych, argumentując, że audyt Volckera zapewnił wystarczającą sprawiedliwość" (117) — i słusznie, jeżeli mamy oceniać

---

[13] W żarliwym świadectwie Bazylera pt. *Holocaust Justice* Hausfeld odkrył „historyczne dokumenty, [które] stały się istotnymi dowodami prawnymi, które mógłby później użyć przeciwko bankom szwajcarskim, zmuszając je do ugody. Gdyby banki szwajcarskie nie życzyły sobie zawarcia ugody, Hausfeld był gotowy do przedstawienia tych dokumentów w czasie procesu jako głównych materiałów dowodowych" (9).

sytuację zgodnie z relacją Eizenstata. Eizenstat faktycznie dalej pisze, że sędzia federalny przewodniczący składowi sędziowskiemu — Edward Korman — „miał poważne wątpliwości co do zarzutów prawników specjalizujących się w pozwach zbiorowych, dotyczących zrabowanego majątku i zysków z pracy niewolniczej" (121; patrz 168). Na koniec napisał, że Paul Volcker, przewodniczący komisji prowadzącej audyt banków szwajcarskich, „uznał pozwy za bezmyślne i podburzające w próbach wyjścia poza faktyczne uśpione rachunki bankowe i sięgnięcia po zyski z rabunków i pracy niewolniczej", oraz że „lokalizowanie uśpionych rachunków nie było konieczne" (116). W formalnym zażaleniu do sędziego Kormana Volcker napisał, że pozwy „utrudniały naszą pracę w skali potencjalnie prowadzącej do braku skuteczności" (121). Poza nowymi zarzutami, prawnicy specjalizujący się w pozwach zbiorowych uzasadniali te pozwy, twierdząc, że „audyt Volckera był narzędziem ustanowionym przez banki szwajcarskie". Eizenstat zauważył jednak, że „zignorowano w ten sposób fakt, iż audyt został wymuszony na bankach przez Bronfmana i Singera" (117)[14]. Kiedy prawnicy specjalizujący się w pozwach zbiorowych „zaatakowali proces Volckera" w sądzie, sędzia Korman odpowiedział im: „czy Israel Singer zasiadałby w zarządzie Volckera, gdyby był kłamcą?" (167) (Singer był zastępcą członka Komisji Volckera.) Trudno było także argumentować, że audyt Volckera opóźnił wymierzenie sprawiedliwości, bowiem „wyniki prac tej komisji musiałyby stanowić część jakiegokolwiek ostatecznego rozliczenia" (127) przez określenie, którym z osób składających roszczenia wobec uśpionych rachunków szwajcarskich faktycznie należały się jakieś pieniądze[15].

Jeżeli nowe zarzuty stawiane w pozwach były nieuzasadnione; jeżeli banki szwajcarskie wyraziły zgodę na międzynarodowy

---

[14] Prawnicy twierdzili także, że finansowanie audytu przez Szwajcarię zagroziło jego bezstronności, chociaż to obciążenie finansowe — co Eizenstat wyraźnie stwierdza (72) — także musiała pokryć Szwajcaria (zob. *PH*, str. 149). Bazyler powtarza w *Holocaust Justice* zarzuty stawiane przez prawników przemysłu Holokaustu, wielokrotnie potwierdzając nieprawdziwe oskarżenie, że ustanowienie Komisji Volckera było wyrazem „taktyki przyjętej przez Szwajcarów wobec wniesionego przeciw nim pozwu" (132, 179).

[15] Zob. także *PH*, str. 149.

audyt uśpionych rachunków (jedyny sensowny zarzut); jeżeli ustalenia audytu miały kluczowe znaczenie dla jakiejkolwiek ugody; oraz jeżeli „pozwy zbiorowe [...] podkopały wiarygodność audytu Volckera" (115), to dlaczego sędzia Korman po prostu ich nie odrzucił? Według Eizenstata Korman „przez ponad rok sprytnie pomijał szwajcarskie wnioski o oddalenie spraw, zarówno by umożliwić Volckerowi zakończenie audytu, jak dla zapewnienia sukcesu moich negocjacji" (165; zob. 122). Twierdzenia te są w oczywisty sposób absurdalne. Pozwy zbiorowe z jednej strony „podkopywały wiarygodność" audytu, podczas gdy z drugiej strony negocjacje nie byłyby potrzebne, gdyby pozwy zbiorowe zostały oddalone. W rzeczywistości, mimo błagań Volckera i ku jego irytacji, sam Eizenstat wzdragał się przed wzywaniem do oddalenia pozwów zbiorowych: „Volcker zadzwonił do mnie i oskarżył mnie o wzmacnianie pozycji powodów przez unikanie przyjmowania niekorzystnego dla nich stanowiska w imieniu rządu USA" (122). Na swoją obronę Eizenstat twierdzi, że pełniona przez niego rola arbitra wykluczała opowiadanie się po którejś ze stron. Czy jednak ta domniemana neutralność uzasadniała skuteczne podtrzymywanie fałszywych pozwów? Eizenstat w innym miejscu pisze o swojej bezradności: „Chociaż zdałem sobie sprawę z tego, jak bardzo irytuję Szwajcarów, to nie widziałem żadnego sposobu dla złagodzenia tej sytuacji" (89). Nie przeszkodziło to jednak w cudownym pojawieniu się nacisków rządowych, gdy nieco później postępowanie sądowe prowadzone przez sędzię federalną Shirley Kram, któremu sprzeciwiał się rząd Stanów Zjednoczonych, zagroziło zawarciu z Niemcami ugody o odszkodowania (sędzi nakazano oddalenie sprawy); w równie cudowny sposób pojawiły się rządowe naciski w sprawie pozwu złożonego przez Michaela Hausfelda przeciwko IBM, któremu sprzeciwiał się rząd USA, a który również zagrażał ugodzie z Niemcami (Hausfeld wycofał swój pozew, a wywierane na niego naciski być może wynikały z faktu, że tym razem pozew dotyczył firmy *amerykańskiej*)[16]. W rzeczywistości, jak

---

[16] Sprawa sędzi Kram — zob. Nacha Cattan *Survivors, German Firms Join Hands To Blast Judge as Shoah Pact Stalls*, „Forward", 20 kwietnia 2001; Jane Fritsch, *Judge Clears Obstacles To Pay Slaves Of The Nazis*, „New York Times", 11 maja 2001; *Germans Dispute Judge's Order on Pay To Victims of Nazis*, „New York Times", 12 maja 2001; *Decision on Nazi Reparations Is Appealed* [w:] „New York Times", 16 maja

twierdzi Eizenstat, „pozwy stanowiły jedynie platformę dla politycznego rozwiązania konfliktu" (171) oraz „prawnicy prowadzący pozwy zbiorowe i Singer nigdy nie byliby w stanie wycenić strat, za które domagali się odszkodowań, co spowodowało, że nasze negocjacje przybrały wyjątkowy wymiar polityczny" (144). Ujmując to innymi słowami, pozwy stały się kolejną dźwignią, którą przemysł Holokaustu wykorzystał w swojej kampanii wymuszeń. Przy wsparciu Eizenstata sędzia Korman opóźniał wydanie wyroku w celu wywierania nacisków na banki szwajcarskie, by skłonić je do

---

2001; Jane Fritsch, *One Step Closer To Reparations For Nazi Victims*, „New York Times", 18 maja 2001; Nacha Cattan, *With Judge's Ruling, Shoah Pacts Clear 'Last Hurdle'*, „Forward", 25 maja 2001. Pozew Hausfelda — zob. Betsy Schiffman, *IBM Gets An Ugly History Lesson*, „Forbes", 12 lutego 2001; Michelle Kessler, *Book links IBM to Holocaust*, „USA Today", 12 lutego 2001; *Lawyer to drop IBM Holocaust case*, „Reuters", 30 marca 2001; Robyn Weisman, *IBM Holocaust Lawsuit Dropped* (*http://www.newsfactor.com/perl/story/8596.html*). Poza firmą IBM, która według zarzutów „zapewniła technologię, produkty i usługi do katalogowania ofiar obozów koncentracyjnych i w znaczący sposób przyczyniła się do prześladowań, cierpień i ludobójstwa, jakie miały miejsce w obozach przed i podczas II wojny światowej", Hausfeld podobno zamierzał pozwać „kolejnych 100 korporacji amerykańskich — zidentyfikowanych na podstawie ewidencji pozyskanej od FBI i Departamentu Skarbu USA — jako prowadzące obrót gospodarczy z reżimem nazistowskim", w tym „wiodące firmy przemysłowe i chemiczne oraz niektóre z najważniejszych banków amerykańskich" (*Case Watch: Cohen, Milstein, Hausfeld & Toll, P.L.L.C. Files Class Action Lawsuit Against IBM*, *http://www.cmht.com/casewatch/cases/cwibm.html*; Robert L. Gleiser, *IBM sued, 100 U.S. firms are accused of Nazi links* — *http://www.mugu.com/pipermail/upstream-list/2001-February/001393.html*). Federalny sąd apelacyjny podważył kalifornijską ustawę, umożliwiającą ofiarom pracy niewolniczej w czasie II wojny światowej, głównie w firmach japońskich, pozywanie ich o wynagrodzenie i uszczerbek na zdrowiu po tym, jak rząd federalny złożył pismo procesowe w sprawie pozwanych firm (Adam Liptak, *Court Dismisses Claims of Slave Laborers*, „New York Times", 22 stycznia 2003 r.); bezwstydne stosowanie podwójnych standardów przez rząd USA, który wspierał przemysł Holokaustu w sprawie przeciwko przemysłowi niemieckiemu, ale sprzeciwił się podobnym roszczeniom ze strony amerykańskich jeńców wojennych przeciwko przemysłowi japońskiemu — zob. Bazyler, *Holocaust Justice*, str. 307–317.

zawarcia ugody pozasądowej. Słowami Burta Neuborne'a, wiodącego adwokata przemysłu Holokaustu, sędzia Korman „pięknie to rozegrał" (122; zob. 165)[17]. (Można jedynie wyobrazić sobie, jakim osłupieniem szwajcarscy bankierzy zareagowaliby na twierdzenie Eizenstata, że darzyli oni sędziego Kormana szacunkiem, ponieważ uchodził on za „niezależnego sędziego"(165–166).)

Prawnicy przemysłu Holokaustu prywatnie przyznali, że pozwy w gruncie rzeczy służyły jako fasada dla wymuszenia: „[Weiss] był właściwie szczery co do tej strategii, bez niuansów. Chciał wywierać zewnętrzne naciski polityczne i ekonomiczne" (118), „jeżeli potrzebowałem jakiegokolwiek przypomnienia, że prowadziliśmy negocjacje polityczne a nie prawne, to Weiss nam o tym ostro przypominał: «Popatrz, chodzi o to, jak mocno my ich ściśniemy za jaja, czy jak mocno oni ścisną nasze»" (143; zob. 83)[18]. O ile podczas kampanii szwajcarskiej przemysł Holokaustu stale powtarzał, że „chodzi o prawdę i sprawiedliwość, a nie o pieniądze", to w rzeczywistości „adwokaci powodów [...] pragnęli pewności w postaci okrągłej kwoty i nie chcieli czekać, aż Volcker zakończy swój audyt" (155). Mimo publicznego dezawuowania prawników wnoszących pozwy zbiorowe i twierdzenia, że audyt jest potrzebny wyłącznie w celu oddania sprawiedliwości ofiarom, Światowy Kongres Żydów w podobny sposób „nalegał", na-

---

[17] Niegodna rola Neuborne'a, jaką odegrał w holokaustowych szantażach — zob. *PH*, str. 147, 160 oraz „Posłowie do drugiego wydania w miękkiej oprawie" w niniejszej książce. Notabene sam Neuborne skutecznie przekonuje, że poza uśpionymi rachunkami (które już były przedmiotem audytu Volckera), roszczenia wobec banków szwajcarskich były pozbawione jakichkolwiek podstaw prawnych. W sprawie o niemieckie odszkodowania Neuborne oskarżał sądy amerykańskie o oddalanie pozwów przed zawarciem ugody: Neuborne wydaje się sugerować, że nawet jeżeli pozwy były bezpodstawne, to sądy powinny były (jak w sprawie przeciwko Szwajcarii) opóźniać wydanie wyroku w celu wywarcia nacisku na pozwanych (Burt Neuborne, *Preliminary Reflections on Aspects of Holocaust-Era Litigation in American Courts*, „Washington University Law Quarterly", jesień 2002, str. 805 prz. 23, 807 prz. 31, 816 prz. 73).

[18] Neuborne — który uznaje ni mniej ni więcej tylko Arystotelesa za swojego mentora etyki w postępowaniu sądowym w sprawie Holokaustu — regularnie wyraża swoje uznanie i powołuje się na „nadzwyczajną kombinację talentów Mela Weissa i Mike'a Hausfielda" (Neuborne, „Preliminary Reflections", str. 292 prz. 3, 805 prz. 26, 829).

wet przed przesłuchaniem prowadzonym przez D'Amato, by „rząd szwajcarski narzucił bankom ugodę" (67); od samego początku negocjacji Eizenstata podejmował starania o zawarcie ugody na konkretną kwotę zamiast czekania na wyniki audytu (153); ostro sprzeciwiał się pismu Volckera do sędziego Kormana, ponieważ „zwiększyłby on prestiż komisji [Volckera] wobec składanych przez banki szwajcarskie wniosków o oddalenie pozwów" (121); a także „nie miał zaufania do prawników, ale popierał wszystko, co mogłoby pomóc im w wyciągnięciu od banków szwajcarskich jeszcze większych kwot" (122).

*

* *

Poza sądami przemysł Holokaustu zmobilizował do swoich wymuszeń także każdy poziom rządu USA. W piśmie do Bronfmana, określającym odszkodowania za Holokaust jako „kwestię moralną i kwestię sprawiedliwości", prezydent Clinton naciskał na „zwrot żydowskich aktywów [zdeponowanych] w bankach szwajcarskich" (68). Eizenstat powołuje się na liczne protesty dyplomatyczne i pisze, że jego mediacje stanowiły „bezprecedensowe zaangażowanie wysokiej rangi urzędnika rządowego w czysto prywatne pozwy" (115) oraz że wytoczył „jedno z naszych najcięższych dział: przekonałem Madeleine Albright, by była pierwszym od 1961 roku amerykańskim sekretarzem Stanu, który udał się z wizytą do Szwajcarii" (126). W ramach innej wiekopomnej inicjatywy zarządzonej przez Clintona, Eizenstat przekonał 11 agencji federalnych do opracowania raportu na temat zrabowanego przez nazistów złota, sprzedawanego przez banki szwajcarskie: „przedsięwzięcie to wykazało, jak ogromne zasoby mogą zostać zmobilizowane spośród przedstawicieli amerykańskiej władzy wykonawczej, gdy otrzyma ono poparcie prezydenta. W ostatecznym rozrachunku opublikowaliśmy blisko milion dokumentów w jednym z największych odtajnień w historii USA" (99–100). (Inny wysokiej rangi urzędnik amerykański, J.D. Bindenagel, poświęcił „cały rok" [193] na przygotowanie waszyngtońskiej konferencji na temat zrabowanych przez nazistów dzieł sztuki.) W przedsłowiu do swojego raportu na temat zrabowanego przez nazistów złota Eizenstat sensacyjnie przekonywał, że szwajcarskie „związki handlowe z Niemcami [...] przyczyniły się do przedłużenia jednego z najbardziej krwawych konfliktów w historii". W swoich wspomnieniach pozostaje on nieugięty co do swoich „osobistych obserwacji w przedsłowiu", które są „celne i wytrzymają weryfikację przez historię" (108; zob. 340–341) — nawet jeżeli pełen samokrytyki szwajcarski *Raport Końcowy* Bergiera konkludował, że „teoria, zgodnie z którą [...] Szwajcaria wywierała istotny wpływ na przebieg wojny, nie znalazła potwierdzenia"[19].

Podczas gdy *Raport* Eizenstata (jak później nazwano tę publikację) „nie przyniósł żadnych sensacyjnych rewelacji"[20], przedsłowie do niego, wraz z pretensjami do ujawnienia skandalicznych ustaleń, nadal służyło właściwym celom: „Gdy fakty stały się jasne, WJRO wywierała na mnie naciski, żebym zmuszał Szwajcarów do wypłacania wyższych kwot" (101). Przesłuchania w Senacie służyły podobnym celom: „Zarówno D'Amato, jak WJC życzyli sobie, by przesłuchania te były tak sensacyjne i prowokacyjne, jak tylko jest to możliwe" (63). W rzeczywistości Eizenstat bezwstydnie przyznał, że asystenci D'Amato rozpowszechniali „sensacyjne materiały", w tym „niektóre prawdziwe, a inne niekoniecznie", przy czym materiały prawdziwe były ogłaszane jako rewelacje, chociaż zawarte w nich informacje były od dawna znane, a on sam (Eizenstat) „starał się pomóc przez zachęcanie do odtajniania dokumentów" (63–67). „Ponieważ niemal wszystkie dokumenty były już znane, WJC i D'Amato musieli rozpowszechniać te informacje w nowy sposób", wyjaśnił jeden z prominentnych dziennikarzy przemysłu Holokaustu. „Jedynym sposobem było opisanie współpracy Szwajcarii z nazistowskimi Niemcami, zmiana statusu Szwajcarii ze statusu państwa neutralnego na status wojennego sojusznika Niemiec. Kwestia, czy jest to prawda, czy nie, ma znaczenie marginalne"[21]. Właśnie to było

---

[19] Bergier, *Raport Końcowy*, str. 518; skłonność *Raportu Końcowego* do hiperbolicznej krytyki polityki szwajcarskiej — zob. „Posłowie do drugiego wydania w miękkiej oprawie" w niniejszej książce.

[20] Ibid., str. 31.

[21] Elli Wohlgelernter, *Media were key in resolving Holocaust restitution issues, reporters tell Yad Vashem conference*, „Jerusalem Post", 1 stycznia 2003; cytat z wypowiedzi Itamara Levina, zastępcy redaktora naczelnego izraelskiego magazynu biznesowego „Globes", autora *The Last Deposit*, na temat sprawy przeciwko bankom szwajcarskim; Levin — zob. *PH*, szczególnie str. 92–93, 120.

głównym osiągnięciem Eizenstata: „zmiana" statusu Szwajcarii — „czy jest to prawda, czy nie".

Decydującym środkiem nacisku okazało się jednak zagrożenie nałożenia przez USA sankcji ekonomicznych. Alan Hevesi, „główny audytor, czy też dyrektor finansowy miasta Nowy Jork, który kontrolował warte miliardy dolarów inwestycje funduszy emerytalnych i transakcje biznesowe z miastem, i marzył, by pewnego dnia zostać jego burmistrzem" (122–123), kierował kampanią ukierunkowaną na finansowe okaleczenie Szwajcarii, stopniowo rozprzestrzeniającą się na stanowe i lokalne rządy w całym kraju. „Próbując zatruć nasz własny system regulacyjny", Światowy Kongres Żydów także wywierał „ogromne naciski" na superintendenta ds. bankowości stanu Nowy Jork w celu uniemożliwienia bankowi szwajcarskiemu, niedawno utworzonemu w drodze fuzji, rozpoczęcia działalności w Stanach Zjednoczonych (145). Mimo publicznego potępienia użycia sankcji ekonomicznych, Eizenstat wyraźnie dał do zrozumienia, że jego sprzeciw miał charakter bardziej formalny niż faktyczny: „Trudno powiedzieć, żebym nie zdawał sobie sprawy z twardego faktu, że udało im się przyciągnąć uwagę banków szwajcarskich lepiej, niż ja mógłbym to zrobić" (157; zob. 160). Na zakończenie Eizenstat przedstawił naprawdę zdumiewającą analogię, w której przyrównał wielopłaszczyznową kampanię wymuszania haraczy do dni „bojkotu autobusowego w Montgomery" (355)[22].

W sierpniu 1998 roku banki szwajcarskie ostatecznie skapitulowały i w ramach ugody zaproponowanej przez sędziego Kormana zgodziły się zapłacić 1,25 miliarda dolarów. Według Burta Neuborne'a sam fakt, że Szwajcarzy „woleli zapłacić 1,25 miliarda dolarów zamiast stanąć przed sądem", potwierdzał „prawdziwość" roszczeń powodów[23]. Eizenstat jednak ciągle powtarza, że ugoda była oznaką zwycięstwa nie tyle sprawiedliwości, co wymuszenia: „Z wyjątkiem audytów Volckera, prowadzonych niezależnie od postępowań sądowych, całkowicie zabrakło dowodów, które mogłyby uprawdopodob-

---

[22] W dziwacznej analogii Burta Neuborne'a ta potężna mobilizacja amerykańskiej potęgi, w celu wymuszenia haraczu na podstawie nieuprawnionych roszczeń, przypominała „bojkot winogron w celu wsparcia pracowników rolnych, walczących o umowę związkową" (Neuborne, *Preliminary Reflections*, str. 828 przp. 117).

[23] Pismo do „Nation" (18 lutego 2002 r.).

nić zasadność ogromnej kwoty przewidzianej ugodą. Nie dokonano ani jednego tradycyjnego ujawnienia prawnego. Poważne braki postępowania sądowego zrekompensowały naciski zewnętrzne i interwencja rządu amerykańskiego" (177); „koszty obrony w sprawach, które były do wygrania [przez banki szwajcarskie] przed sądami, stały się zbyt wysokie do utrzymania przed trybunałem opinii publicznej i na ogromnym, rentownym rynku amerykańskim, na którym banki te działały i miały nadzieję rozszerzać swoją działalność" (340; zob. 165). Mimo to Eizenstat spekuluje także, że banki szwajcarskie zgodziły się na wypłacenie 1,25 miliarda dolarów w ramach ugody z obawy, że „Volcker mógłby działać tak dokładnie, że łączna kwota mogłaby okazać się znacznie wyższa, chcieli więc ograniczyć swoje straty" (170–171; zob. 166). Jego własne dowody obalają jednak ten zarzut. Banki szwajcarskie „kalkulowały, że wszystkie rozliczenia Volckera nadal wyniosłyby łącznie około 200 milionów dolarów, nawet po korekcie na upływ czasu" (147), sędzia Korman także „założył na podstawie kontaktów z Volckerem, że ustalenia audytu mogłyby świadczyć o kwocie 200 milionów dolarów na uśpionych rachunkach" (170). (Zgodnie z późniejszymi ustaleniami Trybunału ds. Rozpatrywania Roszczeń, jest wielce prawdopodobne, że nawet ta kwota zdecydowanie zawyżała zobowiązania Szwajcarów.)[24] Kwocie 200 milionów dolarów należałoby się przyjrzeć z jeszcze jednego powodu. W przedstawionej w pierwszym posłowiu do *Przemysłu Holokaustu* analizie planu rozdysponowania szwajcarskich pieniędzy stwierdziłem, że przeznaczenie 800 milionów dolarów z kwoty 1,25 miliarda na uznane roszczenia z tytułu uśpionych rachunków bankowych „wydaje się zdecydowanie zawyżone", oraz że prawdziwą przyczyną, dla której przemysł Holokaustu dokonał tej alokacji, była możliwość zagarnięcia różnicy do własnej kieszeni. (Gdyby kwota 200 milionów dolarów została przeznaczona dla właścicieli uśpionych rachunków, to pozostała kwota 1,05 miliarda dolarów zostałaby przekazana bezpośrednio do rąk ocalałych z Holokaustu.)[25] Eizenstat potwierdza w swojej relacji, że przed opracowaniem planu dystrybucji pieniędzy już było wiadomo, że kwota 800 milionów dolarów

---

[24] Zob. „Posłowie do drugiego wydania w miękkiej oprawie" w niniejszej książce.

[25] *PH*, str. 155–157.

nie miała nic wspólnego z rzeczywistością, i sugeruje, kto wymyślił tę zdecydowanie zawyżoną kwotę — wbrew wszystkim dowodom Singer utrzymywał, że „audyty Volckera mogłyby przynieść od 600 do 750 milionów dolarów" (148). Inflacja Singera służyła dwóm celom: po pierwsze — odebraniu pieniędzy bankom szwajcarskim, po drugie — odebraniu pieniędzy przeznaczonych na ocalałych z Holokaustu.

Dla uzasadnienia przewidzianej ugodą kwoty 1,25 miliarda dolarów, mimo oszacowania szwajcarskich zobowiązań na 200 milionów dolarów oraz braku jakichkolwiek dowodów potwierdzających inne roszczenia wobec Szwajcarów, Eizenstat dumnie powołuje się na „nową koncepcję «trudnej sprawiedliwości»" (181), która „może mieć zastosowanie w przyszłości w wypadkach masowych naruszeń praw człowieka" (353): „Cała koncepcja trudnej sprawiedliwości była nowością, nową teorią, uwzględniającą polityczne negocjacje, a nie zasady prawa. W jakimkolwiek tradycyjnym postępowaniu prawnym strony poszkodowane muszą przedstawić przejrzyste powiązanie, bezpośredni związek ze stroną, od której żądają zadośćuczynienia. Było to możliwe w postępowaniu dotyczącym rachunków bankowych audytowanych przez Volckera. Nie mogło jednak być możliwe w sprawie zagrabionych majątków i zysków z pracy niewolniczej, osiągniętych na koszt jeszcze żyjących osób lub ich spadkobierców, które nie były w stanie powiązać swoich strat z trzema bankami szwajcarskimi, pozwanymi w ramach pozwu zbiorowego" (137–138; zob. 130, 353). Jednak wykorzystanie nieuprawnionego pretekstu i pozaprawnych środków w celu wymuszenia pieniędzy ma swoją nazwę: wymuszenie.

Eizenstat zachował swój „największy gniew" dla Szwajcarskiej Rady Federalnej. Chociaż chciał, by „rząd Szwajcarii zaangażował się w negocjacje w celu zebrania od nich pieniędzy do kufra ugody" oraz „rozłożenia obciążenia finansowego", Szwajcarzy odmówili współpracy: „rząd Szwajcarii zdecydowanie zgadza się, by rząd USA się wykrwawił, usiłując rozstrzygnąć te sprawy [...], ale sam nie chce ponosić żadnych kosztów" (126, 138, 163). Co za niewdzięczność. Rząd USA „zgadza się [...], by wykrwawił się", wymuszając haracz od banków szwajcarskich, ale rząd Szwajcarii nie chce zgodzić się na to, by sam też musiał taki haracz zapłacić. Eizenstat pisze wręcz, że nawet teraz „rząd Szwajcarii nadal nie wyciągnął trudnej nauki z tego, przez co musiało przejść nasze państwo". Na przykład „wiosną

2002 roku rząd Szwajcarii zamroził rządowe kontrakty wojskowe i inne z Izraelem w ramach protestu wobec polityki rządu Izraela wobec Palestyńczyków" (185). Doprawdy, Szwajcarzy są naprawdę niereformowalni[26]. Eizenstat pisze, że po rozliczeniach finansowych Szwajcarzy z niewytłumaczalnych przyczyn mieli pretensje do Komisji Volckera (178–179). Czy jest w tym coś dziwnego? Banki szwajcarskie wydały setki milionów dolarów na „najszerszy i najkosztowniejszy audyt w historii" (179), chociaż jego wysiłki zostały udaremnione, a kwota 1,25 miliarda dolarów zmieniła właścicieli ze względu na „zewnętrzne naciski i interwencję rządu USA". (Nawet po zawarciu ugody koszty audytu nadal „rosły jak oszalałe".) Niezależnie od rozczarowania, które przypadło Szwajcarom w udziale, audyt był kontynuowany bez przeszkód i w grudniu 1999 roku Komisja Volcke-

---

[26] Wszystko wskazuje na to, że przemysł Holokaustu stosował wobec europejskich firm ubezpieczeniowych taką samą strategię, jak jego kampania szantażowania Szwajcarii. W międzyczasie Międzynarodowa Komisja ds. Roszczeń Ubezpieczeniowych Ery Holokaustu (ICHEIC) została wmieszana w skandal związany z przeznaczeniem ponad 30 milionów dolarów na wydatki administracyjne — w tym na wiele konferencji międzynarodowych trwających ponad 24 godziny, zorganizowanych w najwyższej klasy hotelach, z przelotami w klasie biznes, podczas gdy osobom wysuwającym roszczenia związane z Holokaustem wypłacono zaledwie 3 miliony dolarów. Dyrektor Wykonawczy Światowego Kongresu Żydów Elan Steinberg oddalił te zarzuty, twierdząc, że „rachunek zapłaciły spółki ubezpieczeniowe i banki", tzn. „zapłacili goje" (Yair Sheleg, *Profits of doom*, „Haaretz" [29 czerwca 2001]; Henry Weinstein, *Spending by Holocaust Claims Panel Criticized*, „Los Angeles Times" [17 maja 2001].) To wulgarne oświadczenie jest niemal na pewno pozbawione podstaw: zgodnie z warunkami ugody z Niemcami wydatki administracyjne są potrącane z łącznej kwoty 100 milionów dolarów, przeznaczonej dla posiadaczy polis ubezpieczeniowych. W typowy dla siebie sposób przemysł Holokaustu żąda teraz, by niemieckie firmy ubezpieczeniowe płaciły wakacyjne rachunki jego członków. W ramach kolejnego skandalu z ICHEIC w tle, Neil Sher, szef sztabu waszyngtońskiego biura ICHEIC, był przedmiotem „śledztwa w sprawie zarzutu sprzeniewierzenia funduszy komisji na prywatne cele przed rezygnacją ze stanowiska" (Nacha Cattan, *Restitution Exec Was Probed on Spending*, „Forward" [1 listopada 2002]).

ra opublikowała wyniki swoich badań[27]. Eizenstat opisuje wnioski Komisji w jedynym akapicie poświęconym tej sprawie (180), w czym nie ma nic dziwnego, bowiem głównym ustaleniem komisji było, że „w odniesieniu do ofiar prześladowań nazistowskich nie stwierdzono dowodów stosowania systematycznej dyskryminacji, utrudniania dostępu, sprzeniewierzenia czy naruszenia przepisów prawa szwajcarskiego, dotyczącego archiwizacji dokumentów"[28]. Eizenstat wolał powołać się na „szokujące odkrycia" ujawnione później w *Raporcie Końcowym* Komisji Bergiera, który zdaniem Eizenstata „wysadził w powietrze mit, któremu sprzyjała Komisja Volckera, jakoby nie istniał spisek, mający na celu przejęcie depozytów posiadaczy rachunków bankowych z ery Holokaustu" (180–181). *Raport Końcowy* Komisji Bergiera stanowi jednak wyraźnie, że jego bardziej „ogólne" oceny opierają się wyłącznie o ustalenia audytu Volckera oraz że „w ostatecznym rozrachunku" zawarte w nim wnioski „wynikają z ustaleń Komisji Volckera"[29]. Eizenstat skromnie przemilcza niedawne ustalenia Trybunału ds. Rozpatrywania Roszczeń, który zarówno w bezdyskusyjny sposób obalił główny zarzut przemysłu Holokaustu, jakoby banki szwajcarskie skradły „miliony dolarów" należące do ofiar Holokaustu, jak i potwierdził wstępną ocenę Raula Hilberga, który twierdził, że przemysł Holokaustu wyczarował „ogromne kwoty", a następnie zmusił banki szwajcarskie „szan-

---

[27] Independent Committee of Eminent Persons, *Report on Dormant Accounts of Victims of Nazi Persecution in Swiss Banks*, Berno 1999. W raporcie stwierdzono, że chociaż „po ugodzie w sprawie pozwu zbiorowego w Nowym Jorku w 1998 roku banki szwajcarskiej wspólnie przyjęły bardziej krytyczny stosunek do śledztwa[,] [...] to problemy te zostały rozwiązane ku zadowoleniu Komisji oraz niemal wszystkich banków szwajcarskich, bez uszczerbku dla integralności śledztwa" (Aneks 3, p. 56, par. 65–66).

[28] Ibid., Aneks 5, p. 81, par. 1; analiza ustaleń Volckera — zob. *PH*, str. 112nn.

[29] Bergier, *Raport Końcowy*, str. 34, 456; analiza — zob. „Posłowie do drugiego wydania w miękkiej oprawie" w niniejszej książce. Podobnie jak Eizenstat, także Bazyler w *Holocaust Justice* poświęca ustaleniom Komisji Volckera tylko jedno zdanie, ukryte w przypisach końcowych (str. 342 prz. 80) i aż trzy pełne strony (46–49) ustaleniom (domniemanym) Komisji Bergiera.

tażem" do ustąpienia[30]. Ponieważ jedynie drobny ułamek kwoty 1,25 miliarda dolarów trafił do rąk ofiar Holokaustu i ich spadkobierców, zgodnie z oczekiwaniami rozpoczęła się walka pomiędzy szantażystami o to, w czyje ręce ostatecznie trafią łupy z Holokaustu — w ogniu krzyżowym tej walki znalazły się ofiary szantażystów. Minister Sprawiedliwości Izraela ogłosił, że prawowitym odbiorcą tych pieniędzy jest Izrael; w swojej wypowiedzi stwierdził: „nie mam zaufania do Światowego Kongresu Żydów" oraz „ugodę z bankami szwajcarskimi należy renegocjować"[31].

*

* *

Warto w tym miejscu porównać los banków szwajcarskich z losem banków francuskich. W kwietniu 2002 roku francuska komisja, prowadząca śledztwo w sprawie „grabieży majątków Żydów we Francji" podczas nazistowskiego holokaustu, „zidentyfikowała, ale nie opublikowała z powodów związanych z prywatnością, około 64.000 nazw 80.000 rachunków bankowych, które przypuszczalnie należały do ofiar Holokaustu" (318). Liczba ta zdecydowanie przewyższała określoną w sprawie przeciwko bankom szwajcarskim liczbę 36.000 rachunków bankowych, „możliwie lub prawdopodobnie związanych z ofiarami Holokaustu"[32]. W konsekwencji banki francuskie zgodziły się pokryć uznane roszczenia do rachunków z czasów Holokaustu (oczekiwano, że roszczeń takich będzie niewiele) oraz przeznaczyły

---

[30] Ustalenia Trybunału ds. Rozpatrywania Roszczeń — zob. „Posłowie do drugiego wydania w miękkiej oprawie"; Hilberg — zob. *Comment s'écrira désormais l'histoire de l'Holocauste? Entretien avec l'auteur de „La destruction des juifs d'Europe"*, [w:] „Libération", Paryż, 15 września 2001 („ogromne kwoty"), oraz *Holocaust Expert Says Swiss Banks Are Paying Too Much*, „Deutsche Presse-Agentur", 28 stycznia 1999 („szantaż"). W matematycznym uniwersum Bazylera przyznanie przez Trybunał ds. Rozpatrywania Roszczeń jednemu powodowi odszkodowania w wysokości 5 milionów dolarów dowodzi „bezpośrednio", że ugoda na kwotę 1,25 miliarda dolarów była uzasadniona (*Holocaust Justice*, str. 43).

[31] Pierre Heumann, *Israel fordert neuen Bankenvergleich*, „Weltwoche", 10 stycznia 2002.

[32] W kwestii liczby 36.000 — zob. „Posłowie do drugiego wydania w miękkiej oprawie" w niniejszej książce.

100 milionów dolarów na utworzenie francuskiej fundacji, której powierzono zadanie zadośćuczynienia za bezspadkowe rachunki bankowe ofiar Holokaustu (322, 331, 336–337). Dla porównania, jeszcze przed audytem (nie mówiąc o procesie weryfikacji roszczeń) banki szwajcarskie zostały zmuszone do zapłacenia 1,25 miliarda dolarów na rzecz przemysłu Holokaustu. Ponadto przemysł Holokaustu bezlitośnie potępiał banki szwajcarskie, które powoływały się na przepisy o tajemnicy bankowej, za odmowę opublikowania nazw rachunków ofiar Holokaustu. W typowy dla tego postępowania sposób Eizenstat pisał, że „Stowarzyszenie Bankierów Szwajcarskich chciało, by opublikowano nazwy tylko 5000 rachunków". „Szwajcarzy targowali się niemal do ostatniej chwili" (179–180). (Ostatecznie Szwajcarzy opublikowali nazwy 21.000 rachunków bankowych, co do których zachodziło najwyższe prawdopodobieństwo związku z ofiarami Holokaustu.) Jednak banki francuskie także powoływały się na „przepisy o tajemnicy bankowej" (321) i również odmawiały publikacji nazw rachunków bankowych z czasów Holokaustu. W sprawie banków francuskich Eizenstat jakoś nie okazał szczególnego oburzenia (321).

Nasuwa się tutaj oczywiste pytanie: co spowodowało względnie łagodne potraktowanie banków francuskich przez przemysł Holokaustu? Krótka odpowiedź brzmi: *władza*. Podobnie jak Żydzi w Republice Weimarskiej, Szwajcarzy byli silni gospodarczo, ale słabi politycznie. Faktycznie, kto z wyjątkiem zatwardziałych nazistów mógłby stanąć po stronie „tłustych szwajcarskich bankierów" w rozgrywce przeciwko „ofiarom Holokaustu w trudnej sytuacji"? W sprawie banków francuskich Eizenstat powołał się jednak na „nasze stosunki z bliskim, aczkolwiek nieco drażliwym sojusznikiem politycznym i gospodarczym w Europie" (323). Ponadto potężna społeczność francuskich Żydów „wyraźnie" oświadczyła, że „może załatwić tę sprawę samodzielnie, bez ingerencji Żydów amerykańskich" (323–324), udzieliła rządowi Francji „bezwarunkowego poparcia [...] [i] potępiła amerykańską interwencję [...] w wewnętrzne sprawy Francji" (327; patrz 320). (Francuskie organizacje żydowskie „wyraziły nawet swoją zgodę, by wykazy [rachunków bankowych z czasów Holokaustu] nie zostały opublikowane" [328].) Obawy przed zjednoczoną reakcją we Francji zneutralizowały główną broń przemysłu Holokaustu. „Krajobraz, który zobaczyłem w czasie negocjacji francuskich, zdecydowanie różnił się od moich doświadczeń ze Szwajcarami", wspomina Eizenstat. „Żadnych nacisków ze strony

217

Kongresu, Israela Singera czy Alana Hevesi" (323). Gdy prawnicy specjalizujący się w pozwach zbiorowych deptali suwerenność Francji, Eizenstat postąpił zdecydowanie inaczej niż w wypadku banków szwajcarskich i wyłamał się z szeregu, odwołując do „francuskiej wrażliwości" (335). Wobec „braku pomocnych nacisków zewnętrznych" (324), pozwy zostały oddalone. Banki francuskie wyszły cało z opresji, nie przeznaczając nawet franka na przemysł Holokaustu.

Sprawa przeciwko bankom francuskim potwierdza absurdalność zarzutu Eizenstata, jakoby „prawnicy przejęli spór z bankami szwajcarskimi". Bez wsparcia ze strony rządu USA pozwom zbiorowym zabrakło kłów pazurów. Prawnicy nie mieli co do tego żadnych wątpliwości. Eizenstat relacjonuje, że w miarę jak negocjacje z Francuzami przeciągały się na ostatnie dni prezydentury Clintona, Hausfeld „chciał szybkiego i kreatywnego rozstrzygnięcia sprawy francuskiej". „Zdawał on sobie sprawę z niebezpieczeństwa przeciągnięcia negocjacji poza zakończenie prezydentury Clintona [...] [B]ez rządu działającego w charakterze katalizatora prawnicy i ich klienci musieliby stanąć wobec perspektywy długiego i niepewnego przewodu sądowego" (324).

*
* *

Na koniec należałoby się przyjrzeć dokonaniom Izraela w zakresie odszkodowań za majątki z ery Holokaustu, które, jak się później okazało, są niewiele lepsze od szwajcarskich. W przeciwieństwie do sprawy przeciwko bankom szwajcarskim, odkrycie to nie wywołało jednak jakichkolwiek dyskusji na temat wad żydowskiego charakteru narodowego[33] ani skoordynowanej kampanii ukierunkowanej na uzyskanie rozliczenia w gotówce. Eizenstat wspomina to wyłącznie jako ciekawostkę: „Zdecydowanie najbardziej nieoczekiwane rewelacje nadeszły z Izraela. W styczniu 2000 roku największy bank izraelski, Bank Leumi, ujawnił, że prowadzi około 13.000 uśpionych rachunków" (347) — mniej więcej tyle samo, ile wykazał audyt Volckera w Szwajcarii[34]. Ponadto „według szacunków, wartość nie-

---

[33] Oszczercza kampania przeciwko Szwajcarom — zob. *PH*, str. 94–97.

[34] Komisja Volckera zidentyfikowała około 15.000 uśpionych rachunków, „możliwie lub prawdopodobnie związanych" z ofiarami Holokaustu. Ziden-

ruchomości i innych aktywów, zakupionych w Izraelu przez Żydów, którzy zostali zamordowani w czasie Holokaustu, jest szacowana na setki milionów dolarów i wciąż czeka na zwrot prawowitym spadkobiercom"[35]. W rzeczywistości wszystkie zarzuty wysuwane wobec Szwajcarii mają zastosowanie w stosunku do Izraela. „Podobnie jak banki szwajcarskie, także banki izraelskie przez lata uparcie twierdziły, że nie posiadają depozytów ofiar Holokaustu na uśpionych rachunkach." Dopiero niedawno zaczęły one współpracować z niezależnymi audytorami i muszą jeszcze „poradzić sobie z procesem szukania spadkobierców". Ponadto nie tylko nie podejmowano „systematycznych działań państwa w celu udzielenia pomocy ocalałym i ich spadkobiercom w odzyskiwaniu majątku, nie mówiąc już o wyszukiwaniu spadkobierców", ale majątki ofiar Holokaustu były nielegalnie przejmowane, podczas gdy potencjalnym spadkobiercom odmawiano dostępu do archiwalnych informacji uzasadniających ich roszczenia, żądano od nich przedstawiania świadectw zgonu i aktów własności osób zamordowanych w obozach koncentracyjnych. „Stawiali na mojej drodze niemożliwe do pokonania przeszkody", skarżyła się w „Jerusalem Post" jedna z ofiar Holokaust w zaawansowanym wieku. „W całej Europie krewnym wypłacano odszkodowania za ziemię, która była własnością ofiar Holokaustu. To straszne, że Izrael nie chce się rozliczyć". Poza „nielicznymi" członkami Knessetu, „nawet osoby mające w rodzinie ocalałych nie wykazały jakiegokolwiek zainteresowania problemem restytucji przez Izrael mienia ofiar Holokaustu". Na przykład Avraham Hirschson, „który bardzo aktywnie występował w sprawie banków szwajcarskich", „nie stawił się

---

tyfikowano także 39.000 kolejnych zamkniętych rachunków, „możliwie lub prawdopodobnie" związanych z ofiarami Holokaustu. Po weryfikacji pod kątem błędów tej listy 54.000 rachunków uśpionych i zamkniętych, otrzymano łączną liczbę 36.000 rachunków (nie wiadomo, ile z tych rachunków było uśpionych a ile zamkniętych); zob. Volcker, *Report*, str. 10, oraz „Posłowie do drugiego wydania w miękkiej oprawie" w niniejszej książce.

[35] Netty C. Gross, *Cheating Our Own*, „Jerusalem Report", 16 grudnia 2002; zob. Netty C. Gross, *Up Front: Too Many Questions*, „Jerusalem Report", 13 stycznia 2003. (Wszystkie cytaty w niniejszym akapicie pochodzą z artykułów Gross.) Komisja Knessetu oszacowała wartość uśpionych rachunków na „ponad 20 milionów dolarów" (nie wiadomo, czy kwota ta obejmuje narosłe odsetki).

nawet na jednym zebraniu" komisji Knessetu w celu „zlokalizowania
i zwrotu majątku ofiar Holokaustu"[36].

III.

W swoim przedsłowiu do książki Eizenstata prezes zarządu przemysłu Holokaustu Elie Wiesel zastanawia się, dlaczego „wymiar ekonomiczny" Holokaustu był do tej pory „całkowicie ignorowany" (x),
podczas gdy Eizenstat — odnosząc się bezpośrednio do Niemiec
— podobnie zastanawia się, „dlaczego trzeba było aż pięćdziesięciu lat, by zapewnić niedoskonałą sprawiedliwość dla cywilnych
ofiar nazistowskiego barbarzyństwa" (3; zob. 114). Krótka odpowiedź brzmi: nikt tego nie ignorował. W zakończeniu swojej książki
Eizenstat utrzymuje, że dzięki dyplomatycznej inicjatywie Clintona
„po raz pierwszy w historii wojen w systematyczny sposób zażądan-
no i otrzymano zadośćuczynienie dla ofiar cywilnych za poniesione
szkody" (343). Wcześniej Eizenstat pisał jednak, że od lat pięćdziesiątych Niemcy wypłaciły ponad 60 miliardów dolarów" na rzecz
„500.000 ocalałych z Holokaustu na całym świecie" (15) oraz że
„wypłaty ogromnych świadczeń na rzecz poszczególnych ofiar Holokaustu nie miały precedensu w historii wojen" (210)[37]. Eizenstat
pisze także, że poza bezprecedensowymi płatnościami dokonywa-
nymi przez rząd Niemiec, „wiele" niemieckich przedsiębiorstw —
w tym Krupp, I.G. Farben, Daimler-Benz, Siemens i Volkswagen
— płaciło od początku lat pięćdziesiątych na rzecz Konferencji ds.
Roszczeń Żydowskich (Jewish Claims Conference, JCC)[38] odszkodowania na rzecz ofiar Holokaustu. Konferencja wyraźnie zrzekła
się jakichkolwiek przyszłych roszczeń, i zobowiązała się do zabezpieczenia, a nawet zadośćuczynienia spółkom niemieckim wszelkich

---

[36] Hirschson — zob. *PH*, str. 131–133.
[37] Informacje ogólne — zob. *PH*, str. 86nn. Eizenstat powtarza standardowe deklaracje przemysłu Holokaustu, że rząd Niemiec wypłacił ofiarom Holokaustu odszkodowania wyłącznie za ich „ogólną utratę wolności
i uszczerbek na zdrowiu. [...] z wyraźnym wykluczeniem płatności za pracę
niewolniczą i przymusową tych osób" (207) — tak jak gdyby dożywotnie
renty przyznane ofiarom Holokaustu za uszczerbek na zdrowiu doznany
w obozach był zupełnie niezwiązany z ich przymusową pracą.
[38] Konferencja ds. Roszczeń — zob. *PH*, str. 88.

nowych roszczeń ze strony ofiar Holokaustu za odszkodowania warte dziesiątki milionów dolarów. Dokonane przez niemiecki przemysł płatności nie powstrzymały jednak „prawników specjalizujących się w pozwach zbiorowych przed wysuwaniem miliardowych roszczeń, ale nie zapobiegły zignorowaniu przez Konferencję ds. Roszczeń swoich wcześniejszych zobowiązań i podejmowaniu prób wymuszania dalszych płatności" (209–211). Zważywszy, że przemysł Holokaustu publicznie piętnował „Niemców za brak zadośćuczynienia dla ofiar Holokaustu", „Konferencja ds. Roszczeń bardzo dbała o swoje relacje z rządem Niemiec przez trwający niemal pół wieku okres płacenia ogromnych reparacji", a „Singer kiedyś zażartował", że rząd niemiecki „był naszym przyjacielem, który składał złote jaja" (241). Podczas negocjacji Eizenstat uznał wszelkie wcześniejsze płatności niemieckich odszkodowań za „całkowicie niedopuszczalne dla ofiar oraz dla rządu USA" (233) — aczkolwiek nigdy nie wytłumaczył, dlaczego. Przemysł Holokaustu chełpił się także, że jego kampania skierowana przeciwko przemysłowcom niemieckim była prowadzona nie tylko na rzecz żydowskich ofiar pracy niewolniczej, lecz także na rzecz nie-Żydów z Europy Wschodniej, zmuszanych to takiej pracy[39] Eizenstat twierdzi jednak, że „dyskusja publiczna w Niemczech na temat odszkodowań dla ofiar [wschodnioeuropejskich] pracy niewolniczej toczy się od wczesnych lat osiemdziesiątych i stanowiła przez większość czasu część platformy niewielkiej Partii Zielonych"; że na początku lat dziewięćdziesiątych rząd Niemiec wypłacał odszkodowania (chociaż skromne) rządom państw Europy Wschodniej na rzecz tych ofiar nazistów; że zanim jeszcze przemysł Holokaustu przypuścił swój atak na niemieckie spółki, czerwono-zielona koalicja Socjaldemokratów i Zielonych przyrzekła w swojej umowie z września 1998 roku, że „zapewni sprawiedliwość" wykorzystywanym robotnikom z Europy Wschodniej (206–208)[40].

Zamach na przemysł niemiecki polegał na zastosowaniu takiej samej taktyki wymuszeń, jak zastosowana w kampanii szwajcar-

---

[39] Zob. np. pismo Burta Neuborne'a do „The Nation" (5 października 2002 r.).

[40] Zob. także Norman Finkelstein, *Reply to my Critics in Germany: Conjuring Conspiracies or Breaking Taboos?*, *www.NormanFinkelstein.com*, zakładka „The Holocaust Industry" (pierwsza publikacja 9 września 2000 r. w „Süddeutsche Zeitung").

skiej. Eizenstat wspomina: „w miarę jak wraz z moim zespołem z Departamentu Stanu pracowaliśmy przy negocjacjach z bankami szwajcarskimi, wielu z tych samych amerykańskich prawników specjalizujących się w pozwach zbiorowych [...] dostrzegło wręcz nieodparcie bezbronny, nowy cel: spółki niemieckie" (208). Potencjalna groźba „sankcji gospodarczych, bojkotów" (246) stanowiła kluczowe uzupełnienie odbywającego się w sądach teatru. Jednocześnie przy każdym istotnym wydarzeniu związanym z negocjacjami Eizenstat pozyskiwał wsparcie Clintona w celu ponowienia nacisków na Niemców. Eizenstat wspomina, że „szybkie odwrócenie sytuacji" w sprawie pierwszego wniosku o pismo „stanowiło odzwierciedlenie osobistego zainteresowania prezydenta" (243); że „uzyskanie pisma od prezydenta do szefa zagranicznego rządu jest z reguły trudnym zadaniem niezależnie od tematu", podczas gdy „uzyskanie drugiego jest jeszcze trudniejsze [...], ale kiedy poprosiliśmy o kolejne, to Szef Sztabu [...] oraz Rada Bezpieczeństwa Narodowego szybko je otrzymali" (248); że „raz jeszcze potrzebowałem mojej najcięższej artylerii — prezydenta Stanów Zjednoczonych. Dowiedziałem się, że Clinton, Schroeder oraz premier Wielkiej Brytanii Tony Blair mają się spotkać [...]. Clinton powiedział Schroederowi, że obie strony osiągnęły już zbliżone stanowisko, ale muszą zrobić coś więcej [...] Schroeder powołał się na napięty budżet. Niezrażony tą odpowiedzią Clinton wrócił i podkreślił, jakim sukcesem byłoby dla obu stron załatwienie tych spraw raz na zawsze" (252–253); że „w rzeczywistości prowadziliśmy z Niemcami jednoczesne negocjacje na zarówno moim poziomie, jak na poziomie szefów rządów", ponieważ Clinton ponownie „poruszył tę sprawę wobec Schroedera" (271). Ostatecznie według Eizenstata fakt przyjęcia przez rząd USA zobowiązań prawnych w celu zamknięcia kwestii ugody z Niemcami był „bezprecedensowy w historii Ameryki" (257).

Ugoda z Niemcami na kwotę 5 miliardów dolarów dotyczyła zarówno żydowskich, jak nieżydowskich ofiar pracy niewolniczej i przymusowej. (Mimo że zarówno ofiary pracy niewolniczej, jak pracy przymusowej były wykorzystywane przez nazistów, osoby wykonujące pracę przymusową otrzymywały nominalne wynagrodzenie i z reguły pracowały w mniej uciążliwych warunkach niż ofiary pracy niewolniczej, zgromadzone w obozach koncentracyjnych.) Eizenstat początkowo twierdził, że po zakończeniu II wojny światowej „liczba ocalałych z obozów koncentracyjnych wynosiła 200.000" (9) oraz że

Żydzi stanowili „nieco ponad połowę liczby ofiar pracy niewolniczej, pozostali to byli w większości Polacy i Rosjanie" (206). Zgodnie z tymi danymi łączna liczba żydowskich ofiar pracy niewolniczej, żyjących w maju 1945 roku, wynosiła mniej więcej 100.000 — co jest zgodne z szacunkami poważnych naukowców, jak Raul Hilberg i Henry Friedlander. Eizenstat jednak twierdzi, że autorytatywne w tej mierze są deklaracje przemysłu Holokaustu, według których po upływie 50 lat od zakończenia II wojny światowej, „w połowie lat dziewięćdziesiątych nadal żyło około 250.000 byłych ofiar pracy niewolniczej" (208; patrz 240), z których przypuszczalnie 140.000 stanowili Żydzi[41]. Tej inflacji stosowanej przez przemysł Holokaustu przyświecały dosyć jasne cele: więcej żyjących ofiar Holokaustu oznaczało większy udział w kwotach wypłacanych na mocy ugody z Niemcami. Eizenstat wspomina, jak besztano przedstawicieli państw Europy Wschodniej za zgłaszanie „zawyżonych liczb" osób ocalałych, oraz że „Singer także wpadał w szał", uważając te liczby za zawyżone (239–240). Eizenstat nie wydusił z siebie jednak ani jednego słowa na temat „zawyżonej" przez Singera liczby żydowskich byłych ofiar pracy niewolniczej, a nawet utrzymuje, że „Konferencja ds. Roszczeń posiadała wiarygodne spisy ocalałych Żydów" — które niewątpliwie tłumaczą, w jaki sposób liczba 100.000 żydowskich byłych ofiar pracy niewolniczej, żyjących w 1945 roku, wzrosła do 140.000 żydowskich byłych ofiar pracy niewolniczej, nadal żywych pięćdziesiąt lat później.

W rzeczywistości Konferencja ds. Roszczeń sama potwierdziła, że liczba 140.000 ofiar jest nieprawdziwa. Yehuda Bauer, były dyrektor Yad Vashem (głównego izraelskiego instytutu badań nad Holokau-

---

[41] Dane liczbowe podane przez Friedlandera i Hilberga — zob. *PH*, str. 124, oraz „Posłowie do drugiego wydania w miękkiej oprawie" w niniejszej książce. (Hilberg uprzejmie przedstawił autorowi dane wraz z objaśnieniem metody obliczeń.) Prowadzona przez przemysł Holokaustu gra w liczby ocalałych z Holokaustu oraz rola Eizenstata w tych działaniach — zob. *PH*, str. 125nn, 151nn, 160. Sądząc na podstawie kontekstu, wydaje się możliwe do przyjęcia, że Eizenstat podając liczbę 200.000 miał na myśli jedynie żydowskie ofiary pracy niewolniczej, żyjące po zakończeniu wojny, ale — jak opisano poniżej — ta liczba nadal różni się od liczby 140.000 żydowskich byłych ofiar pracy niewolniczej, nadal żyjących po upływie 50 lat od końca wojny.

stem), aktualnie pracuje jako doradca Konferencji ds. Roszczeń w sprawie edukacji o Holocauście. W swoim niedawno opublikowanym opracowaniu Bauer „szacuje, że po zakończeniu II wojny światowej około 200.000 Żydów wyszło z nazistowskich obozów koncentracyjnych i pracy niewolniczej i przetrwało marsze śmierci". Mimo że liczba podana przez Bauera jest dwa razy większa od szacunków naukowców, to jednak nadal przeczy deklaracjom przemysłu Holokaustu podczas negocjacji z Niemcami, jakoby 700.000 żydowskich ofiar pracy niewolniczej przeżyło wojnę i 140.000 spośród nich nadal żyło 50 lat później[42]. Nawet organizacje ocalałych z Holokaustu potępiają zawyżanie przez przemysł Holokaustu podczas negocjacji liczby ocalałych wyłącznie po to, by zaniżać te same liczby, gdy pieniądze przeznaczone dla ocalałych trafiły już do jego rąk: „Dlaczego podczas negocjacji liczba faktycznie ocalałych z Zagłady była tak bardzo zawyżana i dlaczego negocjatorzy tak bali się, że prasa oraz

---

[42] Yehuda Bauer, *Rethinking the Holocaust*, New Haven 2001, str. 246. Przed zakończeniem kampanii o odszkodowania za Holokaust Bauer szacował w odniesieniu do obozów, że „liczba ocalałych Żydów, którzy utrzymali się przy życiu po zakończeniu wojny [...] wynosiła 100.000" („Yad Vashem Studies", tom 8 [1970 r.], 127–128 prz. 3). Prawdopodobieństwo, że żydowskie ofiary pracy niewolniczej, żyjące po zakończeniu II wojny światowej, nadal znajdują się wśród żywych, wynosi 10–20%. Liczbę tę potwierdzają niedawno przeprowadzone badania, w których oszacowano, że podczas wojny niemiecki Kościół rzymsko-katolicki „wykorzystywał 10.000 osób zmuszonych do pracy przymusowej, z których około 1000 nadal żyje" („New York Times", 8 listopada 2000). Ta i podobne sprawy — zob. w szczególności Gunnar Heinsohn, *Juedische Sklavenarbeiter Hitlerdeutschlands — Wie viele ueberlebten 1945 den Genozid und wie viele konnten im Jahr 2000 noch leben?*, Schriftenreihe des Raphael-Lemkin--Instituts Nr 9, Brema 2001; Heinsohn odkrywczo pisał, że niemieckie środki masowego przekazu tłumiły poważną dyskusję na temat liczby ofiar pracy niewolniczej (67). Prawdopodobnie nigdy nie poznamy dokładnej liczby żydowskich byłych ofiar pracy niewolniczej, ponieważ rząd niemiecki postanowił rozpatrywać wyłącznie wnioski o zadośćuczynienie składane przez Komisję ds. Roszczeń (patrz odpowiedź Ministerstwa Finansów na zapytanie Martina Hohmanna [CDU], 9 października 2001 r.).

ich niemieccy i szwajcarscy przeciwnicy mogliby zakwestionować ogłaszane przez nich dane statystyczne dotyczące ocalałych?"[43] Liczba ofiar rośnie obecnie szybciej niż inflacja w Republice Weimarskiej, a dodatkowo Specjalny Wysłannik Departamentu Stanu USA ds. Holokaustu J.D. Bindenagel, ogłosił, że „w latach powojennych wiele milionów ofiar Holokaustu zostało uwięzionych za Żelazną Kurtyną"[44].

Przemysł Holokaustu wymyślił także inne sposoby na zagarnięcie jeszcze większej części pieniędzy z ugody z Niemcami. W tym względzie warto obszernie cytować relację Eizenstata. Singer i Gideon Taylor z Konferencji ds. Roszczeń

argumentowali, że około 8000 żydowskich ofiar pracy niewolniczej mieszka w innych częściach świata i nie jest reprezentowanych w naszych rozmowach, chcieli więc, by Konferencja ds. Roszczeń kontrolowała należne im pieniądze. Chcieli oni także wypłacenia im dostatecznie dużych pieniędzy, by mogli zapłacić każdemu z 28.000 żydowskich pracowników przymusowych, zaliczonych do tej kategorii, pełną kwotę 5000 DM. Oznaczało to, że trafiłaby do nich jedna trzecia funduszu odłożonego dla tej grupy, którą nazwaliśmy „reszta świata". Gentz i Lambsdorff [przedstawiciele Niemiec] byli zbulwersowani. Ja też byłem oburzony i mówiłem Singerowi wprost, że przyjęcie takiego stanowiska stanowiło zagrożenie dla rozmów i mogło skutkować silnie antysemicką reakcją, której on starał się uniknąć. Singer odpowiedział gniewnie, że nie może iść na dalszy kompromis. Przy wyraźnie niechętnej zgodzie Niemców wyraziłem zgodę na zamieszczenie tajnego przypisu do ustawodawstwa niemieckiego, by przydzielić

---

[43] „NAHOS", biuletyn Krajowego Stowarzyszenia Ocalałych z Holokaustu Dzieci Żydowskich (National Association of Jewish Child Holocaust Survivors), tom 7, nr 18 (14 sierpnia 2001 r.); zob. „NAHOS", tom 7, nr 15 (11 maja 2001 r.), ganiący Konferencję ds. Roszczeń za manipulowanie liczbą ocalałych „zależnie od wymogów politycznych" — na przykład w celu przyspieszenia negocjacji przemysł Holokaustu lamentował od połowy lat dziewięćdziesiątych, że „osoby ocalałe z Holokaustu umierają każdego dnia" oraz że „dziesięć procent umiera rocznie", ale dla uzasadnienia stale rosnących żądań podnosi z roku na rok liczbę nadal żyjących ocalałych z Holokaustu.

[44] *Nun bitte auch zahlen*, „Die Zeit", grudzień 2001.

na rzecz tych żydowskich pracowników dodatkową kwotę 260 milionów DM, czyli 130 milionów dolarów. W konsekwencji oznacza to mniej pieniędzy dla przymusowych robotników nieżydowskich, głównie z Europy Zachodniej i Stanów Zjednoczonych. Przystałem na to żądanie z ociąganiem, ponieważ moim zdaniem Singer mógł natychmiast uniemożliwić osiągnięcie porozumienia. Na tym etapie rozmów uznanie tego za blef było zbyt ryzykowne. Nadal wstydzę się tego ustępstwa. (265–266)

„Zakończyłem moje negocjacje w głębokim przekonaniu, że powojenne Niemcy są uprawnione do uznania ich w pełni za «normalny» naród, z dobrze ugruntowanym zbiorem wartości demokratycznych", wspomina Eizenstat (278). Ujmując to innymi słowami, Niemcy zdali najważniejszy egzamin przez ugięcie się przed amerykańskim szantażem. W przededniu amerykańskiego ataku na Irak normalność i demokratyczne zobowiązania rządu niemieckiego zostały jednak ponownie zakwestionowane po tym, jak Niemcy odmówili ugięcia się przed szantażem ze strony USA i dołączyli do powszechnych protestów antywojennych. Niemców, którzy uwierzyli, że zgoda na to wymuszenie i wyrażane publicznie uznanie dla moralnej prawości przemysłu Holokaustu ostatecznie zamknie sprawę odszkodowań za Holokaust, czekało jednak gorzkie rozczarowanie. Chciwe oko przemysłu Holokaustu dostrzegło bowiem przewidziany ugodą fundusz w wysokości 350 milionów dolarów, odłożony na promocję tolerancji („Fundusz na Przyszłość"). Singer stwierdził, że „zadaniem społeczności żydowskiej jest kwestionowanie tych części ugody, z którymi się nie zgadza". „Nie wierzę, byśmy musieli grać z Niemcami zgodnie z zasadami", głosił Singer, chociaż „zasady" ugody zostały w zdecydowanej większości narzucone nie przez Niemców, lecz przez przemysł Holokaustu. Trudno więc się dziwić, że — według Singera — „inni Żydzi uważają mnie za gangstera"[45]. Musiało być w tym stwierdzeniu sporo prawdy, skoro po zawstydzeniu nawet Eizenstata zmyślaniem liczby ofiar Holokaustu, mniej niż dwa lata od podpisania ugody ten bezwstydny naciągacz wrócił do Niemiec, by zażądać „kilkadziesiąt milionów" więcej („marne okruchy") na rzecz Żydów zmuszanych do

---

[45] Nacha Cattan, Shoah „People" Fund Attacked, „Forward", 28 grudnia 2001 („zasady"); Yair Sheleg, Only he knows what needs to be done, „Haaretz", 9 listopada 2001 („gangster").

pracy niewolniczej, „o których istnieniu dopiero się dowiedzieliśmy". „To moja ostatnia wizyta w tej sprawie", obiecywał Singer. „Nie zobaczycie mnie już więcej"[46]. Jest to raczej mało prawdopodobne, chyba że trafi tam, gdzie powinien, czyli za kratki.

*

* *

Podobnie jak Niemcy, także rząd Austrii wprowadził natychmiast po wojnie ustawodawstwo dotyczące odszkodowań dla ofiar Holokaustu, a na początku lat dziewięćdziesiątych utworzył znaczne fundusze uzupełniające na rzecz ofiar Holokaustu i edukacji o Zagładzie (281–283, 302)[47]. Mimo że zarówno rząd USA, jak Konferencja ds. Roszczeń wyraźnie „zrzekły się dalszych roszczeń" wobec Austrii, Eizenstat potwierdza, że „ja i mój zespół postępowaliśmy dokładnie odwrotnie" (302). Jednocześnie „ta sama grupa osób, ci sami «typowi podejrzani», z którymi miałem do czynienia w sprawach dotyczących Szwajcarii i Niemiec" (283), złożyli pozwy przeciwko Austrii w sprawie odszkodowań za Holokaust; Hausfeld zażądał 800 milionów dolarów za zrabowane mienie, chociaż „przyznał, że kwota ta została określona w czysto arbitralny sposób" (305). Singer zagroził Austrii, że znowu „potraktuje ją jak Waldheima", jeżeli nie spełni tych żądań (294), zaś Eizenstat sprawił, że „Sekretarz Stanu Albright zadzwoniła do Kanclerza Schüssela w Wiedniu" w celu „wywarcia nacisku

---

[46] Wolfgang Koydl, *„Berlin sollte nicht schachern". Israel Singer sieht die Bundesregierung trotz Etat-Problemen zu Zahlungen an alle Zwangsarbeiter verpflichtet*, „Süddeutsche Zeitung", 3 lutego 2003 („dziesiątki milionów", „istnienie", „ostatnia wizyta", „twarz") oraz *Singer sieht Deutschland in der Pflicht*, „Frankfurter Allgemeine Zeitung", 13 lutego 2003 („marne okruchy").

[47] Eizenstat w następujący sposób skrytykował powojenne ustawy o odszkodowaniach: „Najbardziej bzdurne były zapewne wyroki niektórych sądów austriackich w sprawie powojennych roszczeń majątkowych. Wymagały one, by pierwotni żydowscy właściciele płacili aktualnemu posiadaczowi wymuszoną cenę sprzedaży, jaką był zmuszony przyjąć, skorygowaną o inflację, w ten sposób dwukrotnie wzbogacając Aryjczyków" (302). Dlaczego „dwukrotnie"? Od pierwotnych właścicieli żydowskich zażądano po prostu zwrotu płatności (skorygowanej o inflację), jaką otrzymali od obecnego posiadacza przed żądaniem zwrotu majątku.

politycznego" (296) oraz by później przedstawiła jeszcze jedno takie „ostrzeżenie" (305). Nowatorski charakter tych negocjacji polegał na tym, że toczyły się one w czasie, gdy Austria została poddana ostracyzmowi po przystąpieniu prawicowej Partii Wolności Jörga Haidera do koalicji rządzącej. Stany Zjednoczone obniżyły rangę swoich kontaktów z Austrią, deklarując, że nowa koalicja „może być krokiem wstecz, w kierunku bardzo ciemnej przeszłości", oraz że „nie będziemy współpracować jak przedtem", podczas gdy Izrael odwołał swojego ambasadora i podobnie ogłosił, że „Izrael nie może zachować milczenia w obliczu rosnącego znaczenia ekstremalnych partii prawicowych [...] w państwach, które odegrały rolę [...] w Holocauście", oraz że „naród żydowski [...] nigdy nie pozwoli na to, by w świetle wydarzeń w Austrii świat zachowywał się jak zawsze do tej pory"[48].

Oczywiście z wyjątkiem — gdy dotyczy to biznesu Shoah. Eizenstat pisze: „Sekretarz Albright dała mi zezwolenie na prowadzenie niczym nieskrępowanych negocjacji z rządem Schüssela, nawet z udziałem ministrów z Partii Wolności, jeżeli okaże się to konieczne dla mojego sukcesu" (285), oraz że „Singer i Gideon Taylor zwrócili się do mnie o zapewnienie jakiegoś listka figowego, kryjącego ich udział" (289) — co Eizenstat posłusznie uczynił, umożliwiając im uczestnictwo w negocjacjach w charakterze strony (298). Eizenstat tak tłumaczy negocjacje z rządem austriackim z udziałem Haidera: „byłem w polityce dostatecznie długo, by wiedzieć, że żądza najwyższej władzy często skutkuje niepożądanymi relacjami" (291). Ze względu na niezaprzeczalnie duże doświadczenie Eizenstata w dziedzinie zawierania brudnych transakcji dla samej żądzy władzy, trudno dziwić się, dlaczego od wszystkich pozostałych oczekiwano ostracyzmu wobec Austrii — oczywiście pod groźbą poważnych konse-

---

[48] Mathew Lee, *US vows to keep an eye on new government in Vienna*, „Agence France Presse", 5 lutego 2000 („krok wstecz"); David E. Sanger, *U.S. Is Facing Wider Issues In Its Actions Over Austria*, „New York Times", 6 lutego 2000 („nigdy nie pozwoli"); Joel Greenberg, *Israel Plans to Recall Envoy Over Right-Wingers in Austria*, „New York Times", 3 lutego 2000 („zachowywał się"); *Austrian far-right enters government*, „BBC News" („nie może zachować milczenia"). Unia Europejska nałożyła na Austrię dotkliwe sankcje dyplomatyczne, które wycofała kilka miesięcy później.

kwencji[49]. 13 marca 2000 roku Singer ogłosił, że na podstawie świeżo odtajnionego dokumentu dowiedzie, jakoby Austria była winna co najmniej 10 miliardów dolarów za Holokaust, a już dwa dni później (15 marca) przemawiał na „pierwszej publicznej demonstracji w Izraelu przeciwko Haideryzmowi"[50]. Czy był to tylko zbieg okoliczności, czy może przemysł Holokaustu manipulował kampanią ostracyzmu wobec Austrii jako argumentem przetargowym w wymuszaniu odszkodowań za Holokaust? W rzeczywistości obie strony grały w tę samą grę. Po dojściu do władzy i konfrontacji z międzynarodową cenzurą prawicowa koalicja austriacka niezwłocznie ogłosiła swój zamiar zapłacenia odszkodowań za Holokaust, podczas gdy rząd USA zadeklarował, że jego „szczególny niepokój budzi postawa Austrii wobec reparacji"[51]. Coś za coś — przywrócenie Austrii dyplomatycznego zaufania w zamian za opłacenie się przemysłowi Holokaustu (297).

Po amerykańskich wyborach prezydenckich w listopadzie 2000 roku Stany Zjednoczone przywróciły normalne stosunki z Austrią, a Austria zaproponowała podwyższenie łącznej kwoty odszkodowań za mienie zrabowane w czasie Holokaustu (305). W nadziei na wymuszenie jeszcze większych pieniędzy Eizenstat „zaoferował na osłodę publiczną deklarację uznania przez prezydenta Clintona, wraz z ostrzeżeniem, że w wypadku niepowodzenia rozmów, strona ofiar poinformowała mnie, iż będzie podejmować próby izolowania Austrii [...] Singer mógłby stworzyć nad Austrią taką chmurę, że odstraszy amerykańskich inwestorów" (308–309). Wymuszanie na Austrii kolejnych ustępstw przed osiągnięciem ostatecznego porozumienia było zdaniem Eizenstata „niczym wyrywanie zębów do ostatniego [...] Kanclerz przeszedł ostatnią milę na piechotę, żeby osiągnąć

---

[49] Zob. np. krytyczna relacja WJC ze spotkania papieża z Haiderem w *Dialogues* (biuletyn Światowego Kongresu Żydów w Jerozolimie) (czerwiec 2001 r.).

[50] Dokument Singera wart 10 miliardów dolarów — zob. *PH*, str. 136; demonstracja — zob. „Say No to Haiderism" (biuletyn prasowy) [w:] „JAFI" (The Jewish Agency for Israel).

[51] Donald G. McNeil, *Chancellor Proposes to Compensate Austria's Wartime Slaves*, „New York Times", 10 lutego 2000; Sue Masterman, *Not United: U.S., Israel Reject EU's Lifting of Sanctions Against Austria*, „ABCNews.com", 13 września 2000 („szczególny niepokój").

porozumienie" (310). Nieco wcześniej, po osiągnięciu oddzielnego porozumienia z Austrią w kwestii żydowskich ofiar pracy niewolniczej, Eizenstat wyrażał uznanie dla rządu Austrii za „wykazanie się przywództwem, nie tylko w Austrii, ale także wobec pozostałych państw Europy i świata, w kwestii rozliczania się z własną przeszłością oraz w jaki sposób można goić rany nawet dziesiątki lat później". Ten sam rząd, który jeszcze nie tak dawno zrobił „krok wstecz w kierunku ciemnej przeszłości", teraz uległ cudownej metamorfozie w zwiastuna jasnej przyszłości, oczywiście dopiero po zapłaceniu haraczu za ochronę. Negocjacje z Austrią faktycznie stanowiły istotną „lekcję o Holocauście": potępianie antysemityzmu przynosi bogate dywidendy[52].

IV.

Eizenstat wzruszająco pisze o tym, jak Melvyn Weiss i Michael Hausfeld pracowali *pro bono* przy sprawie banków szwajcarskich, ponieważ „żaden z nich nie chciał, by niewielkie kwoty, należne licznym zubożałym ofiarom, zostały jeszcze bardziej pomniejszone o honoraria dla prawników", podczas gdy Burt Neuborne, „pogrążony w smutku z przykrytą kirem twarzą", oświadczył, że jego „praca jest upamiętnieniem przez żywych jego córki, którą stracił" (słuchaczka studiów rabinicznych, przedwcześnie zmarła na atak serca) (83, 85–86). Eizenstat nie mówi jednak ani słowa na temat szlachetności ich dusz okazanej w sprawie przeciwko Niemcom. Honoraria dla adwokatów zatrudnionych przy ugodzie z Niemcami wyniosły łącznie 60 milionów dolarów. Weiss i Hausfeld przewodzili tej grupie z zarobkami rzędu odpowiednio 7,3 miliona i 5,8 miliona dolarów, podczas

---

[52] Uwagi Eizenstata — zob. *Unofficial Transcript: Schaumayer, Eizenstat on Nazi Slave Labor Fund*, 17 maja 2000. Światowy Kongres Żydów nie przepuści żadnej okazji zarobienia paru groszy, więc wezwał Żydów do „powstrzymania Jörga Haidera w Austrii i innych ekstremistów przez wpłacenie datku na Światowy Kongres Żydów" (nakłanianie pocztą). Jeden z największych amerykańskich filantropów i finansistów żydowskiego pochodzenia Michael Steinhardt zauważył, że „antysemityzm się sprzedaje", i oświadczył w „Jerusalem Post", że organizacje żydowskie „bardzo wyolbrzymiły" antysemityzm dla celów zbierania funduszy („Jerusalem Post Internet Staff", 5 stycznia 2003).

gdy co najmniej 10 innych zarobiło powyżej 1 miliona dolarów. Łatwo zrozumieć, że np. Weiss nie mógł już prowadzić *pro bono* kolejnej sprawy o odszkodowanie za Holokaust: jego roczne dochody średnio wynosiły tylko 12 milionów dolarów. Neuborne wspominał, że jego honorarium w wysokości 5 milionów dolarów „nie było szczególnie wysokie", zapewne szczególnie w porównaniu do przewidzianego ugodą z Niemcami zadośćuczynienia w wysokości 7500 dolarów na każdego ocalałego z Auschwitz. Robert Swift, który pozostał daleko w tyle z żałosnym honorarium w wysokości 4,3 miliona dolarów, przyjął filozoficzną postawę wobec swojego „minimalnego według wszelkich norm" wynagrodzenia: „Nie wszystko, co się w życiu robi, można mierzyć w kategoriach dolarów i centów". Szukając gdzie indziej pocieszenia, jeden z bardziej przedsiębiorczych adwokatów sprzedał całą historię swojemu klientowi z Hollywood, byłemu prezesowi zarządu Disneya, Mike'owi Ovitzowi. Po upublicznieniu po raz pierwszy informacji na temat wynagrodzeń prawników, Eizenstat postanowił ich bronić jako „wyjątkowo skromnych". Ofiary ocalałe z Holokaustu miały jednak na ten temat zupełnie inną opinię. „Gdyby zaoszczędzić z honorariów chociaż połowę tej kwoty, czyli około 30 milionów dolarów, można by te pieniądze przeznaczyć na założenie jednego lub kilku ośrodków zdrowia dla chorych ocalałych", napisała jedna z organizacji ocalałych z Holokaustu. „Wstydźcie się tych skandalicznych honorariów!"[53]

---

[53] Jane Fritsch, *$52 Million for Lawyers' Fees in Nazi-Era Slave-Labor Suits*, „New York Times", 15 czerwca 2001 (Neuborne); Daniel Wise, *$60 Million in Fees Awarded to Lawyers Who Negotiated $5 Billion Holocaust Fund*, „New York Law Journal", 15 czerwca 2001; Larry Neumeister, *Millions in legal fees awarded in slave labor cases*, „Associated Press", 18 czerwca 2001 (Eizenstat, Swift); Jonathan Goddard, *Holocaust lawyers make millions asthe survivors wait*, „London Jewish News", 22 czerwca 2001; Jonathan Goddard, *Nazi Story Sold*, „London Jewish News", 6 lipca 2001 (Hollywood); *The Survivors Belong At The Head Of The Table*, „NAHOS", 1 listopada 2001; reprint artykułu opublikowanego w „Aufbau" (28 marca 2001 r.) (ocaleni). Roczne dochody Weissa — zob. Bazyler, *Holocaust Justice*, str. 338 prz. 25. Praca Hausfelda, Weissa i Neuborne'a *pro bono* przy sprawie przeciwko bankom szwajcarskim jako „fortel" w celu „kontrolowania wszelkich innych spraw sądowych związanych z Holokaustem, za które otrzymywaliby honoraria" — zob. *PH*, str. 180 prz. 24.

Byłoby jednak błędem skupianie się wyłącznie na nieprawidłowościach w pracy prawników zatrudnionych przy pozwach zbiorowych. Była to główna strategia stosowana przez przemysł Holokaustu w celu odwrócenia uwagi od jego działań, w miarę jak brzydkie prawdy wypływały na światło dzienne. (Przemysł Holokaustu nie tylko robił z prawników kozły ofiarne, ale także nie zgadzał się z nimi na temat „fundamentalnego problemu, kto ostatecznie zdobędzie kontrolę nad tym wszystkim" [132], czyli nad pieniędzmi na odszkodowania.) W ogólnym rozliczeniu prawnicy prowadzący pozwy zbiorowe zagarnęli jedynie niewielki procent różnych płatności z tytułu Holokaustu. Prawdziwymi złodziejami byli naciągacze z przemysłu Holokaustu, jak Bronfman czy Singer, którzy zajmowali „zachodzące na siebie" stanowiska dyrektorskie w WJC, WJRO oraz Konferencji ds. Roszczeń (57). Chociaż przemysł Holokaustu kierował całą uwagę na podobno oszukane „ofiary Holokaustu w trudnej sytuacji" i ich spadkobierców, Eizenstat podkreśla, że „priorytetem WJC było opanowanie «mienia bezspadkowego»" (119; zob. 61) — tzn. pieniędzy na odszkodowania, co do których ofiary Holokaustu nie mogły składać bezpośrednich roszczeń. Według Eizenstata przemysł Holokaustu, który „reprezentował interesy" ocalałych z Holokaustu „na całym świecie" (41), przeznaczył to bezspadkowe mienie na „starzejących się ocalałych z Holokaustu" (119) „w celu udzielenia ofiarom Holokaustu ogólnej pomocy" (262), „dla zapewnienia odszkodowań [...] wiekowym" ocalałym z Holokaustu jak najszybciej, żeby zdążyć, „zanim umrą" (304). W pierwszym wydaniu niniejszej książki udokumentowałem jednak historię systematycznego sprzeniewierzania przez przemysł Holokaustu pieniędzy przeznaczonych na odszkodowania. Mimo zdecydowanego zaprzeczania istnieniu „«przemysłu Holokaustu»", składającego się z prawników i organizacji żydowskich, bogacących się na koszt ofiar" (339; zob. 345), Eizenstat nigdy nie zaprzeczył tym zarzutom. (Ani on, ani nikt inny.)[54] W rzeczywistości nigdy nie udzielił odpowiedzi na nasuwające się wprost pytanie:

---

[54] Trwonienie przez Konferencję ds. Roszczeń pieniędzy na odszkodowania przeznaczone przez rząd niemiecki i niemieckie przedsiębiorstwa prywatne dla ofiar Holokaustu — zob. *PH*, str. 88nn, a w szczególności korespondencja byłego więźnia Auschwitz Gerharda Maschkowskiego *Correspondence with Claims Conference and others* w *www.jewishcompensation.com*. Moje własne wnioski oparłem w dużym stopniu o opracowanie Ronalda

jeżeli Niemcy wypłacili od lat pięćdziesiątych „ponad 60 miliardów dolarów" na rzecz „500.000 ocalałych z Holokaustu na całym świecie", to dlaczego tak wielu ocalałych z Holokaustu skarżyło się, że otrzymali bardzo niskie odszkodowania albo nie dostali ich wcale? Eizenstat zauważył co prawda, że odszkodowania wypłacone przez Niemcy Europie Wschodniej „często trafiały po prostu do kieszeni skorumpowanych biurokratów rządowych" (232; zob. 263), ale beztrosko pomija porównywalne działania przemysłu Holokaustu.

Ostatnie wydarzenia doskonale pasują do tego ponurego obrazu. W listopadzie 2001 roku Światowy Kongres Żydów WJC ogłosił, że zebrał 11 miliardów dolarów na odszkodowania za Holokaust i oczekiwał, że ostatecznie kwota ta osiągnie poziom 14 miliardów dolarów. (Nie jest jasne, czy liczby te obejmują dziesiątki tysięcy nieruchomości wartych miliardy dolarów, o które Konferencja ds. Roszczeń nadal walczy w Niemczech.) Przemysł Holokaustu nadal „debatuje nie nad tym czy, ale nad tym, jak" wykorzystać „prawdopodobnie miliardy", które „pozostaną" po „opuszczeniu naszego padołu" przez ostanie ofiary Holokaustu. Singer oświadczył, że osoby ocalałe z Holokaustu nie powinny same decydować o tym, „jak należy wykorzystać pieniądze, które przestaną po ich śmierci być potrzebne", i zaproponował przeznaczenie „prawdopodobnie miliardów" na „odbudowę żydowskiej duszy i ducha"[55]. Zostawmy teraz kwestię niestosownego pośpiechu Singera w dzieleniu tej spuścizny,

---

Zweiga, zamówione przez Konferencję ds. Roszczeń, zatytułowane *German Reparations and the Jewish World*. Po publikacji *Przemysłu Holokaustu* Zweig wielokrotnie oskarżał mnie o „nadużycie" i „skrzywienie" jego badań, aczkolwiek mimo wszelkich możliwości obrony swojej pracy, nie powołał się nawet na jeden przykład (zob. wywiad Zweiga na *www.Amazon.com* dla *The Holocaust Industry* oraz str. 10 jego wprowadzenia do drugiego wydania *German Reparations and the Jewish World*, Londyn 2001, a także nasza debata w radiu „Democracy Now" na witrynie *www.webactive.com/pacifica/demnow/dn20000713.html*).

[55] Jon Greenberg, *Jewish leaders say Holocaust reparations are nearly complete*, „Associated Press", 2 listopada 2001 („11 miliardów"); Yair Sheleg, *Conflicting claims*, „Haaretz", 10 grudnia 2001 (niemieckie nieruchomości); Cattan, *Shoah „People" Fund Attacked* („debatuje"); Nacha Cattan, *Clash Looming Over Uses of Shoah Funds*, „Forward", 9 listopada 2001 („padół"); Israel Singer, *Transparency, Truth, and Restitution*, „Sh'ma", czerwiec 2002 („dusza i duch").

i nawet w uznaniu potrzeby „odbudowy żydowskiej duszy i ducha", szczególnie po wszystkich cierpieniach, jakie przypadły im w udziale w ciągu ostatnich kilku lat ze strony ludzi takich jak Singer, trudno będzie wyjaśnić, skąd przemysł Holokaustu już wie, że pozostałe kwoty będą szły prawdopodobnie w „miliardy dolarów", jeżeli — jak on także twierdzi — niemal milion ubogich ocalałych z Holokaustu nadal żyje, a „dziesiątki tysięcy" „prawdopodobnie dożyją" 2035 roku[56]. Przemysł Holokaustu prognozuje, że pozostałe kwoty wyniosą miliardy dolarów, zarzekając się jednocześnie, że nie dysponuje kwotami wystarczającymi na zapewnienie opieki medycznej wiekowym ludziom ocalałym z Holokaustu.

„Dlaczego mówimy o ogromnych bogactwach, jeżeli brakuje pieniędzy na pokrycie podstawowych potrzeb ocalałych?" zastanawiał się jeden z autorów piszących o Holocauście. Przemysł Holokaustu ze zdumiewającą chucpą domaga się obecnie, by „rząd niemiecki z udziałem niemieckiego przemysłu" jeszcze raz pokrył rachunek, ponieważ ubogiej Konferencji ds. Roszczeń na to nie stać. Z drugiej jednak strony dwadzieścia tysięcy ofiar Holokaustu potępiło sprzeniewierzanie przez przemysł Holokaustu należnych im pieniędzy z odszkodowań i w czerwcu 2001 roku utworzyło nową organizację o nazwie Fundacja Ofiar Holokaustu — USA (Holocaust Survivors Foundation — USA) „dla zapewnienia, że do ocalałych z Holokaustu trafią miliardy dolarów zebranych w ich imieniu". Sekretarz Fundacji Leo Rechter oświadczył, że zarówno osoby ocalałe z Holokaustu, jak „zagraniczne rządy" byli „oszukiwani przez dziesięciolecia, by uwierzyli", że Konferencja ds. Roszczeń „działała w NASZYM interesie". Prezes Fundacji David Schaecter ubolewał nad tym, że wielu wiekowych ocalałych z Holokaustu żyje w „tragicznych warunkach", podczas gdy „Konferencja ds. Roszczeń przeznaczyła na nich tylko niewielki ułamek z miliardowych kwot, jakie uzyskała w imieniu ocalałych z Holokaustu". To „niewłaściwe", by osoby ocalałe z Holokaustu były pozbawione opieki zdrowotnej, oświadczył przewodniczący Fundacji, Joe Sachs, „podczas gdy miliony są wydatkowane na budowanie instytucji w miejscach tak odległych, jak Syberia, czy setki milionów są wydatkowane na wątpliwe przedsięwzięcia na całym świecie". Te wątpliwe przedsięwzięcia obejmowały 20,7 milio-

---

[56] Dane liczbowe — zob. *PH*, str. 145–146, 151–152.

nów dolarów na spółkę-córkę Agencji Żydowskiej, „3 miliony dolarów
na Światową Organizację Syjonistyczną", „1,4 miliona dolarów na
«Teatr Yiddish» w Tel Awiwie", „1 milion dolarów na «Pomnik Pamięci Mordechaja Anielewicza» w Izraelu", „setki tysięcy dolarów na
badania historyczne przedwojennych jesziw" oraz „ponad pół miliona dolarów na «Fundację Pamięci Kultury Żydowskiej» w Nowym
Jorku, czyli dwa razy więcej niż kwoty niedawno przeznaczone na
wszystkich ocalałych w trudnej sytuacji mieszkających na Flory-
dzie". Punktując przemysł Holokaustu za „pozyskiwanie i próby
wykorzystywania pieniędzy na ich ulubione akcje charytatywne zamiast przekazywania pieniędzy ludziom, w których imieniu je pozy-
skali", Rechter zadał retoryczne pytanie, czy negocjatorzy działający
w imieniu przemysłu Holokaustu poinformowali swoich niemieckich
oponentów, że „spora część" pieniędzy na odszkodowania zostanie
wydana nie na ocalałych, lecz na „ulubione przedsięwzięcia"? „Przedstawiciele organizacji żydowskich, którzy pozornie prowadzili godną
kampanię o ustanowienie funduszy odszkodowawczych, nie robili
tego z powodu głębokiej troski o ocalałych z Holokaustu i ich spadkobierców", oświadczył w izraelskim parlamencie członek Knessetu
Michael Kleiner podczas wewnętrznych walk żydowskich o łupy z Holokaustu. „Ich prawdziwym celem nie był zwrot mienia żydowskiego
jego prawowitym właścicielom. Przedstawiciele organizacji robili,
co się dało, by zapewnić, że pieniądze te zostaną zebrane, a mienie żydowskie dostanie się do ich własnych kufrów zamiast do rąk
prawowitych właścicieli. W ten sposób przedstawiciele żydowskich
ugrupowań mieli nadzieję tchnąć nowe życie w ich organizacje i zapewnić sobie życie w luksusie, do którego zdążyli się przyzwyczaić".
Podczas gdy wiekowe ofiary ocalałe z Holokaustu z trudem radziły
sobie bez opieki medycznej, aktualne roczne wynagrodzenie i świadczenia Gideona Taylora, wykonawczego wiceprezesa Konferencji ds.
Roszczeń, wynosiły 275.000 dolarów. Ponadto Taylor poinformował sędziego Kormana, że „koszty administracyjne" Konferencji ds.
Roszczeń — sięgające trzydziestu milionów dolarów — „mogą wymagać ograniczenia" kwot przyznanych w ramach ugody z Niemcami na
rzecz żydowskich ofiar pracy niewolniczej w wysokości 7500 dolarów
osobę. „Czasem wydaje się, że Holokaust stał się narzędziem w rękach dużych organizacji żydowskich", zaobserwował znany izraelski

dziennik Haaretz, „służącym pozyskiwaniu funduszy na ulubione przedsięwzięcia ich przywódców"[57].

[57] Eva Fogelman, *Our Task: To Dignify the Lives of Survivors*, „Sh'ma", czerwiec 2002 („podstawowe potrzeby"); Menachem Rosensaft, *For Aging Survivors, a Prescription for Disaster*, „Forward", 31 stycznia 2003 („niemiecki rząd [...] niemiecki przemysł"), „PR Newswire", 4 czerwca 2001 („zapewnić", Sachs, Schaecter); „NAHOS", tom 7, nr 15 (11 maja 2001 r.) (Rechter); „NAHOS", tom 7, nr 17 (16 lipca 2001 r.); „NAHOS", tom 8, nr 2, 20 grudnia 2001; „NAHOS", tom 8, nr 13, 6 lutego 2003, oraz David Schaecter, *Use Restituted Funds for Urgent Survivors' Needs*, „Sh'ma", czerwiec 2002 („wątpliwe przedsięwzięcia"); „NAHOS", tom 7, nr 13 (9 marca 2001 r.) („spora część"); Cattan, *Shoah „People" Fund Attacked* („ulubione akcje charytatywne"); Yair Sheleg, *Future imperfect, tense*, „Haaretz", 1 lutego 2002 (Michael Kleiner); Eliahu Salpeter, *Time is running out for compensation*, „Haaretz", 13 lutego 2002 („narzędzie"). Wynagrodzenie Taylora i dodatkowe świadczenia na podstawie deklaracji podatkowej Konferencji ds. Roszczeń za 2001 rok, okazanej przez Internal Revenue Service; chociaż Konferencja ds. Roszczeń obiecuje na swojej witrynie internetowej „pełne" ujawnienia „sprawozdań finansowych", jej Dyrektor ds. Komunikacji, Hillary Kessler-Godin, odmówiła okazania danych finansowych. „Conference on Jewish Material Claims Against Germany, Inc.": *Memorandum* do Sędziego Edwarda R. Kormana (1 sierpnia 2002 r.) („ograniczenia"). Zob. również Amy Dockser Marcus, *As Survivors Age, Debate Breaks Out on Holocaust Funds*, „Wall Street Journal", 15 stycznia 2003, oraz Eric J. Greenberg, *Shoah Money Debate Intensifies*, „Jewish Week", 21 lutego 2003. Rechter zastanawiał się, dlaczego organizacje wchodzące w skład przemysłu Holokaustu „walczą tak zażarcie" o udział w pieniądzach na odszkodowania, jeżeli podobno tych pieniędzy nie starczy nawet na pokrycie kosztów programu opieki medycznej („NAHOS", tom 8, nr 3 [8 lutego 2002 r.]). Rechter potępił nieuprawnione stosowanie przez przemysł Holokaustu terminu „ocalały z Holokaustu" w celu pozbawienia faktycznych ocalałych należnych im pieniędzy; zauważył także, że „zapewnienie pomocy Żydom znajdującym się w trudnej sytuacji jest celem godnym uznania, należy jednak pamiętać, iż pieniędzy tych żądano w imieniu ocalałych z Holokaustu i powinny one zostać przeznaczone na ich dobrostan. Rosja nie była okupowana przez Niemców. Wielu rosyjskich Żydów faktycznie uciekało na wschód przed nazistami i dlatego są «ofiarami wojny», ale nie są ocalałymi z Holokaustu". Termin ten został w podobny sposób zafałszowany w czasie negocjacji w celu wyolbrzymienia liczby ocalałych (Sheleg, *Conflicting claims* oraz *PH*, str. 152–153).

W celu wyjaśnienia „napięcia, a czasem nawet awanturnictwa" „Bronfmanów, Singerów" podczas kampanii o odszkodowania za Holokaust, Eizenstat wyjaśnia, że kierowali się oni „podwójną motywacją": „chodziło zarówno o sprawiedliwe zadośćuczynienie za to, co Żydom europejskim wyrządzili ich korporacyjni poprzednicy, jak o odkupienie wspólnej winy społeczności Żydów amerykańskich za to, że tak mało zrobili w tym kierunku w ciągu poprzednich sześćdziesięciu lat" (354). Oczywiście „Bronfmanowie, Singerzy" tak bardzo cierpieli z powodu potrzeby odkupienia, że owoce tego zadośćuczynienia zatrzymali do własnego użytku.

Eizenstat wyraża swoje uznanie dla kampanii odszkodowawczej za Holokaust nie tylko za zarządzanie wymuszonymi kwotami, ale także za „pomoc w dalszym marginalizowaniu rewizjonistycznych historyków, którzy zaprzeczają, jakoby Holokaust w ogóle miał miejsce" (114). Nie jest jednak jasne, w jaki sposób wyolbrzymianie liczby ocalałych z Holokaustu, a więc pomniejszanie liczby zgonów związanych z Holokaustem, czy w jaki sposób przywódcy żydowscy, zachowujący się jak karykatury wprost z łamów „Der Stürmera" czy stron *Protokołów Mędrców Syjonu*, miały pomóc w marginalizacji negujących Holokaust. Przemysł Holokaustu wyznaczył na głównego beneficjenta pieniędzy z odszkodowań „edukację o Holocauście" — która zdaniem Eizenstata stanowi „największą spuściznę po naszych działaniach"[58]. Celem tej edukacji o Holocauście jest oczywiście „wyciąganie nauk z Holokaustu". Jakie są jednak te lekcje, które przemysł Holokaustu pragnie nam wpoić? Pierwszą ważną lekcją jest: „nie porównuj" Holokaustu z innymi zbrodniami — chyba że takie porównanie jest przydatne z przyczyn politycznych. Dlatego jedno z czasopism przemysłu Holokaustu porównało atak z 11 września na World Trade Center z „męką II wojny światowej i cierpieniem

---

[58] Zob. *PH*, str. 133. Jedną z lukratywnych wersji edukacji o Holocauście, przeznaczoną dla pracowników naukowych wyższych uczelni, jest „komisja historyczna"; jeden z oburzających przykładów — zob. *Prof. Gerald Feldman — Another Holocaust huckster?*, *www.NormanFinkelstein.com* (zakładka „The Holocaust Industry"), oraz Gerald Feldman, *Holocaust Assets and German Business History: Beginning or End?*, „German Studies Review", luty 2002, protestujący nieco zbyt ostro: „nie widzę powodu, by historycy nie byli opłacani za swoje usługi w taki sam sposób, jak inni profesjonaliści" (30).

w czasie Zagłady", „Atlantic Monthly" zastanawiał się, kto stał wyżej w „hierarchii zła" — bin Laden czy Hitler, a „The New York Times Magazine" wyraził opinię, że fundamentalizm islamski „jest wrogiem groźniejszym niż nazizm".

Niewiele ponad rok później mainstreamowe organizacje Żydów amerykańskich (oraz Izrael) stanęły murem za przestępczą agresją na Irak administracji prezydenta Busha, zaś Elie Wiesel zadeklarował, że „świat stanął wobec kryzysu porównywalnego z kryzysem 1938 roku", a „wybór jest prosty", natomiast samozwańczy „łowca nazistów" Szymon Wiesenthal ogłosił, że „nie można bez końca obsługiwać dyktatorów. Adolf Hitler zdobył władzę w 1933 roku, ale przez sześć lat świat nie podjął żadnych działań". Krytycy tej wojny byli oskarżani o wszystko, od „ugodowości w stylu Chamberlaina" po „antysemityzm w rodzaju, jaki już na Zachodzie już dawno temu umarł śmiercią naturalną", a najbardziej prominentnych poetów amerykańskich, sprzeciwiających się wojnie w Iraku i okupacji przez Izrael, upominano, że balansują „na krawędzi antysemityzmu w stylu lat trzydziestych"[59].

---

[59] *Together: American Gathering of Jewish Holocaust Survivors*, listopad 2001; Ron Rosenbaum, *Degrees of Evil*, „Atlantic Monthly", luty 2000; Andrew Sullivan, *Who Says It's Not about Religion?*, „The New York Times Magazine", 7 października 2001. Wsparcie mainstreamowych organizacji Żydów amerykańskich dla ataku na Irak — zob. np. *ADL Commends President Bush's Message To International Community On Iraq Calling It 'Clear and Forceful'* (Liga Przeciwko Zniesławieniu, biuletyn prasowy [12 września 2002 r.]) oraz *AJC Lauds Bush on State of Union Message on Terrorism...* (Amerykański Komitet Żydowski, biuletyn prasowy [7 lutego 2003 r.]); entuzjastyczne wsparcie Izraela — zob. Meron Benvenisti, *Hey ho, here comes the war*, „Haaretz", 13 lutego 2003; Uzi Benziman, *Corridors of Power/O What a lovely war*, „Haaretz", 14 lutego 2003; Gideon Levy, *A great silence over the land*, „Haaretz", 16 lutego 2003; Aluf Benn, *Background/Enthusiastic IDF awaits war in Iraq*, „Haaretz", 16 lutego 2003, oraz Aluf Benn, *The celebrations have already begun*, „Haaretz", 20 lutego 2003; Wiesel — zob. „Oprah Winfrey Show" (transkrypt „Where Are We Now?", nadany 9 października 2002 r.); *War is the only option*, „Observer", 22 grudnia 2002, oraz Randall Mikkelsen, *Nobel Laureate Wiesel backs Bush over Iraq*, „Reuters", 27 lutego 2003; Wiesenthal — zob. Simon Wiesenthal Center, *Famed Nazi Hunter Simon Wiesenthal's Statement On Impending Iraq War*, www.wiesenthal.com; „ugodowość" — zob. Brian Knowlton, *Top U.S. Official Urges U.N. to Maintain Pressure*

Zastanawiające jest, dlaczego krytycy jeszcze nie zostali oskarżeni o negowanie Holokaustu. Ponieważ Niemcy odważnie nie dali się zmusić zastraszaniem do udzielenia poparcia dla przestępczej wojny Waszyngtonu, niemiecki oddział przemysłu Holokaustu, porównujący Saddama Husseina do Hitlera, wykorzystał obchody dnia pamięci o Holocauście do potępienia niemieckiego sprzeciwu wobec wojny w Iraku i później wzywał do udzielenia wsparcia dla „koniecznych działań wojennych"[60].

Kolejną istotną lekcją z Holokaustu jest pamięć o nazistowskim ludobójstwie — przy czym należy zapomnieć o wszystkich innych ludobójstwach. Z tej przyczyny premier Izraela Shimon Peres uznał systematyczną eksterminację Ormian przez Turcję za zwykłe „zarzuty", a ormiańskie opisy masowych mordów za „nie mające znaczenia"[61]. Kolejną lekcją jest czujne śledzenie zbrodni przeciwko

on Hussein (cytat z wypowiedzi Condoleezzy Rice), „International Herald Tribune", 16 lutego 2003; „anti-Semitism" — zob. Eliot A. Cohen, *The Reluctant Warrior*, „Wall Street Journal", 6 lutego 2003, i J. Bottum, *The Poets vs. The First Lady*, „Weekly Standard", 17 lutego 2002, a także *ADL Says Organizers of Antiwar Protests in Washington and San Francisco Have History of Attacking Israel and Jews* (Liga Przeciwko Zniesławieniu, biuletyn prasowy [15 stycznia 2003 r.]), „Blackballing Lerner" (artykuł wstępny); Max Gross, *Leftist Rabbi Claims He's Too Pro-Israel for Anti--War Group*, „Forward", 14 lutego 2003, oraz David Brooks, *It's Back: The socialism of fools has returned in vogue not just in the Middle East and France, but in the American left and Washington*, „Weekly Standard", 21 lutego 2003.

60 *Spiegel kritisiert Nein zum Irak-Krieg*, „Süddeutsche Zeitung", 26 stycznia 2003; Helmut Breuer i Gernot Facius, *"Es gibt notwendige Kriege". Paul Spiegel, Zentralratsvorsitzender der Juden, sieht die Oeffentlichkeit in einem "Dornroeschenschlaf"* [w:] „Die Welt", 13 lutego 2003 („konieczne działania wojenne").

61 Robert Fisk, *Peres stands accused over denial of „meaningless" Armenian Holocaust*, „The Independent", 18 kwietnia 2001. Odrzucając wszelkie porównania ludobójstwa nazistowskiego i tureckiego, ambasador Izraela w Gruzji i Armenii utrzymywał, że Żydzi cierpieli na skutek „ludobójstwa", podczas gdy to, co przydarzyło się Ormianom, było zaledwie „tragedią" (*Armenia files complaint with Israel over comments on genocide*, „Associated Press" [16 lutego 2002 r.]; pełna goryczy odpowiedź — zob. *Armenian, Greek, and Kurdish Americans Voice Concern to Nine Jewish*

ludzkości — z wyjątkiem oczywiście takich zbrodni popełnianych przez własny rząd. Podczas gdy niekontrolowana potęga Stanów Zjednoczonych sieje spustoszenie wśród dużej części ludzkości, Amerykańska Rada ds. Pamięci Holokaustu (US Holocaust Memorial Council) „wezwała Stany Zjednoczone do zwrócenia uwagi na «zagrożenie ludobójstwem» w Sudanie"[62]. Najważniejsza lekcja wynikająca z Holokaustu przypadła jednak w udziale izraelskiej armii. W celu stłumienia palestyńskiego oporu wobec trwającej trzydzieści pięć lat okupacji, izraelski oficer wysokiej armii wezwał armię izraelską do „analizowania i przyswajania sposobu, w jaki [...] armia niemiecka walczyła w getcie warszawskim"[63].

Zdaniem Eizenstata jednym z godnych pożałowania skutków kampanii szantażu było „nasilenie się sentymentów antysemickich" (340). Trudno żeby było inaczej. Skoro fałszowanie przez przemysł Holokaustu historii skutkuje negowaniem Holokaustu, wykorzystywanie przez przemysł Holokaustu cierpienia Żydów do wymuszania danin nieodwołalnie powoduje nasilanie się antysemityzmu. Mimo wszystko przywołane przez Eizenstata dowody na „odradzanie się działań antysemickich w Europie" zasługują na głębszą analizę. Eizenstat powołuje się na przykład na „zagrożenie bojkotem izraelskich uniwersytetów" oraz „traktowanie Izraela jak państwo-pariasa" w proteście przeciwko brutalnej okupacji przez Izrael; pisze także, że „wybuch antysemickich działań w Europie zbiegł się z reakcją premiera Ariela Sharona na palestyński terroryzm" — ale na pewno nie zbiegł się z terroryzmem Sharona (348–349). W podobny sposób Eizenstat ostrzega przed jakimikolwiek porównaniami pomiędzy odszkodowaniami za Holokaust a „żądaniami zwrotu domów, utraconych" przez wielu Palestyńczyków podczas wojny z 1948 roku, utrzymując, że stwierdzenie, iż Palestyńczycy zostali „niesprawiedliwie wyrzuceni ze swoich domów", jest „historycznie nieprecyzyjne" (351). Na koniec Eizenstat wyra-

---

American Groups, „Armenian Weekly" [kwiecień/maj 2002 r.]; zob. także Thomas O'Dwyer, *Nothing Personal / Among the deniers*, „Haaretz" [9 maja 2003 r.]).

[62] *Bush Remembers Holocaust Victims, Pledges Defense of Israel*, „Reuters", 19 kwietnia 2001.

[63] Amir Oren, *At the gates of Yassergrad*, „Haaretz", 25 stycznia 2002, oraz Uzi Benziman, *Immoral Imperative*, „Haaretz", 1 lutego 2002.

ził „nadzieję", że rozstrzygnięcie konfliktu izraelsko-palestyńskiego „będzie uwzględniać międzynarodowy fundusz zamiast faktycznego zwrotu mienia" (351). Broń Boże, żeby Izrael musiał sam płacić odszkodowania, nie mówiąc już o zwrocie zagrabionego mienia.

V.

Eizenstat ze szczególną dumą wspomina wyjątkowe przywództwo moralne Ameryki podczas kampanii o odszkodowania za Holokaust: „Stany Zjednoczone to jedyne państwo, które okazało swoje zainteresowanie" (4); „świat [...] musiał zrozumieć, że Stany Zjednoczone podeszły do sprawy Holokaustu w bardzo poważny sposób" (92); „dla osób, które wątpiły w możliwość prawidłowego postępowania przez rząd Stanów Zjednoczonych, był to świetlany przykład sukcesu rządu" (344); „spośród wszystkich narodów na kuli ziemskiej jedynie Stany Zjednoczone okazały zainteresowanie" (355). Eizenstat wspomina też, że podczas opracowywania aktu oskarżenia Szwajcarii o nielegalny handel zagrabionym złotem z nazistami przyjął „odważny kurs" (108) na „ujawnienie faktów i wniosków, niezależnie od tego, jak byłyby trudne" (108), oraz że Clinton — udzielając swojej wyjątkowej zgody — chwalił raport jako „drogowskaz moralności" (110)[64]. Na koniec Eizenstat wyraził nabożną nadzieję, że „poprzez udzielenie pomocy narodom w stawieniu czoła ich odpowiedzialności za przeszłość" staną się one „bardziej tolerancyjne i pewne siebie w przyszłości" (344). Gandhi stwierdził kiedyś, że „jedynie gdy ktoś postrzega swoje błędy przez szkło powiększające, a błędy innych przez szkło pomniejszające, to taki człowiek jest względnym uśrednieniem tych dwóch osób"[65]. Ujmując to innymi słowami, jedyną znaczącą miarą moralności jest stawianie wymagań w stosunku do siebie samego, a nie do innych. Prostym testem na moralność twierdzeń Eizenstata jest przyjrzenie się, w jaki sposób

---

[64] Zdaniem Eizenstata jego żona także doświadczyła odnowy moralnej podczas kampanii o odszkodowania. Stojąc w mroźny zimowy dzień w Auschwitz i słuchając opowieści o cierpieniach więźniów, „Fran oświadczyła głośno, że ma poczucie winy, ponieważ ma na sobie futro" (21). Doprawdy, musiała być poruszona.

[65] Mohandas K. Gandhi, *Autobiography*, Nowy Jork 1983, str. 424.

Stany Zjednoczone patrzyły na swoje „obowiązki związane z przeszłością". W rzeczywistości Stany Zjednoczone nie postrzegają siebie ani przez szkło powiększające, ani tym bardziej przez pomniejszające, lecz jako czarną plamę.

Wszystkie oskarżenia głoszone przez przemysł Holokaustu w stosunku do państw europejskich miały takie samo zastosowanie do Stanów Zjednoczonych. Chociaż Eizenstat nigdy o tym nie wspominał, Komisja Volckera stwierdziła, że poza Szwajcarią także Stany Zjednoczone służyły jako główna bezpieczna przystań dla przenoszalnych aktywów żydowskich z Europy, zarówno przed, jak w czasie II wojny światowej[66]. Eizenstat faktycznie przyznaje, że Stany Zjednoczone zapłaciły jedynie żałosne „500.000 dolarów" (112; zob. 15–16) za mienie ofiar Holokaustu, po które nikt się nie zgłosił, ale ponadto twierdzi, że gdy Stany Zjednoczone przeznaczyły dal-

---

[66] Informacje ogólne — zob. *PH*, str. 115. Wspominając pełną irytacji wymianę poglądów z Rogerem Wittenem, prawnikiem reprezentującym banki szwajcarskie, Eizenstat pisze: „Witten nalegał, by «zamożne rodziny żydowskie wysyłały swoje pieniądze raczej do USA, Argentyny i Wielkiej Brytanii» niż do Szwajcarii. Uznałem to oświadczenie za zdumiewające" (141). Eizenstat omija jednak ostrożnie kluczowy powód, dla którego Stany Zjednoczone *także* były bezpieczną przystanią. Tak na marginesie, zapytany przez autora o przypisywaną mu wypowiedź, Witten odpowiedział: „Chodziło mi wtedy o to, że byłoby błędem korzystać z uogólnionego założenia, że rodziny żydowskie, którym udało się wywieźć ich pieniądze z Niemiec, na pewno umieściłyby je w Szwajcarii. Oświadczyłem, że rodziny, które były w stanie to zrobić, często wysyłały swoje fundusze do rajów, wydających się znacznie bezpieczniejszymi niż Szwajcaria (której groziła inwazja Niemiec), szczególnie Wielkiej Brytanii, Stanów Zjednoczonych i Argentyny (których gospodarki były wtedy bardzo silne). Poinformowałem także, że rodziny żydowskie, które w pierwszej kolejności wysłały swoje pieniądze do Szwajcarii, uważały ten kraj za jedynie przystanek dla części lub wszystkich pieniędzy, tzn. ludzie ci oczekiwali, że będą w stanie przetransferować pieniądze ze Szwajcarii w inne miejsce, jak Stany Zjednoczone, Wielka Brytania czy Argentyna. Moim zdaniem posiadaliśmy jakieś dane dotyczące przepływów kapitału, które mogły potwierdzić te przypuszczenia, a które przyjęto ze szczątkowym zainteresowaniem. Na pewno nigdy nie powiedziałem, ani nie można byłoby interpretować mojej wypowiedzi, jakoby żydowskie rodziny nie przysyłały pieniędzy do Szwajcarii na przechowanie" (korespondencja prywatna, 6 stycznia 2003).

szych 25 milionów dolarów na odszkodowania za Holokaust w czasie jego kadencji, to „rzadko czułem większą dumę z mojego kraju" (114). Jednak 25 milionów dolarów wydaje się zbyt małą kwotą w stosunku do żądań wysuwanych wobec Szwajcarów (nie mówiąc już o astronomicznych kosztach audytu międzynarodowego, któremu Stany Zjednoczone nigdy nie zostały poddane). Eizenstat przedstawił tylko jedną zdawkową aluzję do amerykańskiej Komisji ds. Mienia Holokaustu (US Commission on Holocaust Assets), której przewodził Edgar Bronfman (200) — w zasadzie im mniej mówi się na temat żenująco przepraszających zaleceń i wniosków jej niezbyt „odważnego" raportu, tym lepiej[67]. Raport ten zawierał jednak kluczowe rewelacje, prawdopodobnie zignorowane przez Eizenstata; na przykład okazuje się, że handel zrabowanym przez nazistów złotem — czyli słynne oskarżenie wysunięte wobec banków szwajcarskich, za które wielokrotnie ganił banki szwajcarskie w swojej książce (49–50, 104, 114) — było także oficjalną polityką Stanów Zjednoczonych do momentu, gdy wypowiedzenie wojny przez Niemcy uniemożliwiło jej dalszą realizację[68]. Eizenstat wielokrotnie przyznawał, że „w przeliczeniu na mieszkańca Szwajcarzy przyjęli dużo więcej uchodźców w znacznie trudniejszych okolicznościach, niż uczyniły to Stany Zjednoczone" (103; zob. 9–10, 184), jednak nasuwa się tutaj pytanie, na które on nigdy nie odpowiada, dlaczego przemysł Holokaustu wezwał Szwajcarię do zapłacenia odszkodowań dla uchodźców żydowskich,

---

[67] Zob. *PH*, str. 162nn.

[68] *PH*, str. 164–166. Eizenstat wielokrotnie wspomina także, że Szwajcarzy kupowali złoto zrabowane przez nazistów ofiarom Holokaustu (50, 91, 101–102, 111, 114) — ale milczy przy tym na temat braku dowodów świadczących o tym, że Szwajcarzy świadomie kupowali „złoto ofiar", oraz że Stany Zjednoczone prawdopodobnie stosowały tę samą praktykę (*PH*, str. 164–166), a także stawiał fałszywy zarzut, jakoby „złoto ofiar" kupowane przez Szwajcarów osiągnęło wartość 14,5 miliona dolarów (114), podczas gdy było wyceniane na około 135.000 dolarów (lub 1 milion dolarów w przeliczeniu na aktualne ceny) (*PH*, str. 112). Eizenstat wyraził uznanie dla Szwajcarów za to, że ostatecznie się zreformowali, stwierdził jednak, że „zamrażali oni tajne rachunki bankowe dyktatorów, jak nigeryjski «silny człowiek» Sani Abacha" (185) — pomijając przy tym fakt, że Abacha przechowywał także swoje nielegalnie zdobyte oszczędności w bankach amerykańskich (*PH*, str. 111).

którym odmówiono wjazdu do tego kraju, lecz nie wysunęły podobnych żądań w stosunku do Stanów Zjednoczonych[69]. Także relacja Eizenstata na temat dokonań Stanów Zjednoczonych w odniesieniu do odszkodowań za pracę niewolniczą zasługuje na odwołanie się do obszernych fragmentów jego opracowania. Eizenstat wspomina, że w celu powiększenia kwoty ugody z Niemcami zaproponował utworzenie „lustrzanego" funduszu dla dziesiątek amerykańskich spółek, w których duże niemieckie spółki zależne korzystały z pracy niewolniczej. Zgodnie z wykazem opracowanym w 1943 r. przez Departament Skarbu, najbardziej znane z tych spółek to m.in. Ford, General Motors, Gillette, IBM i Kodak. Miałem w tej sprawie szybki start, gdy 3 grudnia spotkałem się z Johnem Rintanaki, wiceprezesem i szefem sztabu grupy Forda. Jako człowiek energiczny i pełen optymizmu, Rintanaki od razu przeszedł do rzeczy. W zdumiewającym przypływie uczciwości sam mi powiedział, że założyciel firmy Henry Ford, był notorycznym antysemitą, któremu Hitler osobiście wyraził uznanie za jego pracę dla Niemiec. Rintanaki nie próbował w żaden sposób zaprzeczać, że naziści korzystali z pracy przymusowej i niewolniczej osób pracujących w zakładach Forda, i zaofiarował swoją pomoc w pozyskiwaniu amerykańskich spółek do akcji zebrania ponad pół miliarda dolarów. Oświadczył też, że zadanie to byłoby o wiele łatwiejsze do zrealizowania, gdybyśmy mogli ustanowić w tym celu organizację dobroczynną, by spółki mogły odliczać swoje darowizny od podstawy opodatkowania. Szef międzynarodowego oddziału amerykańskiej Izby Handlowej i mój były kolega z Departamentu Stanu Craig Johnstone, ułatwił spółkom wpłacanie darowizn bez konieczności przyznawania się do wojennych przewin, przekonując Izbę Handlową do zatwierdzenia funduszu humani-

---

[69] W piśmie do „The Nation" (18 lutego 2002 r.) Burt Neuborne próbował bronić tych groteskowych podwójnych standardów, twierdząc, że „Szwajcarzy poprosili, by uchodźcy mogli uczestniczyć w ugodzie, na co wyraziliśmy zgodę". W rzeczywistości jednak wstępny akt oskarżenia opracowany przez prawników prowadzących pozew zbiorowy, uwzględniał oskarżenie, że „rząd szwajcarski izolował uchodźców" (76). W innym miejscu Neuborne przyznaje, że ugoda ze Szwajcarią obejmuje żydowskich uchodźców, którym odmówiono wjazdu ze względu na „potencjalne teorie o odpowiedzialności wysuwane w stosunku do różnych kategorii szwajcarskich pozwanych" (Neuborne, „Preliminary Reflections", str. 808 prz. 34).

tarnego, na który jego korporacyjni uczestnicy mogli dokonywać wpłaty na dowolne cele, od huraganu po pomoc dla ofiar Holokaustu. Wspólnie uruchomiliśmy ten fundusz w czasie uroczystej konferencji prasowej, która odbyła się w waszyngtońskiej siedzibie Izby. Ale pieniędzy nigdy nie dostaliśmy. Mimo kilku dalszych spotkań z Rintanakim, który podejmował rzetelne działania w celu przekonania innych spółek do przystąpienia do funduszu, pieniędzy nadal nie przybywało. W grudniu 2001 roku, dwa lata po moim pierwszym spotkaniu z Rintanaki i dosyć długo po zakończeniu prezydentury Clintona, jeden z asystentów Rintanakiego powiedział mi, że Ford Motor Company wpłaci darowiznę w kwocie 2 milionów dolarów. Żadna inna amerykańska spółka nie wpłaciła nawet centa na ten fundusz, opierając się o swoje niemieckie spółki zależne, które ją wyręczały, wpłacając datki na niemiecką Fundację. (254–255)

W zakończeniu Eizenstat zauważył, że „naszym głównym przesłaniem było stwierdzenie, że niezależnie od traktatów i precedensów prawnych nie istnieją jakiekolwiek przepisy o przedawnieniu odpowiedzialności korporacyjnej" (354) — z wyjątkiem oczywiście, gdy mamy do czynienia z korporacją amerykańską[70].

---

[70] Gdy węgierscy obywatele, którzy przeżyli Holokaust, pozwali rząd Stanów Zjednoczonych o zwrot mienia, zrabowanego przez pronazistowskie oddziały wojska węgierskiego i później sprzeniewierzonego przez amerykańskich wojskowych, Eizenstat (teraz już prowadzący prywatną praktykę) wyśmiał „podstawy prawne" tego roszczenia jako „podejrzane" i wezwał jedynie do dokonania „symbolicznej płatności na rzecz węgierskiej społeczności żydowskiej" (Stuart Eizenstat, *Justice Remains Beyond Grasp of Too Many Holocaust Victims*, „Forwards" [18 października 2002]). Nawet w swojej oburzająco apologetycznej relacji z kampanii o odszkodowania *sędzia Holokaustu* Bazyler napisał, że „amerykańska Komisja ds. Mienia Holokaustu, działająca pod przewodnictwem Bronfmana, była [...] porażką. Po wydaniu 2,7 miliona dolarów komisja nie spełniła nawet swojego podstawowego celu, którym było utworzenie bazy danych aktywów z czasów Holokaustu, nadal znajdujących się w Stanach Zjednoczonych. Ponadto mając na uwadze uprawnienia ograniczone do badania wyłącznie czynności podejmowanych przez rząd federalny, a więc nie obejmujące czynności podejmowanych w czasie wojny przez amerykański przemysł, komisja nie mogła zadawać takich samych pytań na temat współpracy korporacji amerykańskich z nazistami, jakie tworzone przez rząd komisje historyczne mogły zadawać w Europie [...]. Niestety, wygląda na to, że zastosowano

„Biblia mówi, że «syn nie poniesie kary za winę ojca»", przyznaje Eizenstat. „Ale ile obecne pokolenia są winne ofiarom przeszłości, jeżeli część swego bogactwa zawdzięczają one zniewoleniu i obrabowaniu ofiar przez ich kraj" (279)? W wypadku nazistowskiego holokaustu odpowiedź brzmi, że zapewne bardzo dużo; w wypadku niewolnictwa w Stanach Zjednoczonych czy apartheidu w Republice Południowej Afryki odpowiedź wydaje się brzmieć, że bynajmniej nie tak znowu wiele. Chociaż Stany Zjednoczone zawdzięczają swoje uprzemysłowienie głównie niewolniczej sile roboczej z Afryki, Eizenstat utrzymuje, że jedyną właściwą monetarną „lekcją", wynikającą z kampanii o odszkodowania za Holokaust w odniesieniu do aktualnych „spraw o amerykańskie niewolnictwo", jest możliwość „zapewnienia przez spółki mniejszościom stypendiów, szkoleń lub innych programów" (353). Eizenstat wspomina o „pozwach zbiorowych w sprawie walki z apartheidem", wnoszonych przeciwko spółkom, które przez całe dziesięciolecia zarabiały na rasistowskim wyzysku (351), ale w niewytłumaczalny sposób zapomina wspomnieć o tym, że — w ramach prawdziwej spójności moralnej — on sam działa obecnie „jako adwokat" spółek będących przedmiotem takich pozwów[71]. „W stopniu, w jakim proces restytucji majątków stanie się procesem regularnym, będzie on pomagać państwom Europy Wschodniej w przekształcaniu się w zdrowsze demokracje", podsumował Eizenstat (45). Przeprosiny za nielegalnie osiągnięte korzyści niewątpliwie wzmacniają strukturę moralną społeczeństwa. Eizen-

---

tutaj podwójne standardy. Żądania, jakie stawialiśmy rządom i korporacjom europejskim w sprawie uczciwego rozliczenia się i udokumentowania ich wojennych transakcji finansowych i innych działań, nie były przestrzegane w Stanach Zjednoczonych." (305) Odłóżmy na razie na bok kwestię odszkodowań i porównajmy po prostu kwotę 2,7 miliona dolarów, przeznaczonych przez USA na ich własną komisję, z kwotą „blisko 700 milionów dolarów" (300–301), jaką banki szwajcarskie musiały zapłacić audytorom. W innym świadectwie podwójnych standardów Bazyler z oburzeniem wyolbrzymia los żydowskich aktywów zdeponowanych w bankach szwajcarskich w czasach Holokaustu, natomiast ani razu nie odnosi się bezpośrednio do losu żydowskich aktywów z czasów Holokaustu, zdeponowanych w bankach amerykańskich.

[71] Zob. Andreas Mink, *„Das Schlimmste steht uns noch bevor". Der Ex-US-Staatssekretaer Stuart Eizenstat engagiert sichinder Auseinandersetzung um Menschenrechts-Klagen*, „Aufbau", 12 grudnia 2002.

stat jednak nigdy nawet nie pomyślał o zastosowaniu tej odkrywczej myśli w Stanach Zjednoczonych. Zastanówmy się teraz nad wielomiliardowym pozwem zbiorowym, wniesionym przez rdzennych Amerykanów przeciwko administracji Clintona, który uderzająco przypomina postępowanie sądowe w sprawie banków szwajcarskich — z wyjątkiem oczywiście faktu, że w tym wypadku zarzuty były jak najbardziej prawdziwe. Ale przecież głównym adresatem tego pozwu był Departament Skarbu, w czasie, gdy Eizenstat pracował tam jako Zastępca Sekretarza.

VI.

W czerwcu 1996 roku Fundusz Praw Rdzennych Amerykanów (Native American Rights Fund) złożył największy pozew zbiorowy w historii Stanów Zjednoczonych w imieniu Elouise Pepion Cobell z plemienia Czarnych Stóp z Montany oraz 300.000–500.000 innych rdzennych Amerykanów. „W skład grupy pozywającej wchodzą niektórzy z najuboższych członków tego narodu", stwierdził później sędzia Royce C. Lamberth. „Stawką w procesie jest dobro i środki utrzymania ludzi"[72]. Dochód tych zubożałych potomków ofiar „amerykańskiego holokaustu"[73] nie przekracza 10.000 dolarów rocznie na osobę, bezrobocie sięga 70% i ponad 90% osób starszych nie otrzymuje długoterminowej opieki medycznej. Administracja Clintona „powinna się wstydzić" — Cobell zganił urzędnika z Departamentu Sprawiedliwości. „Ludzie umierają we wszystkich społecznościach indiańskich. Oni nie mają dostępu do swoich własnych pieniędzy"[74].

---

[72] Sąd Okręgowy Stanów Zjednoczonych dla Dystryktu Kolumbii, sprawa z powództwa Elouise Pepion Cobell i zesp. przeciwko Bruce'owi Babbittowi, Sekretarzowi Zasobów Wewnętrznych Stanów Zjednoczonych Lawrence'owi Summersowi, Sekretarzowi Skarbu i Kevinowi Goverovi, Zastępcy Sekretarza Zasobów Wewnętrznych (sprawa z powództwa cywilnego nr 96-1285) (RCL), *Memorandum Opinion: Findings of Fact and Conclusions of Law* (21 grudnia 1999 r.), str. 6. (Zwane dalej *Memorandum Opinion — December 1999.*)

[73] Zob. badania autorytatywne Davida Stannarda, *American Holocaust*, Oksford 1992.

[74] Jeffrey St. Clair, *Stolen Trust*, „CounterPunch", 5 września 2002.

Sprawa toczyła się o pieniądze rdzennych Amerykanów, powierzone rządowi Stanów Zjednoczonych. Geneza rachunku powierniczego Individual Indian Money (IIM) sięgała końca dziewiętnastego wieku, gdy na mocy ustawy General Allotment Act (1887 r.) 140 milionów akrów (ok. 56 milionów hektarów — przyp. tłum.), stanowiących wspólną własność plemion indiańskich, rozparcelowano na prywatne działki. „Rząd przyznaje, że celem IIM było pozbawienie przodków powodów należących do nich ziem oraz odebranie im ich plemiennej tożsamości"[75]. 90 milionów akrów (ok. 36 milionów hektarów — przyp. tłum.) uznano za „nadwyżkę" i szybko udostępniono nie-indiańskim osadnikom, podczas gdy pozostałych 40 milionów akrów (ok. 10 tysięcy hektarów — przyp. tłum.) „nigdy nie rozliczono"[76]. Przychody z udzielania koncesji na wypas, działalność górniczą, wiercenia czy wyrąb drzew na tej ziemi — teraz ograniczonej do 10 milionów akrów (ok. 4 miliony hektarów — przyp. tłum.) — miały trafiać na rachunki trustu IIM. W pozwie zbiorowym wezwano rząd Stanów Zjednoczonych do przeprowadzenia audytu w celu „spełnienia jego obowiązku prawidłowego rozliczenia się"[77] z tych rachunków. W raporcie Kongresu z 1992 roku określono stan tych rachunków jako „hańbą narodową"; rachunki „wyglądały jakby były prowadzone przy pomocy wideł" i przypominały „bank, który sam nie wie, ile pieniędzy posiada"[78]. „Przez dziesięciolecia opracowano dziesiątki raportów rządowych, odbyto dziesiątki przesłuchań w Kongresie i przedstawiono dziesiątki ustaleń", przyznał podczas przewodu sądowego Sekretarz Zasobów Wewnętrznych Stanów Zjednoczonych Bruce Babbitt. „Krytykowano w nich wypełnianie przez

---

[75] *Memorandum Opinion — December 1999*, s. 5.

[76] Sąd Okręgowy Stanów Zjednoczonych dla Dystryktu Kolumbii, z powództwa Elouise Pepion Cobell i zesp. przeciwko Bruce'owi Babbittowi, Sekretarzowi Zasobów Wewnętrznych i zesp., pozwanymi, *Plaintiffs' Plan for Determining Accurate Balances in the Individual Indian Trust* (6 stycznia 2003 r.), str. 2–3 (nacisk jak w oryginale). (Zwany dalej *Plaintiffs' Plan — January 2003*.)

[77] *Memorandum Opinion — December 1999*, str. 6.

[78] Komitet ds. Działalności Rządowej (102d Congress, House Rept. 102–499), *Misplaced Trust: The Bureau of Indian Affairs Mismanagement of the Indian Trust Fund*, 1 kwietnia 1992, str. 12, 84–85. (Zwany dalej *Misplaced Trust*.)

Departament Zasobów Wewnętrznych Stanów Zjednoczonych jego obowiązków związanych z trustem", ale jedynie „kilka tych propozycji, o ile w ogóle, wprowadzono w życie"[79]. „Trudno byłoby znaleźć historycznie gorzej zarządzany program federalny", stwierdził sędzia Lamberth. „Stany Zjednoczone [...] nie są stanie powiedzieć, ile pieniędzy znajduje się lub powinno znajdować się na rachunkach powierniczych [...]. Stanowi to brak odpowiedzialności fiskalnej i powierniczej najwyższego rzędu"[80]. I ponownie: „Sposób zarządzania trustem IIM przez Departament Zasobów Wewnętrznych Stanów Zjednoczonych przeszedł do historii jako symbol złego zarządzania przez rząd federalny przez ponad wiek [...] [R]ząd federalny regularnie przekazuje płatności beneficjentom – z ich *własnych* pieniędzy – w błędnie naliczanych kwotach"[81].

W 1994 roku Kongres przyjął ustawę o zarządzaniu indiańskim funduszem powierniczym „Indian Trust Fund Management Act", która zapewniła podstawy prawne dla pozwu Cobell. Według słów sędziego Lambertha ustawa wymagała, by Departament Zasobów Wewnętrznych i Departament Skarbu zapewniły dokładne rozliczenie wszystkich pieniędzy zdeponowanych w truście IIM, niezależnie od czasu zdeponowania tych funduszy"[82]. Z czasem proces sądowy podzielił się na dwie różne fazy: „utrwalania systemu" lub reform systemu zarządzania i rozliczania trustu IIM; oraz „korekty rozliczeń" lub przeprowadzenia wszechstronnego, historycznego audytu

---

[79] *Memorandum Opinion — December 1999*, str. 125; szczegóły dotyczące długotrwałego zaniedbań przez rząd Stanów Zjednoczonych – zob. *Misplaced Trust*, str. 86nn.

[80] *Memorandum Opinion — December 1999*, str. 4–5.

[81] Sąd Okręgowy Stanów Zjednoczonych dla Dystryktu Kolumbii, sprawa z powództwa Elouise Pepion Cobell i zesp. przeciwko Gale A. Norton, Sekretarzowi Zasobów Wewnętrznych i zesp., pozwanymi (sprawa z powództwa cywilnego nr 96–1285) (RCL), *Memorandum Opinion*, 17 września 2002, str. 1–2 (nacisk jak w oryginale). (Zwany dalej: *Memorandum Opinion — September 2002*).

[82] Sąd Okręgowy Stanów Zjednoczonych dla Dystryktu Kolumbii, sprawa z powództwa Elouise Pepion i zesp. przeciwko Bruce'owi Babbittowi, Sekretarzowi Zasobów Wewnętrznych Stanów Zjednoczonych, Lawrence'owi Summersowi, Sekretarzowi Skarbu oraz Kevinowi Goverowi, Zastępcy Sekretarza Zasobów Wewnętrznych (sprawa z powództwa cywilnego nr 96-1285) (RCL), „Order", 21 grudnia 1999.

trustu IIM z uwzględnieniem „przedstawienia przez rząd swojego materiału dowodowego [...] i określenia przez powodów wyjątków od tego materiału dowodowego". W wyniku kolejnych ustaleń przez sąd niewłaściwego postępowania pozwanych (więcej na ten temat w dalszym tekście), utworzono pośrednią fazę 1,5 w celu dalszego monitorowania przestrzegania przepisów przez rząd.

W toku procesu sąd wielokrotnie dyscyplinował Departament Zasobów Wewnętrznych i Departament Skarbu za poważne uchybienia w przygotowywaniu dokumentacji o kluczowym znaczeniu dla audytu. W ciągu rozprawy sądowej w lutym 1999 roku sędzia Lamberth stwierdził naruszenie przez pozwanych ich obowiązków przez „niesporządzenie" „znaczącego" „kompletu dokumentów, wymaganych na mocy nakazu sądowego" oraz — szczególnie w odniesieniu do Departamentu Skarbu, w którym Eizenstat był zatrudniony jako Zastępca Sekretarza — za „niszczenie" dokumentów, które „przyrzeczono zachować". Sędzia Lamberth stwierdził, że „żaden z urzędujących Sekretarzy w czasach nowożytnych nie został oskarżony o obrazę sądu" oraz że „nie widzi przyjemności w zarzucaniu urzędnikom rządowym obrazy sądu", po czym oskarżył pozwanych o podejmowanie „czynności, których nie można nazwać inaczej niż stawianiem oporu", „zakulisowym zatajaniem", „kampanią obstrukcji" oraz „szokującym wprowadzaniem w błąd", „licznymi nielegalnymi przekłamaniami", „niemal parodią", „umyślnym lekceważeniem nakazów tego sądu", „wykroczeniem poważniejszym od lekceważenia nakazów", „umyślnym zaniedbaniem [...] katastrofalnie blisko *przestępczej* obrazy sądu", i zakończył swoją przemowę słowami: „nigdy jeszcze nie spotkałem się z bardziej oburzającym wykroczeniem popełnionym przez rząd federalny". Eizenstat chwali swojego szefa Roberta Rubina jako „jednego z najlepszych Sekretarzy Skarbu od czasów Alexandra Hamiltona" (227), ignorując przy tym fakt, że za „niszczenie" dokumentów w sprawie o odszkodowania reputacja Rubina „mocno ucierpiała na skutek oskarżenia o obrazę sądu" (Lamberth)[83]. W raporcie z grudnia 1999 roku wyznaczony przez

---

[83] Sąd Okręgowy Stanów Zjednoczonych dla Dystryktu Kolumbii, sprawa z powództwa Elouise Pepion i zesp. przeciwko Bruce'owi Babbittowi, Sekretarzowi Zasobów Wewnętrznych Stanów Zjednoczonych, Robertowi Rubinowi, Sekretarzowi Skarbu oraz Kevinowi Goverowi, Zastępcy Sekretarza Zasobów Wewnętrznych (sprawa z powództwa cywilnego nr 96–1285)

sąd urzędnik „Special Master" ujawnił ponowne zniszczenie przez Departament Skarbu dokumentów „potencjalnie istotnych dla postępowania sądowego w sprawie Cobell [...] dokładnie w tym samym czasie, gdy Sekretarz Skarbu został oskarżony o obrazę sądu przez naruszenie swoich obowiązków", a także za „nieujawnienie zniszczenia [...] niezależnie od istnienia miliona możliwości, by to uczynić". „Ten system najwyraźniej wymknął się spod kontroli", podsumował sytuację Special Master[84].

W swojej opinii z grudnia 1999 roku na temat Fazy 1 przewodu sądowego sędzia Lamberth napisał, że Departament Zasobów Wewnętrznych popełnił „cztery naruszenia porządku ustawowego" przez niewłaściwe postępowanie z dokumentami i procedurami administracyjnymi, „koniecznymi dla zapewnienia dokładnej rachunkowości". W szczególności „Departament nie posiadał sporządzonego na piśmie planu zbierania [...] koniecznych, brakujących informacji, wymaganych dla zapewnienia dokładnej rachunkowości. Departament nawet nie miał wyraźnego zamiaru, by to uczynić"; „problem brakujących danych stanowi niewątpliwie największą przeszkodę uniemożliwiającą Departamentowi Zasobów Wewnętrznych zapewnienie dokładnej rachunkowości"; „jest jasne, że im dłużej Departament Zasobów Wewnętrznych czeka na odzyskanie brakujących informacji, tym mniej dostępne będą takie informacje i tym trudniej będzie je zlokalizować". Sędzia Lamberth stwierdził też, że systematyczne niszczenie dokumentów przez Departament Skarbu („Dokumenty Departamentu Skarbu dotyczące funduszy IIM,

(RCL), *Memorandum Opinion*, 22 lutego 1999, str. 15 („parodia"), 17 („czasy nowożytne", „przyjemność"), 33 („niesporządzenie", „znaczący"), 50–53 („niszczenie"), 62 („stawianie oporu"), 67 („zatajanie", „kampania"), 70 („nielegalne"), 71–72 („lekceważenie", „blisko *przestępczej*" [nacisk jak w oryginale]), 77 („szokujące", „oburzające"), 79 („ucierpiała"). (Zwana dalej: *Memorandum Opinion — February 1999*).

[84] Sąd Okręgowy Stanów Zjednoczonych dla Dystryktu Kolumbii, sprawa z powództwa Elouise Pepion Cobell i zesp. przeciwko Bruce'owi Babbittowi, Sekretarzowi Zasobów Wewnętrznych Stanów Zjednoczonych i zesp., pozwanymi (sprawa z powództwa cywilnego nr 96-1285) (RCL), *Recommendation and Report of the Special Master Regarding the Delayed Disclosure of the Uncurrent Check Records Maintained by the Department of the Treasury* (3 grudnia 1999 r.), str. 24nn (renewed destruction), 56 („milion możliwości"), 117–118 („potencjalnie", „wymknął się spod kontroli").

w tym unieważnione czeki, trafiły do niszczarki") stanowiło „naruszenie prawa powodów do archiwizacji dokumentów, koniecznych dla umożliwienia Stanom Zjednoczonym zapewnienia rachunkowości", oraz że Departament Skarbu nadal nie posiadał przejrzystego planu archiwizacji właściwych dokumentów[85]. Sąd Apelacyjny Stanów Zjednoczonych podtrzymał opinię Lambertha i ostatecznie orzekł, że dokonywane przez Departament „niszczenie dokumentów, potencjalnie istotnych dla trustu IIM, które mogły być konieczne dla pełnej rachunkowości, stanowi wyraźny dowód, że Departament" naruszył swój „obowiązek fiducjarny", oraz że „mając na uwadze historię niszczenia dokumentów i stratę informacji koniecznych do prowadzenia historycznej rachunkowości, brak prawidłowego działania rządu mógł skutkować usunięciem poza zasięg powodów wszystkiego, co wiąże się z prawidłową rachunkowością"[86].

W sprawie o obrazę sądu z września 2002 roku sędzia Lamberth ustalił, że pozwani, poprzez rażące nieprawidłowości w przedstawieniu aktualnego stanu trustu IIM, popełnili przed sądem liczne „oszustwa": „Stało się obecnie jasne, że w ciągu sześciu tygodni postępowania sądowego w Fazie 1, pozwani z Departamentu Zasobów Wewnętrznych pokazali jedynie tanie przedstawienie [...] [P]ozwani umyślnie pozwolili sądowi na przyjęcie wyroku w oparciu o dowody pełne błędów faktograficznych"; „w ciągu piętnastu lat pracy w sądzie nigdy nie spotkałem jeszcze pozwanego, który dołożyłby tak wielkich, skoordynowanych starań w celu uniemożliwienia wykrycia prawdy w toku procesu sądowego. Jestem bezgranicznie rozczarowany tym, że dzisiaj spotkałem takiego uczestnika postępowania oraz że tym uczestnikiem postępowania jest Departament rządu Stanów Zjednoczonych. Departament Zasobów Wewnętrznych przynosi

---

[85] *Memorandum Opinion — December 1999*, str. 33 („sporządzony na piśmie plan"), 49 („niszczarka"), 90–91 („cztery naruszenia porządku ustawowego"), 97 („problem brakujących danych"), 109 („Departament Zasobów Wewnętrznych czeka"), 117 („naruszenie prawa powodów"); patrz 112, 118.

[86] Sąd Apelacyjny Stanów Zjednoczonych dla Dystrktu Kolumbii, rozpatrzono 5 września 2000, decyzję wydano 23 lutego 2001. Nr 00-5081. Sprawa z powództwa wnoszących apelację Elouise Pepion Cobell i zesp. przeciwko Gale A. Norton, Sekretarzowi Zasobów Wewnętrznych i zesp. wnoszących apelację. Skonsolidowano z 00-5084. Apelacja od Sądu Okręgowego Stanów Zjednoczonych dla Dystryktu Kolumbii (Nr 96cv01285).

wstyd rządowi federalnemu w ogóle, a władzy wykonawczej w szczególności", „oburzający charakter postępowania Departamentu w tej sprawie jeszcze bardziej pogarsza fakt aktywnego uczestnictwa w nim adwokatów z Prokuratorii Generalnej"; „to prawie niewiarygodne, by agenda federalna angażowała się w tak wszechogarniające plany, w celu wprowadzenia sądu w błąd i uniemożliwienia powodom poznania prawdy na temat administrowania ich rachunkami powierniczymi"[87].

*

* *

Sposób prowadzenia faktycznego audytu przez rząd Stanów Zjednoczonych okazał się równie skandaliczny. Przy szacunkowych kosztach od 200 do 400 milionów dolarów, już na początku 1990 roku zarówno Kongres („wydawanie takich pieniędzy nie jest zbyt rozsądne"), jak Departament Zasobów Wewnętrznych („to trudne zadanie, koszty być może wyniosą 200 milionów dolarów") kwestionowały zasadność finansową audytowania tych rachunków. W 1996 roku Departament Zasobów Wewnętrznych wnioskował o skromną kwotę na przeprowadzenie audytu i nawet ta kwota została ograniczona przez rząd federalny[88]. We wrześniu 2002 roku sędzia Lamberth prowadzący sprawę o obrazę sądu ustalił, że mimo nakazu sądu, przez ponad półtora roku Departament Zasobów Wewnętrznych „nie podjął nawet wstępnych działań" w kierunku przeprowadzenia audytu. Na początku 2002 roku (gdy zamknięto postępowanie) Departament Zasobów Wewnętrznych „nadal tylko miał [...] plan opracowania planu" przeprowadzenia audytu. Sędzia Lamberth stwierdził, że „Sąd jest zarówno zasmucony, jak zdegustowany nieustępliwością Departamentu"[89]. Ponadto sąd stwierdził, że Departament Zasobów Wewnętrznych „popełnił oszustwo wobec Sądu" w sprawie planu audytu. Podstawowe opcje przewidywały zastosowanie metody

---

[87] *Memorandum Opinion — September 2002*, str. 199 („abundantly clear"), 202 („piętnaście lat"), 204 („oburzający charakter"), 206 („prawie niewiarygodne").

[88] *Misplaced Trust*, str. 38 („zbyt rozsądne"); *Memorandum Opinion — December 1999*, str. 21 („trudne zadanie").

[89] *Memorandum Opinion — September 2002*, str. 64 („tylko miał"), 180–182 („zasmucony").

„transakcja po transakcji" albo metody „próbkowania statystyczne-go". Departament Zasobów Wewnętrznych udawał starania o ustalenie preferencji rdzennych Amerykanów („liczni beneficjenci IIM podróżowali na swój koszt i służyli wyjaśnieniami podczas licznych spotkań odbywających się w całym kraju") i zdając sobie w pełni sprawę z tego, że beneficjenci „zdecydowanie preferowali" wyczerpujący audyt, z góry postanowił o przeprowadzeniu bardzo ograniczonego audytu metodą prób statystycznych. Głównym uzasadnieniem tej decyzji były koszty. Pomiędzy „personelem Departamentu, Kongresem i zewnętrznymi trzecimi stronami" osiągnięto konsensus, że „kompletny audyt metodą transakcja-po-transakcji dla każdego rachunku będzie kosztować setki milionów dolarów", a „Kongres jasno wypowiedział się, [...] że raczej nie sfinansuje takiego procesu". Mając na uwadze fakt, że „przedstawione dowody i oświadczenia złożone w czasie sprawy o obrazę sądu [...] dowodzą, jak podstępni i nieszczerzy potrafią być pozwani", sędzia Lamberth stwierdził, że formalny proces zasięgania opinii rdzennych Amerykanów był w „rzeczywistości częścią spisku" zawiązanego przez Departament Zasobów Wewnętrznych. Udając działanie w dobrej wierze, Departament podjął działania w celu obalenia przez apelację „orzeczenia wydanego w Fazie 1 postępowania przed niniejszym sądem, opóźnienia procesu historycznej rachunkowości oraz uniemożliwienia niniejszemu sądowi zarządzenia bardziej inwazyjnych środków prawnych". Sędzia następnie zakwestionował zdolność Departamentu Zasobów Wewnętrznych administracji Clintona do realizacji jakiegokolwiek audytu: „W świetle faktu, że agencja ta ma za sobą historię krnąbrnego przeciwstawiania się takim działaniom, oczekiwanie takie jest w najlepszym wypadku wątpliwe"[90].

W odniesieniu do całości tej sprawy sędzia Lamberth uszczypliwie zauważył, że Departament Zasobów Wewnętrznych „poprowadził tę sprawę w taki sam sposób, w jaki zarządzał trustem IIM — czyli haniebnie"; że zaangażował się w „nikczemne działania"

---

[90] *Memorandum Opinion — September 2002*, str. 41 prz. 30, str. 48–50, 54–55 („setki milionów", „raczej nie sfinansuje"), 190–194 („liczne spotkania", „zdecydowanie", „spisek", „orzeczenie", „wątpliwe"). Mimo ostrej krytyki Departamentu Zasobów Wewnętrznych w administracji prezydenta Busha, sędzia Lamberth przyjął do wiadomości, że był on „marginalnie bardziej responsywny" (212).

i „niegodne czynności", że „przekonanie pozwanych, jakoby sąd musiał uznać ich czynności za podejmowane w «dobrej wierze», byłoby wręcz śmieszne, gdyby nie było tak smutne i cyniczne", że „krnąbrne zachowanie Departamentu Zasobów Wewnętrznych w spełnianiu nakazów tego sądu przerósł jedynie brak kompetencji wykazany przez agencję w administrowaniu trustem IIM" i tak dalej. „Być może posiadam dożywotnią nominację", zakończył sędzia, „ale mając na uwadze tempo, w jakim prace Departamentu Zasobów Wewnętrznych posuwają się do przodu, nie jest to kadencja wystarczająco długa"[91]. W styczniu 2003 roku przedstawiciele rdzennych Amerykanów przedłożyli sędziemu Lamberthowi „szczegółowy wniosek sądowy [...] sporządzony w oparciu o prywatne archiwa, z którego wynikało, że w ciągu ostatnich 115 lat rząd oszukał ich aż na 137,2 miliardów dolarów"[92].

Czy można jednak wątpić w prawo rządu do wystawiania moralnych ocen na temat „perfidnych Szwajcarów"?[93]

---

[91] *Memorandum Opinion — September 2002*, str. 2 („haniebnie"), 212 („śmieszne"), 216 („nikczemne"), 218 („niegodne czynności"), 242 („krnąbrne"), 267 („dożywotnia nominacja").

[92] Joel Brinkley, *American Indians Say Documents Show Government Has Cheated Them Out of Billions*, „New York Times", 7 stycznia 2003. Był to jeden z 6 artykułów, jakie „Times" poświęcił sprawie Cobell, w stosunku do 359 artykułów na temat sprawy banków szwajcarskich. Wniosek — zob. *Plaintiffs' Plan — January 2003*.

[93] Neuborne przyznał, że impet leżący u podstaw odszkodowań za Holokaust wynikał z „poczucia obowiązku moralnego zagranicznych pozwanych postępowania, zgodnie z amerykańskimi zasadami podstawowej sprawiedliwości, [...] jeżeli pragną oni uczestniczyć w wyjątkowym sukcesie tej kultury ekonomicznej, społecznej i politycznej" oraz jeżeli „zagraniczna korporacja zamierza osiągać korzyści z naszego systemu ekonomicznego i społecznego, to ja nie będę się w najmniejszym stopniu wstydzić nalegania, by taka zagraniczna korporacja zgodziła się postępować zgodnie z zasadami prawa, które umożliwiły rozkwit tego systemu społecznego i ekonomicznego". Ale niby dlaczego miałby on być zakłopotany faktem, że zawsze, gdy chodzi o jego własną odpowiedzialność, rząd Stanów Zjednoczonych ignoruje te „zasady podstawowej sprawiedliwości": bo czyż nie jest kardynalną zasadą, umożliwiającą rozkwit tego systemu, że żadna zasada nie odnosi się do siebie? (Neuborne, „Preliminary Reflections", str. 831).

Spis treści

B.Alert

SYSTEM GERMANIZACJI POLSKI

przy współudziale Jej Obywateli

WYDAWNICTWO **ANTYK** MARCIN DYBOWSKI

ks. Józef Warszawski T. J.

MYŚL JEST BRONIĄ

BÓG, HONOR, OJCZYZNA

WYDAWNICTWO ANTYK MARCIN DYBOWSKI

Teodor JESKE-CHOIŃSKI

PSYCHOLOGIA REWOLUCYI FRANCUSKIEJ

WYDAWNICTWO ANTYK MARCIN DYBOWSKI

RAFAŁ BRZESKI

Wojna informacyjna - wojna nowej generacji

WYDAWNICTWO ANTYK MARCIN DYBOWSKI

Władysław Studnicki

PIERWSZA DUMA PAŃSTWOWA

I DZIAŁALNOŚĆ NASZYCH POSŁÓW

WYDAWNICTWO **ANTYK** MARCIN DYBOWSKI

Władysław Studnicki

HISTORYA

USTROJU PAŃSTWOWEGO

ROSYI

WYDAWNICTWO **ANTYK** MARCIN DYBOWSKI

Władysław Studnicki

PRZEWROTY I REFORMY AGRARNE

EUROPY POWOJENNEJ
I POLSKI

WYDAWNICTWO **ANTYK** MARCIN DYBOWSKI

Władysław Studnicki

OD SOCYALIZMU DO NACJONALIZMU

WYDAWNICTWO **ANTYK** MARCIN DYBOWSKI

www.ksiegarnia.antyk.org.pl

MAURICE PINAY

SPISEK PRZECIWKO
KOŚCIOŁOWI

TOM I

Edycja dla Kraju
POLONUS - CHICAGO

MAURICE PINAY

SPISEK PRZECIWKO
KOŚCIOŁOWI

TOM II

Wydawnictwo POLONUS Chicago

Siostra Łucja
Apostoł
Niepokalanego
Serca
Najświętszej
Maryi Panny

Mark Fellows

FATIMA NIEZNANA
i ZAPOMNIANA

WYDAWNICTWO ANTYK MARCIN DYBOWSKI

Ks. Andrea Mancinella

ROK 1962
REWOLUCJA W KOŚCIELE

WYDAWNICTWO ANTYK MARCIN DYBOWSKI

HENRYK ROLICKI

ZMIERZCH IZRAELA

WYDANIE TRZECIE

W A R S Z A W A – 1 9 3 3

ks. Luigi Villa

PIUS XII A HOLOCAUST

Prawda o wielkim papieżu

Wydawnictwo ANTYK Marcin Dybowski

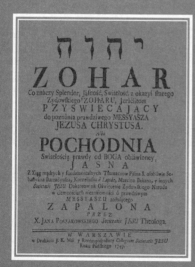

Dominique Tassot

EWOLUCJA
Dylemat dla nauki, niebezpieczeństwo dla wiary
Przedmowa: o. André Boulet SM

WYDAWNICTWO ANTYK MARCIN DYBOWSKI

WYDAWNICTWO ANTYK MARCIN DYBOWSKI

www.ksiegarnia.antyk.org.pl

www.ksiegarnia.antyk.org.pl

F.J. HOLZWARTH

HISTORYA POWSZECHNA

1-7***

WCZORAJ I DZIŚ   U ŹRÓDEŁ

H. Orsza

DZIEJE
SPOŁECZNE
POLSKI

WYDAWNICTWO **ANTYK** MARCIN DYBOWSKI

Michał Grocki

KONFIDENCI
są wśród nas...

EDITIONS SPOTKANIA

Gen. T. Kasprzycki

Katrki z dziennika oficera I brygady

Bp. Jerzy F. DILLON, D.D.

MASONERJA ZDEMASKOWANA
czyli
WALKA ANTYCHRYSTA Z KOŚCIOŁEM
I
Z CYWILIZACJĄ CHRZEŚCIJAŃSKĄ

1994

WYDAWNICTWO ANTYK - MARCIN DYBOWSKI

•:• SPISEK •:•

NIEMIECKO-BOLSZEWICKI

DOKUMENTY

DOTYCZĄCE ZWIĄZKU BOLSZE-
WIKÓW Z NIEMIECKIEM NACZEL-
NEM DOWÓDZTWEM, WIELKIM
PRZEMYSŁEM I FINANSAMI, ORAZ
REPRODUKCJA FOTOTOGRAFICZ-
NA DOKUMENTÓW.

▢ ▢ ▢

WARSZAWA—1919.

WYDAWNICTWO ANTYK - MARCIN DYBOWSKI

Generał JAN JACYNA

ZAGŁADA
C A R A T U

WARSZAWA — 1930.

WYDAWNICTWO ANTYK - MARCIN DYBOWSKI

RZECZYPOSPOLITA...
PODNIEŚMY JĄ WZWYŻ!

„Przygotowania naszych sąsiadów a nasz potencjał wojenny"

WYDAWNICTWO ANTYK MARCIN DYBOWSKI

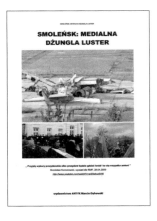

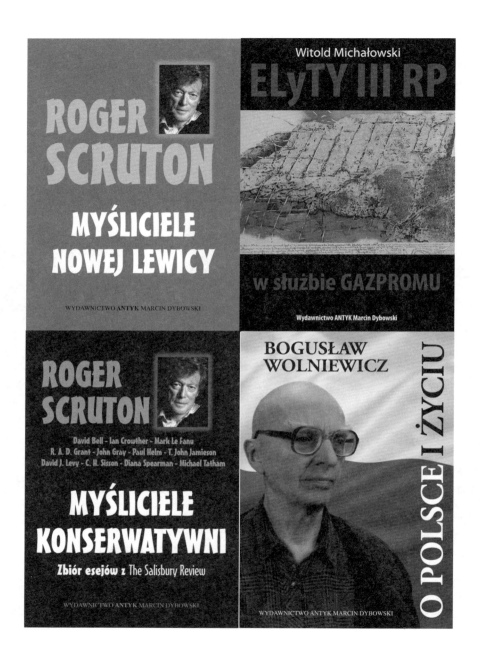

www.ksiegarnia.antyk.org.pl

www.ksiegarnia.antyk.org.pl

Romano Amerio

IOTA UNUM

ANALIZA KRYZYSU W KOŚCIELE KATOLICKIM

WYDAWNICTWO ANTYK MARCIN DYBOWSKI

Kazimierz Marian Morawski

ŹRÓDŁO ROZBIORU POLSKI

WYDAWNICTWO ANTYK MARCIN DYBOWSKI

Epiphanius

UKRYTA STRONA DZIEJÓW
Nowy Porządek Świata
Nowy Ład Ekonomiczny
Globalizm
MASONERIA I TAJNE SEKTY

Wydawnictwo ANTYK Marcin Dybowski

HISTORYA.

JAKOBINIZMU

W Y I Ę T A

z Dzieł Xiędza BARRUEL — *Memoires pour servir à l'Histoire du Jacobinisme.*

TOM I — IV

w BERDYCZOWIE

1 8 1 2.

www.ksiegarnia.antyk.org.pl

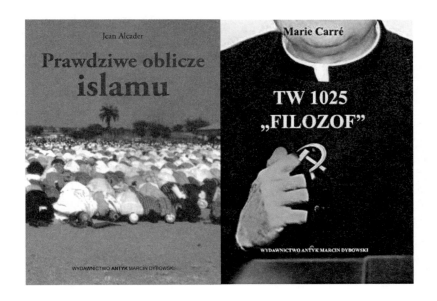

Pieśni Andrzeja Kołakowskiego na dwóch CD:

 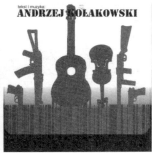

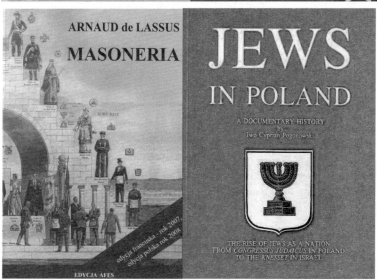

www.ksiegarnia.antyk.org.pl

REPRINT SŁYNNEJ ENCKLOPEDII KOŚCIELNEJ

XXX TOMY – OSTATNIE KOMPLETY

www.ksiegarnia.antyk.org.pl

ks. dr Franciszek Sawicki

U ŹRÓDEŁ
CHRZEŚĆIJAŃSKIEJ
MYŚLI

św. Augustyn
św. Tomasz z Akwinu
mistrz Eckhart

Wydawnictwo Antyk – Marcin Dybowski

o. Jacek
Woroniecki O.P.

KATOLICKOŚĆ
TOMIZMU

Wydawnictwo Antyk – Marcin Dybowski

ks. Stanisław Bartynowski T.J.

APOLOGETYKA
PODRĘCZNA

OBRONA PODSTAW
WIARY KATOLICKIEJ
I ODPOWIEDZI NA ZARZUTY

WYDAWNICTWO ANTYK MARCIN DYBOWSKI

ks. dr Kazimierz Wais

CZY JEST BÓG
I JAKI JEST BÓG

Wydawnictwo Antyk – Marcin Dybowski

www.ksiegarnia.antyk.org.pl

A.G. MICHEL

PAŃSTWO W OKOWACH
MASONERII

WYDAWNICTWO ANTYK MARCIN DYBOWSKI

jeszcze radzić sobie z przyrodą, nie miał porządnych narzędzi ani nie znał rzemiosł, mogła jedna
rodzina? Dopiero kilka lub kilkanaście rodzin jednego rodu stanowiło coś w gospodarstwie; na-
tenczas dopiero można było karczować lasy, urzą-
dzać dobrze łowy, wypasać stada i trzody, mieć
podostatkiem mięsiwa, skór, kożuchów i pozwolić
sobie na ten zbytek, jakim wówczas
skoro rolnictwo wymagało najwię
najwięcej trudu i czasu. Trwałe
kowie drug   pólnocie

FELIKS KONECZNY

DZIEJE
POLSKI
(Kraków 1908)

WYDAWNICTWO ANTYK MARCIN DYBOWSKI

KOBIETA W POEZYI POLSKIEJ

ZEBRAŁ

WŁADYSŁAW BEŁZA

Wydawnictwo Antyk Marcin Dybowski

RENÉ FÜLÖP MILLER

ŚWIĘTY DEMON
RASPUTIN I KOBIETY

Z 94 RYCINAMI ARTYSTYCZNEMI

Wydawnictwo Antyk – Marcin Dybowski

www.ksiegarnia.antyk.org.pl

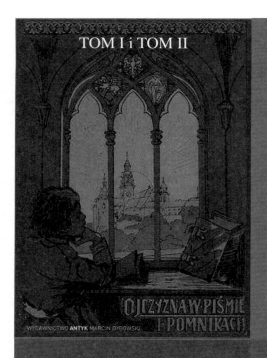

TOM I i TOM II

OJCZYZNA W PIŚMIE
I POMNIKACH

WYDAWNICTWO **ANTYK** MARCIN DYBOWSKI

Leszek Wichrowski

RENEGACI

Likwidacja Hut, Stoczni, Górnictwa...
Wyprzedaż Lasów, Ziemi i innych bogactw Polski

KARD. HENRYK EDWARD MANNING

ZMAGANIA PAPIEŻA
I ANTYCHRYSTA

OBECNY KRYZYS STOLICY APOSTOLSKIEJ
W ŚWIETLE
PROROCTW PISMA ŚWIĘTEGO

WYDAWNICTWO **ANTYK** MARCIN DYBOWSKI

Teodor
JESKE-CHOIŃSKI

NEOFICI
POLSCY

WYDAWNICTWO ANTYK MARCIN DYBOWSKI

www.ksiegarnia.antyk.org.pl